U0093088
古龍

盛期之風貌

臥龍生作品　帶動武俠風潮

《飛燕驚龍》開一代武俠新風

《飛燕驚龍》(1958)爲臥龍生成名作，共48回，約120萬言。此書承《風塵俠隱》之餘烈，首倡「武林九大門派」及「江湖大一統」之說，更早於香港武俠巨匠金庸撰《笑傲江湖》(1967)所稱「千秋萬世，一統」達九年以上。流風所及，臺、港武俠作家無不效尤；而所謂「武林盟主」、「江湖霸業」等新提法，竟成爲社會大眾耳熟能詳的流行術語了。

《飛燕》一書可讀性高，格局甚大。主要是寫江湖群雄爲覬覦傳說中的武林奇書《歸元秘笈》而引起一連串的明爭暗鬥；再以一部假秘笈和萬年火龜爲餌，交插敘述武林九大門派（代表正派）彼此之間的爾虞我詐，以及天龍幫（代表反方）網羅天下奇人異士而與九大門派的對立衝突。其中崑崙派弟子楊夢寰偕師妹沈霞琳行道江湖，卻如夢似幻地成爲巾幗奇人朱若蘭、趙小蝶之絕世武功技驚天龍幫，而海天一叟李滄瀾復接連敗於沈霞琳、楊夢寰之手；致令其爭霸江湖之雄心盡泯，始化解了一場武林浩劫云。

在故事佈局上，本書以「懷璧其罪」（與真、假《歸元秘笈》有關）的楊夢寰屢遭險難，卻每獲武林紅妝垂青爲書膽(明)，又以金環二郎陶玉之嫉才害能，專與楊夢寰作對(暗)爲反派人物總代表。由是一明一暗交織成章，一波未平，一波又起，極盡波譎雲詭之能事。最後天龍幫冰消瓦解，陶玉帶著偷搶來的《歸元秘笈》跳下萬丈懸崖，生死不明，卻予人留下無窮想像空間。三年後，作者再續寫《風雨燕歸來》以交代陶玉重出江湖，爲惡世間，則力不從心，當屬狗尾續貂之作。

在人物塑造方面，臥龍生寫男主角楊夢寰中看不中用，固然乏善可陳，徹底失敗；但寫其他三名女主角如「天使的化身」沈霞琳聖潔無瑕，至情至性，處處惹人憐愛；「正義的女神」朱若蘭氣質高華，冷若冰霜，凛然不可犯；「無影女」李瑤紅則刁蠻任性，甘爲情死等等，均各擅勝場。乃至寫次要人物如「賓中之主」海天一叟李滄瀾之雄才大略，豪邁氣派；玉簫仙子之放蕩不羈，爲愛痴狂；以及八臂神翁聞公泰之老奸巨猾，天龍幫軍師王寒湘之冷傲自負等，亦多有可觀。

與

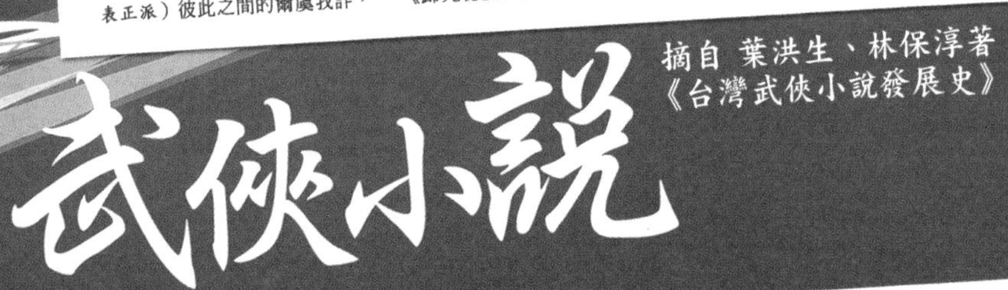

摘自 葉洪生、林保淳著《台灣武俠小說發展史》

台港武俠文學

流行天王

臥龍生

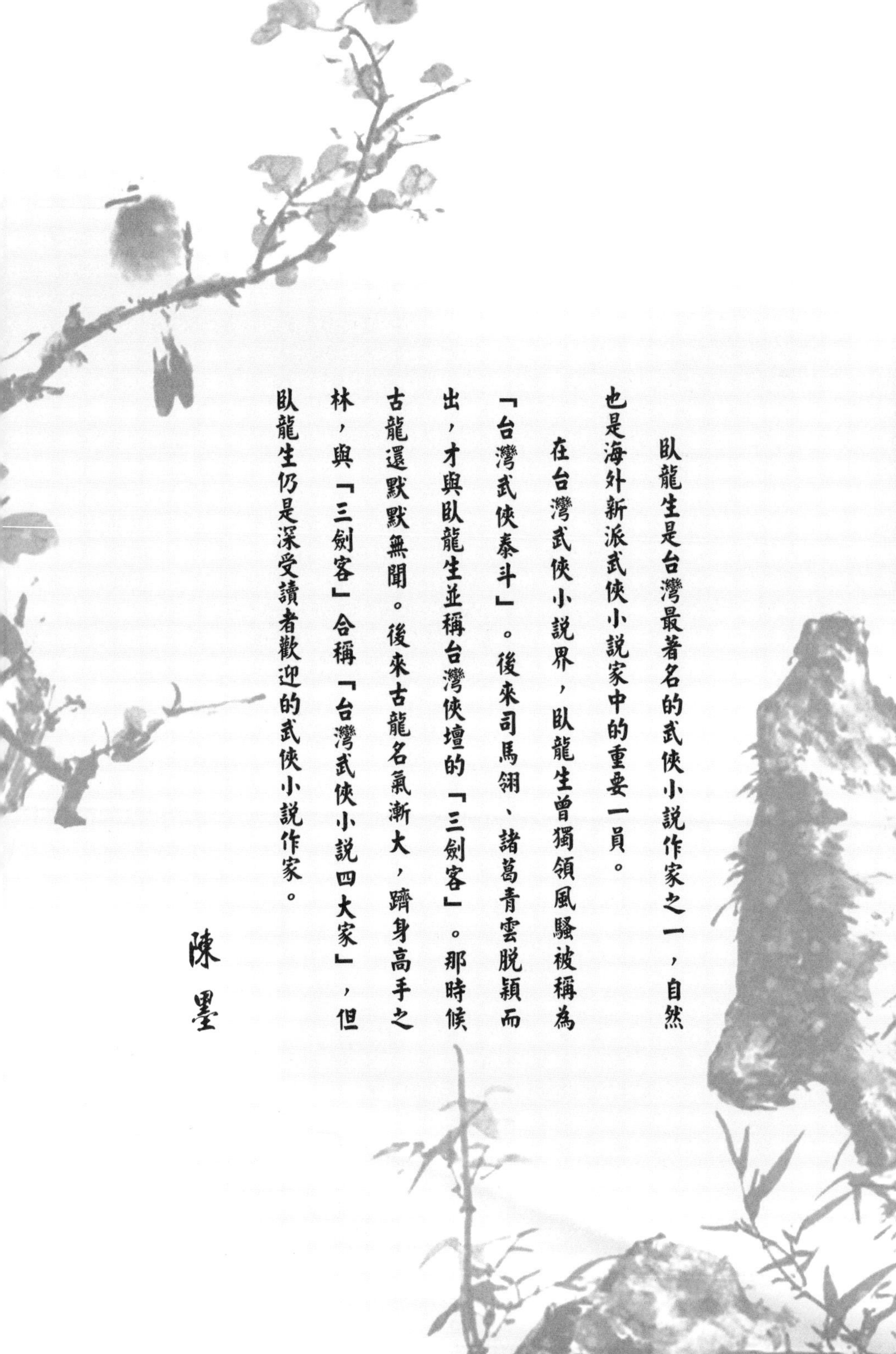

臥龍生是台灣最著名的武俠小說作家之一，自然也是海外新派武俠小說家中的重要一員。

在台灣武俠小說界，臥龍生曾獨領風騷被稱為「台灣武俠泰斗」。後來司馬翎、諸葛青雲脫穎而出，才與臥龍生並稱台灣俠壇的「三劍客」。那時候古龍還默默無聞。後來古龍名氣漸大，躋身高手之林，與「三劍客」合稱「台灣武俠小說四大家」，但臥龍生仍是深受讀者歡迎的武俠小說作家。

陳墨

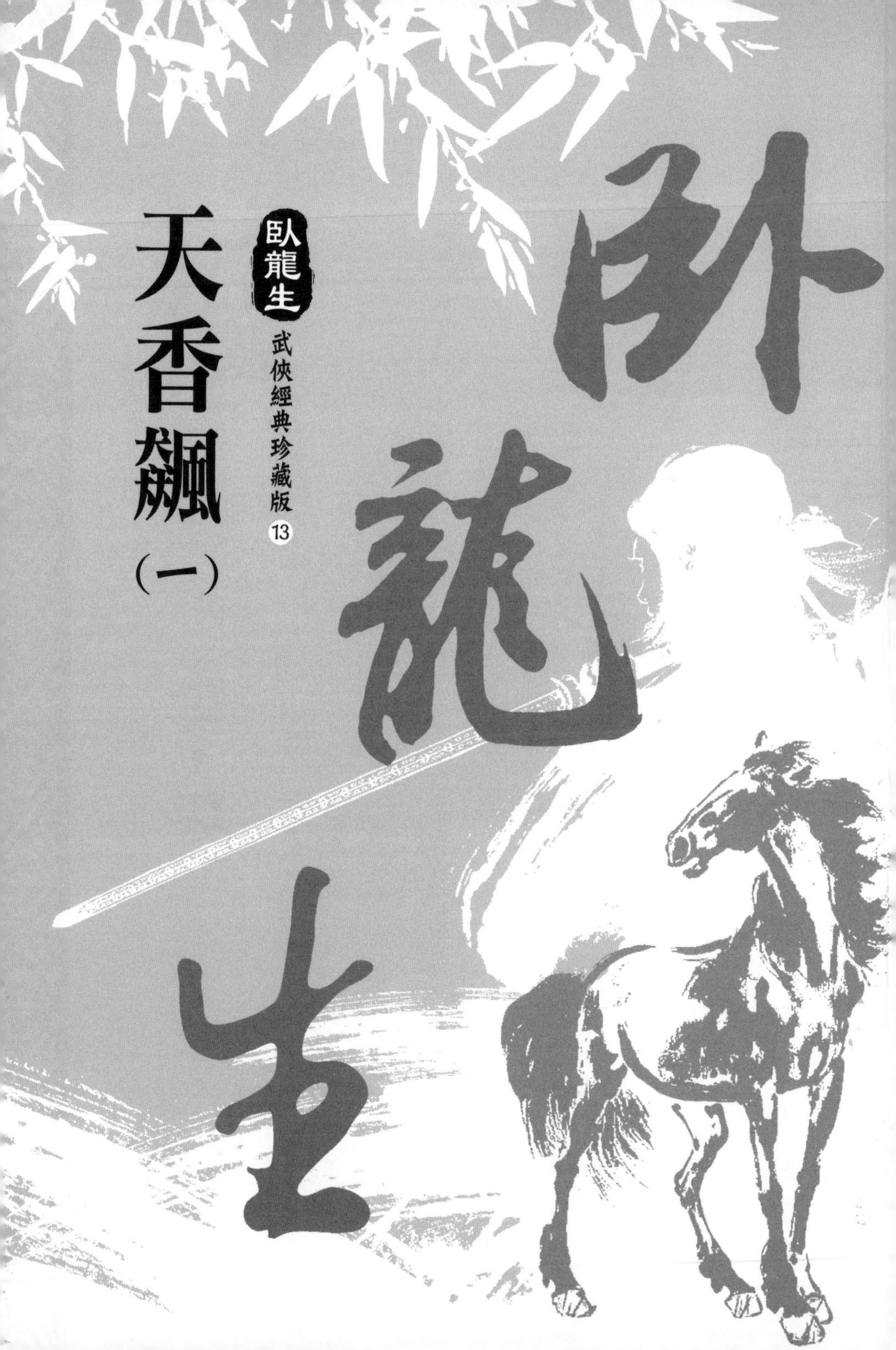
天香飆（一）
臥龍生
武俠經典珍藏版
13
臥龍生

(一)

目錄

【導讀推薦】

愛恨天香飆：臥龍生所締造的一座武俠奇峰

知名評論家 秦懷冰

在台灣武俠文學創作的高潮期間，不時會出現在意境上別開生面、在情節上豁人眼目的新穎作品；如今驀然回首，才會察覺到當時由於諸名家互不相下，風雲際會，彼此競展新意，所以激發了不少出人意料的作品。天才橫溢的古龍，便在這樣的情勢下脫穎而出。

臥龍生在推出《飛燕驚龍》、《玉釵盟》等膾炙人口的名著而享譽甚隆之後，居然別出心裁，創作了公然顛覆傳統武俠敘事基本格局的奇詭之作《天香飆》，風格迥異，令人刮目相看。

對台港現代武俠文學的發展歷程不陌生者，大抵均會知道：臥龍生作品一向強調女性因素在江湖世界的份量，這從他有多部名著都特地採取了象徵女性情致或意趣的書名，便可一目瞭然。但同爲抒寫鐵血江湖中女性角色的關鍵地位或作用，乃至鋪陳真正主導武林霸業者往往是鬥智不鬥力的巾幗奇女，臥龍生在創作《天香飆》之際，卻將層層遞進的悲劇美感推到了撼天動地的高峰，然後倏然收止，只留下寂天寞地的餘哀；就作品的衝擊力而言，此書在武俠小說中誠不多見。

逼視生命的弔詭本質

然而，更值得重視的是，臥龍生藉著《天香飆》情節的展開，對人間世的善惡、正邪、是非、對錯等基本的價值觀及道德觀，進行了沉痛而深刻的質疑，從而不但挑戰了武俠小說敘事傳統中的某些前提設定，甚至也挑戰了一般倫理學或道德哲學教科書中的基本規範。臥龍生雖然未必熟稔教科書上道德哲學的討論內容，但他憑著一個有經驗的創作者對人間世種種現象、種種仇怨、種種悲愁的直觀感受與敏銳反思，竟能逼視生命的弔詭本質，並以生動熾熱的敘事手法來加以鋪陳、渲染，從而構成了一部感人肺腑的通俗武俠作品，堪稱難能可貴。

本書的主軸是：綠林大豪「冷面閻羅」胡柏齡因為與天性純良的谷寒香結縭，為後者的天真嬌憨所感染，不但自己決心改邪歸正，而且立下宏願，要趁江北綠林道爭奪盟主之位的機會，乾脆以一身出神入化的武功，將盟主爭到手中，然後率領整個綠林道上的牛鬼蛇神一同為善去惡，造福世間，以報紅顏知己的垂愛。

在爭霸前夕，發現叢林中有一稚子奄奄待斃，由於愛妻意欲施救，胡柏齡不惜損耗功力，終於救活，夫妻倆收為義子，取名「翎兒」。其後，胡柏齡由於功力受損，在比武奪魁時一再遭遇兇險，幾乎命喪擂台。但他意志堅定，臨危不亂，終於技服群梟，登上綠林盟主之位。詎料胡的同門師伯、黑道巨擘「神杖翁」酆秋突率邪派耆宿「人魔」伍獨、「鬼老」水寒重出江湖，欲迫使胡柏齡以盟主身分率眾綠林豪傑歸附，俾重振黑道，威霸江湖。另方面，白道勢力如少林、武當及諸大世家等名門正派亦根本不容胡柏齡率眾改邪歸正，而必欲趕盡殺絕。於是，胡柏齡陷入左右為難、進退不得的困境。

谷寒香眼見丈夫爲了愛她而決心感化群梟一起爲善去惡，卻時時面臨生命危險，武功低微的她又無法助他克敵制勝，當然憂心忡忡。終於，胡柏齡得悉酆秋等邪派巨擘設下陷阱，欲一舉殲滅白道諸門派，然後扶持他一統江湖；但他卻爲了心目中嚮往的「善」，在千鈞一髮之際，奮身撲滅酆秋等人擬用以炸毀白道衆高手的炸葯引信，因此而遭邪派巨擘合擊，身受重傷。

然而，此時白道勢力非但不予救援，更落井下石，由少林、武當兩大門派的掌門親自出手擊殺爲拯救他們而身罹大難、命在垂危的胡柏齡。這一切實況，都是谷寒香親目所睹。爲了她而痛改前非、一心向善的丈夫，竟是被她所認知的「善」之表率如少林掌門天禪大師、武當掌門紫陽道長，當著她的面活活擊死，試想：她還能維持她原先的價值觀嗎？她還能相信那一套「爲善去惡」、「邪不勝正」的道理嗎？

愛恨生死，一線之隔

臥龍生在抒寫到谷寒香目睹慘劇、性情激變之前，即已埋下伏線，其一是他倆所收義子翎兒身上所帶的「問心子」，這使她後來得以拜晤高人「三妙書生」，得到真傳，具有了報仇的條件。另一則是她得遇慈悲爲懷的高僧天明禪師，爲化解可預見的殺劫而收她爲徒，但也點明她雖「國色天香，嬌麗無倫，溫柔嫻靜，秀絕人寰」，卻「只可惜眉心上有一條地煞紋干犯紫斗，十年內恐要玉手染血，造劫武林！」。

果然，胡柏齡慘死後，谷寒香一改天真嬌憨，以絕世美色爲復仇工具，不惜佈施色相，魅

惑當世高手，甚至藉用迷魂丹藥，將所能羅致的江湖大豪均收爲裙下之臣，以厚植未來復仇的實力。在她以國色天香的玉容與嬌軀掀起江湖狂飆的期間，武俠小說敘事模式所可能設置的各種詭秘布局、奇妙橋段，臥龍生大致皆已充分利用與發揮；因此，即使不深究其挑戰、質疑傳統武俠文學對善惡、正邪、是非、對錯的基本設定，而只品賞故事中緊張熱烈、扣人心弦的種種情節與場景，也頗足以曲盡閱讀武俠小說的趣味了。

谷寒香的報仇，其實波折重重。最終，酆秋等黑道巨擘難逃天香飆的狂襲而殞命伏屍，自屬意料中事；谷寒香對所謂名門正派中人擊殺愛侶胡柏齡的狠心棘手，尤其椎心泣血。然而，她畢竟天性純良，事到臨頭，只在搏命拼鬥中流血格殺了武當派的紫陽、白陽，及至輪到與少林掌門一決生死時，又因天明大師刻意讓她誤殺而勾起她的悔意，谷寒香眼見主要仇人已殞命，義子翎兒亦有人照顧，遂以自戕向天明大師交代。席捲整個江湖的天香狂飆，至此終告香消玉殞。

佛偈有云：「由愛故生憂，由愛故生怖，若離於愛者，無憂亦無怖」。當胡柏齡面臨正邪雙方的夾擊而兇險莫測時，谷寒香一直憂心忡忡，驚怖萬狀。但當安葬了丈夫後，她擺明不再天真地相信善有善報，惡有惡報，而一往無前地走上報復之路；從此，她鎮定如恆，視死如歸，一路上都不驚不怖，不動聲色，因爲她摯愛的人已不在世上，她對這個人世已無所愛戀，無所罣礙。佛偈的原意在闡揚四大皆空始能超脫的佛理，然而，《天香飆》所凸顯的則是：當所愛之人遭到不幸，她對世界已無感覺，故也可以無憂無怖，一心追求「報復的正義」！

一　綠林爭霸

秋風瑟瑟，晨寒猶濃，由河北保定府西行入晉的官道上，兩匹健馬一前一後，奮蹄急馳。

第一匹黃驃馬上，坐一個身材修偉，四旬左右的男子，紫臉環目，滿腮虯鬚，一身深藍色疾服勁裝，外罩黑緞披蓬，青巾包頭，背插長劍，血紅的劍穗，隨風飄拂，馬鞍前斜掛一支三尺八寸長的鐵枴，看上去神威凜凜。

後面一匹棗紅馬上，卻是一個二十一、二歲的美麗少婦，大紅披蓬，玄色短裝，腰中橫束一道紅絲結成的索繩，一端結著一個光芒耀目鳩頭金鎚，一端繫著一個雪白的銀球，由盤腰索繩中結垂兩肋。這兩人衣著特殊，一望即知是武林中人物。雖然秋晨寒濃，但那兩匹健馬仍跑得滿身汗水。

這時，兩人正行到一片樹林旁邊，那玄裳少婦忽地一抖韁繩，棗紅馬突然間向前疾衝了五、六尺，追在那大漢馬後，笑道：「大哥，咱們已兼程趕了半夜，人雖不倦，只怕馬已困乏不堪，不如在這道林旁邊休息一下再走？」

那紫臉大漢一勒馬韁，轉頭答道：「不錯，一陣急奔，恐已有六、七十里，也該讓兩匹牲口落落汗啦。」他相貌雖然威猛驚人，但對那少婦言詞卻十分謙和，當先躍下馬背，牽馬入林。這一男一女，就在林邊一株大榆樹下，席地而坐，玄裝少婦由馬鞍上取下乾糧包裹，打開攤在地上，笑道：「這一次北嶽大會，南七北六，一十三省的綠林豪傑，如果真都趕往參加，那人數恐要有數百之眾，想爭那綠林盟主之位，只怕不是容易之事？大哥早年已名滿江北六省，享譽之隆，無人可比，如今對這綠林盟首之位，又何必定欲力爭？」

那紫臉虬鬚大漢微微一笑，道：「此次恆山大會，名雖是爭霸綠林盟主之位，其實就是一叟、二奇、三雄、四怪和咱們兩人之爭，那三雄、四怪雖然武功很高，但我自信有能力制服幾人；二奇名滿江湖，不可輕敵，我雖久聞其名，還未會過兩人。自然，最可顧慮的還是『羅浮一叟』，不過，有你在我身邊，情形又自不同……」

那少婦緩緩放下手中乾糧，目光凝注在那大漢臉上，微現憂傷地說道：「我自知本領有限，只怕無能相助大哥。」

紫臉大漢忽然仰面一陣大笑，道：「只要你站在我身側，用眼睛望著我，就能激勵我必勝信念，哪裡還能讓你真的出手相助。」他忽然又長長嘆息一聲，接道：「在未遇你之前，我確實是個嗜殺成性之人，行事從無是非之分，但憑當時的好惡之念，恣意而行，而且出手陰毒，從不肯留人一步，因此江湖上才送我一個『冷面閻羅』的綽號，當時我並不以此為憾，反有些沾沾自喜。但自從和你相識之後，不知不覺間性格上有了很大地轉變，以往把殺人視為賞心樂事，現在，卻變成極大痛苦，唉！幾年來，我雖然盡力改過向善，但因過去積惡太著，結仇太多，始終無法獲得一般俠義道中人物的諒解。」

那玄衣少婦一顰黛眉接道：「那也不能怪你，他們對你諸般逼迫，都是我親眼所見；那種

趕盡殺絕的做法，未免過分，自然不能怨你施下辣手對付他們。大哥你不要一直把這件事放在心中，你是被他們逼得沒有辦法呀！我心裡一點也不怪你。」

紫臉大漢突然伸手握著那少婦玉腕，神情激動，熱淚盈眶，說道：「你對我情愛愈深，我心中痛苦愈大，回想起以往諸般惡跡，恨不得橫劍死你面前……」

玄衣少婦慢慢地把嬌軀偎入那大漢懷中，輕舉右掌，堵住那大漢嘴巴，笑道：「我不要知道你過去所作所爲之事，但自我嫁你之後，沒有看到你妄殺過一個好人，做過一件錯事，三年前你傷人，我知道那是被迫，如果他們不是傷了我，你還不肯施下毒手，大哥，只要我能活一天，我就一步也不離開你……」

那紫臉大漢，黯然一嘆，道：「這幾年來，我已經覺著領受得太多，像我這般滿身殺孽的人，皇天還這樣厚愛於我，更增我無比的愧疚！我這次不惜重入江湖，趕赴北嶽，爭奪那綠林盟主之位，並非是心存名利，而是想藉那綠林盟主地位，約束同道……」他話未說完，忽聞一陣低弱的哭聲，隨著那蕭蕭秋風飄傳過來。

玄衣少婦一挺身，由那大漢懷中躍起，道：「大哥，聽，這荒林之中，四無人家，哪來的啼哭之聲？」

紫臉大漢臉色微變道：「咱們瞧瞧去，只怕是……」他忽然住口，急步向林中奔去。這一片荒林，大約兩、三畝地大小，榆槐雜生，蓑草荒蕪，兩人奔行了四、五丈遠，忽覺迎面秋風夾著一股血腥氣味。「冷面閻羅」就地一跺腳，但聞「砰」的一響，碎石紛飛，砂土四揚，堅硬的砂石地上，登時下陷了兩寸多深一個腳印。

只聽他冷哼了一聲，道：「果不出我所料。」微一挫腰，凌空而起，右掌隨勢劈出！一股凌厲的掌風，震得盤空交錯樹枝，波開浪裂，但聞颯颯響聲不絕，黃葉枯枝，紛紛飄墜。

玄衣少婦緊隨著跟蹤躍起，飛落在那紫臉大漢身側，兩人這一躍之勢，大約一丈左右遠近。定神望去，只見一叢深草旁邊，橫陳著兩具屍體，一男一女，並肩仰臥，兩人衣著都很華貴，但死狀卻是很慘；男的兩臂被斬，又被攔腰一刀截斷，女的上半身衣服已被撕破，酥胸半露，散髮覆面，身中四刀，三處是人身要穴。

那玄衣少婦雖是一身武功之人，但心地卻很善良、仁慈，目睹慘景，不自禁地滾下來兩行淚水。

「冷面閻羅」側臉望了嬌妻一眼，滿臉憤然之色，道：「咱們如能早到一個時辰，這兩個人也不致被殺死了……」

忽聞那枯草叢中，傳出來微弱的哭喊之聲：「媽媽……媽媽……」聲音若斷若繼，低弱悽楚，玄衣少婦眼中熱淚，倏然間急湧而出，縱身一躍，從兩具屍體上面掠過，分開亂草，抱出來一個五、六歲的孩子，滿身鮮血，奄奄一息。

她顧不得再和「冷面閻羅」說話，抱著孩子急奔出林，到了林邊拴馬之處，急急從馬鞍旁取下水壺，再從披蓬上扯下一塊布綹，洗滌了那孩子身上血污，只見孩子左肩、右腿之上，各有一道兩寸多長、深可見骨的刀傷，幸好尚未傷到筋骨。可是，這等極重之傷，縱是成人，亦難忍受得住，何況他只是一個五、六歲的孩子。

幸得她是會武之人，對療治刀劍之傷十分熟習，當下輕輕把孩子放在地上，急趨丈夫座騎

旁邊，解下馬鞍上攏帶的金創藥，很仔細地替那孩子敷上，用布包紮起來。她雖是少婦之身，但因未曾生育過兒女，故替他紮好傷勢之後，下一步不知該如何才好？沉忖了一陣，才拏起水壺，輕輕啓開孩子牙關，向他口中灌了幾滴開水。

只聽身後一聲長長嘆息，道：「這孩子長得倒很可愛。」

玄衣少婦只緩緩站起身子，說道：「大哥，這孩子好生可憐，咱們把他帶走好不好？唉！自我和大哥結褵以來，就日夜盼望給你生個兒子，哪知我肚子不爭氣……」話至此處，忽覺一陣羞意，泛上來兩頰紅暈，垂頭接道：「這孩子不但可憐，而且也生得異常清秀，他身上兩處刀傷，都很沉重，要是不用大哥『止血生肌散』相救，只怕他絕難活得下去。」

「冷面閻羅」沉吟了一陣，道：「香妹之言，本和我心意相同，不過……不過眼下時機不對，我們爭雄北嶽，勝負生死，都難預料？如果帶著這樣個重傷的孩子，不但諸多不便，且將有礙手腳，還是不帶的好，想這道路之旁，定會有人經過，不如留給別人……」

玄衣少婦緩緩把目光移注在懷中孩子臉上，神情中無限憐惜，說道：「大哥說得不錯，就是你說錯了，我也是要依你的。」言詞雖然柔和，但聲音幽幽，熱淚滿眶，顯然在這短暫的一刻之間，她對孩子已由憐憫生出很深的愛戀。她輕輕在孩子臉上親了一下，孩子忽地睜開了一雙失神無光的眼睛，低弱地叫了兩聲：「媽媽，媽媽……」又閉上了眼睛。那兩聲低弱的呼喚，是那樣的親切，玄衣少婦含蘊在眼眶的熱淚，不禁簌簌落下，滴在那孩子臉上。她不再回顧身旁的丈夫，放下孩子，緩步走到坐騎旁邊，躍身上馬，向前奔去。

「冷面閻羅」緊隨著翻身上馬，追在身後，默然無語，其實他心中何止有千百句話要說？

他從未見過嬌妻這般哀怨的神情，心中十分不忍，恨不得立刻答應她，帶著那孩子同行；但他一想到趕奔到北嶽之後，那爭奪天下綠林盟主的慘烈搏鬥，帶著一個不解人事的孩子，實有不便之處，只得把想說出口之言，勉強忍住。

兩人放馬奔行，約有五里左右，忽聽身後傳來一陣急促的馬蹄聲。

「冷面閻羅」回目望去，只見五匹快馬並排疾馳而來，鐵蹄過處，塵埃瀰天。

他內功精深，目力大異常人，一望之下，已然看清來人面貌，不禁微微一皺眉頭，低聲說道：「香妹快請勒馬，有人追咱們來啦。」

那玄衣少婦猛地一帶馬韁，棗紅馬打了一個轉身，停在路側；但見五匹快馬風馳電掣一般，片刻之間，已追到兩人身外數尺之處。馬上人一齊猛收轡繩，只聽群馬一陣長嘶，前腿豎立，收住急衝之勢，馬上人卻不待馬蹄落地，一齊飄身下鞍，動作輕靈迅快，非有極好的輕身功夫絕難辦到。

五人躍下馬後，同時對「冷面閻羅」一個長揖，說道：「胡大哥別來無恙，這幾年你到哪裡去了？害我們找得好苦……」

「冷面閻羅」輕輕嘆息一聲，截住幾人的話，接道：「你們還找我做甚？我早已洗手歸隱，不問江湖是非了。」

最左首一個年齡較大之人，忽然面現悽然之色，說道：「大哥縱然洗手歸隱，也該知會我們一聲才好，這幾年來，江北武林道上，盛傳大哥遇害之事，一班兄弟，無不忿恨填胸，立志要替大哥報仇，只是大哥遇害一事經過，傳說紛紜，莫衷一是，究竟誰是正兇？一時之間無

法探得確實消息，害得一班兄弟們奔走江北六省，到處尋訪大哥行蹤，探聽大哥遇難確訊，數年奔走，始終未能探得確實消息。但我知大哥一身武功，已達超凡入聖之境，放眼當今江湖，有誰是大哥對手？遇害之事，恐是謠傳，但因無法尋得大哥下落，只得半信半疑，一班兄弟在久尋大哥不得，大都心灰意冷，只餘下我們五個，立誓要尋得大哥下落，如果證實遇害之事確真，亦要尋得大哥遺體安葬，再找正兇，替你報仇；想不到大哥卻是有意逃避我們……」言詞雖是說得婉轉，但隱隱含有責備之意。

只聽「冷面閻羅」黯然一聲長嘆，說道：「承蒙舊時兄弟們對我這等關懷，小兄十分感激，但近年之中，我已深悔過去的一切作爲，滿身罪孽，兩手血腥，因此埋名深山，隱跡荒嶺，懺悔我半生債孽。」

五個大漢望望他身後飄拂的血紅劍穗，馬鞍上掛的鐵枴，臉上現露出不信神色。

「冷面閻羅」目睹幾人神情，不禁微微一聳雙眉，冷冷地說道：「我胡柏齡幾時打過誑語？這次我重整劍、枴，再履江湖，但我欲所作爲之事，已和昔年大不相同，就請幾位轉告一班舊時兄弟，說我胡柏齡對他們的一番關懷厚情，十分感激，但我已於數年前洗手退出江湖，江北綠林道上，早已沒有『冷面閻羅』胡某人這號人物了。」說完，帶韁轉馬，欲待走去。

五個大漢素知他爲人做事，稍不遂心，舉手就要殺人，見他轉馬欲走，哪裡還敢伸手攔阻？相互一施眼色，一齊拜伏地上，說道：「大哥請稍留片刻，我等還有下情稟報。」

原來這胡柏齡在未洗手退出江湖之前，乃江北六省綠林道上的總瓢把子，聲威所指，江

北黑、白兩道的人物，無不俯首聽命。此人發跡奠基，亦是際緣時會而起，當初江北道上，出現了五個人物，這五個人中，三個是觸犯清規，被少林寺逐出寺門的弟子，蓄髮還俗之後，仍藉少林派外門弟子名義，橫行江北；兩個是武當派中私自逃離的門人，出沒在江北地面。因為幾人都是初涉江湖，不懂綠林過節，橫衝直闖，引起江北綠林道上反感，暗傳綠林箭，邀集高手，合力截擊，想把幾人逐出江北地界。五人因利害相關，結成一體，因為個個身手不弱，在幾番被人圍殲搏擊之中，傷了不少江北綠林道上高手。這一來，事情鬧得越發不可收拾，江北六省所有武林高手，一致憤而聯手圍剿。五人武功雖高，但難抗對方人多勢眾，遭人步步追迫得日夜奔走，狼狽不堪。

正在此時，行道江湖的少林、武當兩派門下弟子，亦探得五人在江北諸般惡跡，回報兩派的掌門師尊，聯合調遣門下弟子，由少林派天明大師率領，渡河北上，準備生擒五人回山，以派中戒規治罪，以肅門規。

天明大師位列當代少林寺「天」字輩中三大高手之一，除了少林寺掌門方丈，和行腳天涯、三十年未回過一次少林寺的天覺禪師之外，「天」字輩中，天明大師的武功，可列為少林派第一高手。

這時「冷面閻羅」胡柏齡亦在江北嶄露頭角，但因他武功太高，行蹤飄忽，神出鬼沒，雖在江北露面數年，但知道他的人，卻是寥寥無幾。

天明大師率領兩派弟子下山之後，難免伸手管些不平之事，行蹤所及，挑了不少黑道窯子，江北綠林道上，遂傳出少林、武當兩派聯手掃蕩江北綠林的消息。這一來確使江北所有的黑道人物，大起恐慌，因爲少林、武當兩派的武功，早已譽滿天下，而且率領之人，又是譽重一時，號稱少林寺三大高僧之一的天明大師，這傳言震盪了整個江湖。可是這一變故，反而救了五人，所有窮追五人高手，都紛紛回集，聚會保定府，籌謀對付少林、武當兩派的來人。

「冷面閻羅」胡柏齡聽到江北綠林聚會保定府之訊，單身匹馬，趕往赴會，他輕功已達爐火純青之境，無聲無息地進了會場，數十個江湖高手，沒有一個發覺他何時入了座位？

直待人眾意見紛歧，迎戰、避敵兩者難作定論之時，胡柏齡突然起身插嘴，力主合力迎擊，當時他年紀還輕，人又無名，雖然說得慷慨激昂，願做先驅，獨鬥天明大師，但卻無一人附和贊成。

胡柏齡生性本極暴戾，看眾人無一把自己放在眼中，不覺大怒，飛起一腳，踢翻桌子，大罵群集的江北盜首，個個都是貪生怕死，欺軟怯硬的酒囊飯袋。

他這猖狂的舉動，觸犯眾怒，立時有四個著名大盜，向他撲去。

「冷面閻羅」見狀，冷笑一聲，揮掌迎戰四人，不過十回合左右，四個聲譽卓著的江北巨盜，全被他點倒當場。他這一現身手，果然鎮懾全場，遂有一大半主張截擊兩派的人，願隨他迎堵兩派高手，不過，要他出手對付天明大師。因爲群匪所以難作定論，大都是害怕天明大師的威名，既然胡柏齡願獨鬥天明大師，少去一個頂尖強敵，餘下便可應付。

胡柏齡眼看江北綠林的大部分著名高手，肯受自己節制，內心十分高興，當下哈哈大笑一陣，領著主戰群匪，迎截天明大師率領的兩派高手於黃河渡口。那一戰雖然是動員大部江北綠林道上菁英，抗拒少林、武當兩派高手的大會戰，但最爲主要的，還是胡柏齡和天明大師的一

場搏鬥。兩人由晨至暮，由暮至晨，一晝夜的慘烈搏擊之中，仍然無法分出勝負。

天明大師當時已六旬以上，而「冷面閻羅」胡柏齡只不過三旬左右，那時出道江湖尚不及三年，天明大師雖未輸招，但在一晝夜火烈絕倫的拚搏之中，也沒有佔得絲毫上風，他本是望重武林的高僧，看自己經一日夜之久的時間，還未把一個初出江湖的黑道人物打敗，不禁大感慚愧，既心折對方武功，又感無顏再戰，當下急攻三杖，把「冷面閻羅」胡柏齡迫退兩步，躍出戰圈，說道：「老衲一生之中，會過無數高人，但如施主這等年齡，有此身手，實在罕見罕聞，就憑施主這身驚人絕藝份上，老衲願擔承敝寺掌門人責怪，就此率本門中弟子，撤回嵩山本院，不過武林之中，首戒背叛師道，蘭因絮果，一毫不爽。施主一身武學，舉世無匹，如能步入正途，不難成爲一代大俠，正邪之分，一望即知，是非之辨，全由心念，老衲不揣冒昧，說了這番腑之言，尚望施主三思。」說完，果然率領少林門下弟子，退離江北，返回嵩山。

天明大師一走，武當派中幾個弟子，也隨著撤離了江北。

這不但使江北綠林同道對胡柏齡刮目相看，就是少林、武當派中的傑出高手也震驚於他的武功，因那天明大師不但是少林寺中三大高僧之一，就當時武林而論，也是極負盛譽之人。老和尙久戰無功，含愧退回嵩山。而胡柏齡卻在那一戰之中，聲譽鵲起，奠定他領導江北綠林的盟首基礎。

幾個被少林、武當搜捕的叛徒，在感恩之下，自動投倚麾下，正式擁立胡柏齡出任江北綠林盟首，繼而糾眾呼應，披靡江湖，一時之間群豪折服，綠林翕從，凡是「冷面閻羅」胡柏齡

足跡所到之處，無不遠接遠送，畏忌三分。

在胡柏齡的屬下助手中最得力者，就是被兩派所要緝捕的五個少林、武當叛徒。五人投倚胡柏齡後，備加友愛，插香結盟，合稱「江北五龍」。

這時「江北五龍」都早已恢復了俗家姓名，以年序排稱，老大叫「出雲龍」姜宏、老二叫「入雲龍」錢炳、老三「飛天龍」何宗輝、老四「多爪龍」李傑、老五「噴火龍」劉震。

胡柏齡正是血氣方剛之年，在「江北五龍」從旁推慂之下，儼然以江北綠林盟首自居，並自製江北六省綠林盟首令牌，傳諭江北六省綠林同道，限期聚會五龍山。

這一道咄咄逼人的令諭，引起了江北六省中不少著名黑道人物的反感，暗中作梗，阻攔大會，致使依限赴會的綠林同道，寥寥無幾。五龍眼看赴會之人不多，立時又鼓動胡柏齡對那些未遵諭赴會之人，應逼使就範，並戮殺主謀作梗之人。

胡柏齡經五龍挑起怒火，果然放手大幹起來，費時近年，足跡遍及六省，凡是未參與綠林大會之人，只要稍具聲望，不是被他誅絕劍、枴之下，就是被迫加盟，再加上五龍相助，奔走呼應，軟硬兼施，不及一年，江北六省中綠林人物完全臣服，胡柏齡的萬兒，愈來愈響了。但隨著他日漸高漲的聲譽，惡跡血債，也堆積如山，仇人也愈來愈多……直待他遇上了那玄衣少婦谷寒香，陡然間悔悟前非，悄然洗手，歸隱深山。

可是他積欠的血債，並未因他改過而消解，追討的鐵蹄，仍處處緊追著他。這諸般往事，閃電般地從他腦際閃過，他回頭望望眼前五個昔年效忠於自己的兄弟，心中忽然生出依戀，暗

道：「哼！過去我縱橫江北，是何等的威風？只要我一句話，整個江北地面，立時會掀起滔天的風波，血流成河，屍骨堆山。『冷面閻羅』胡柏齡七個字，震盪著千萬人心，不管是黑、白水陸道上的人物，誰敢不遵我胡某人的命令？」他眼睛中閃起冷傲的光芒，陶醉在往事的回憶之中。

只聽「出雲龍」姜宏長長一嘆，說道：「自從盟首隱跡之後，江北綠林道上，已發生很大的變化，盟首的職位，已被別人取代……」

胡柏齡冷哼了一聲，接道：「什麼？哪一個有這樣的膽量？他定是活得不耐煩了！」

姜宏目睹胡柏齡爭雄之心復起，心想只要再勸說一陣，不難說動，當下接道：「唉！提起那取代大哥盟首職位之人，實非一般武林人物可比，他不但身負絕世武功，且更擅長各種奇毒暗器，誰也不知他出身來歷？只要他一出手，對方不死必傷，他出沒江北一帶，只不過一年多的時間，可是他已取代大哥辛辛苦苦建立起的基業，一般效忠大哥的舊時兄弟，傷亡在他奇毒暗器之下的，更是難以數計……」

胡柏齡「哼」了兩聲，虬鬚暴起，接道：「有這等事？他比少林寺天明大師如何？」

「出雲龍」乃是被少林逐出門牆的弟子，一聽「冷面閻羅」提起少林寺，不禁微感臉上一熱，接道：「天明大師乃少林寺三大高僧之一，功力絕世，技業無雙，諒那人也不是敵手。」

「冷面閻羅」胡柏齡面色稍見緩和，微微一笑，道：「江北道上，有了這麼一個人物，我竟然一點不知……」忽然想起自己這幾年來，和嬌妻遁跡深山，已不問江湖是非，自然是不知綠林形勢，當下改口說道：「想你們一定會過此人，且把他形貌，及使用何種兵刃、暗器，先

說給我聽聽。」

姜宏回頭望了同來的四個義弟一眼，臉色十分尷尬地說道：「說來慚愧至極，我們雖和他動過手，但卻未看到他廬山面目，一則他武功太高，來去無聲無息；再者他故作詭異，面上經常罩著黑紗。」

胡柏齡縐縐眉頭，道：「他用的什麼兵器？」

姜宏又被問得呆了一呆，道：「我們和他動手之時，並未見他使用兵刃。」

胡柏齡冷哼了一聲，道：「那你們是被人家赤手空拳打敗了？」

「江北五龍」同時臉上一紅，答道：「我等學藝不精，有辱大哥威名，願領責罵。」

胡柏齡忽地雙眉一揚，神采橫飛，仰天打了個哈哈說道：「想不到在我胡某人歸隱之後，江北綠林道上，竟出了這等奇才？那倒要會他一會。」

「飛天龍」何宗輝突插嘴接道：「大哥的江北綠林舊部已有部分變節，投效那蒙面怪人，幾個忠於大哥的兄弟，不是被迫流亡天涯，就是傷亡在那人手下，單單餘下我們兄弟五人，終年奔走在深山大澤之中，人跡罕到之處，一面苦尋大哥下落，一面逃避追蹤鐵蹄，數年奔波總算沒有白費，終於找到了大哥，但望盟主體念舊時兄弟一番追隨情意，答允重出江湖，再整江北霸業，一則替那些被迫流浪天涯的兄弟們出口氣，再者也可告慰喪亡兄弟們九泉陰靈。」

這幾句話說得戚戚動人，胡柏齡果然被勾起舊時情意，只覺胸中熱血翻騰，豪氣勃發，雙目神光一閃，說道：「既有這等事情……」

忽聽一聲幽幽清音，響自身側，說道：「大哥，我想那丟在荒林中的孩子，實在可憐極

啦，求求你答應我去把他抱回來吧？」

胡柏齡心頭一凜，慌忙把欲出口之言，重又嚥了回去。轉臉望去，只見嬌妻滿臉憐惜神情，兩行清淚正緩緩順腮而下。原來她一直在想著那荒林中奄奄一息的孩子，根本就未聽幾人說些什麼。

「江北五龍」一直未敢仔細打量那勒馬身側的玄衣少婦，此刻聽得那幽幽清音，有似黃鶯婉轉，悅耳動人，再也忍耐不住，不約而同，轉臉望了一眼。

只見一個輕顰黛眉，滿臉幽怨的絕世美人，眼神中滿含著乞憐神情，凝注著「冷面閻羅」。那照人容光，艷麗不可逼視，看了一陣，五個人同時別過頭去。

只聽胡柏齡柔和地說道：「好吧！咱們就回去抱他回來。」

玄衣少婦忽綻唇一笑，陡然放馬，疾向來路奔去，但聞嗁聲得得，眨眼間已到數十丈外。

胡柏齡不再理會「江北五龍」，一抖韁，疾向那玄衣少婦追去。

「江北五龍」相互望了一眼，也紛紛躍上馬背，放轡追去。片刻工夫，已回到林邊，只見那身受重傷的孩子，仰臥在地上，瞪著一雙黑白分明、又大又圓的眼睛，呆呆地望著飄落的黃葉……原來他自經谷寒香替他敷過「止血生肌散」後，傷疼已止，精神也好轉不少。

谷寒香眼看孩子無恙，心頭大喜，距孩子還有一丈多遠，兩腳微一用力，「呼」的一聲，躍離馬背，但見披蓬飄飛，人已落腳在孩子身側，兩臂一探，已把孩子抱在懷中，哪知她動作過急，震動了孩子傷口，但見他一皺眉頭，湧出來兩眶淚水，但竟沒有哭出聲來？

谷寒香卻嚇得「哎喲！」一聲，急把孩子摟在懷中，神色間無限愧疚、憐惜。她一生之中，從未經歷過這等情事，此刻懷中抱著一個身受重傷的孩子，只覺心中惶惶不安，恨不得一下子把孩子身上傷勢醫好，讓他和別的孩子一樣跳躍、玩樂。

胡柏齡看她一副不知所措的模樣，別有一種動人嬌態，忍不住笑道：「看你那等驚慌模樣，日後自己生了孩子，不知要把你累成什麼樣了？」

哪知這一句無心之言，卻觸動了谷寒香的心事，只聽她幽幽說道：「這幾年來，我看到人家夫婦帶孩子玩耍，心裡老是想到，幾時我也能生個孩子，我就心滿意足啦！唉！誰知一年一年地過去，我日夜所夢想的希望，始終未曾實現，如果我這一生不能替大哥生育兒女，死在九泉之下，我也不能安心……」

胡柏齡黯然一笑，道：「香妹不必為此煩心，這事情怪不得你，我這半生做的壞事太多，兩手血腥，滿身罪惡，所以才干怒皇天，絕我子嗣。」

谷寒香淒涼一笑，道：「自我結識大哥以來，從未見你做過一件壞事，定然是我不好，不會生養兒女……」她說到傷心之處，竟然滿眶淚水，濡濡欲滴。

胡柏齡忽然微微一笑，接道：「你既然這等喜愛孩子，咱們就把這個孩子收留撫養，好也不好？」

谷寒香聽得微微一怔，道：「我知大哥是為了憐我、惜我，才要收留這個孩子，只怕你心中不會真的答應？」

胡柏齡笑道：「我幾時騙過你啦？只要你每天能夠生活得快快樂樂，就是讓我受盡千般苦難折磨，我心裡也是一樣的快樂。」

谷寒香口中輕輕「嗯」了一聲，道：「唉！大哥待我太好了……」嬌軀慢慢向胡柏齡懷中偎去；忽見數丈之外，站著「江北五龍」。

幾人都不敢站在近處，但十道目光，卻是一瞬不瞬地瞧著兩人。兩人情愛，雖然深摯無比，但在「江北五龍」十目注視之下，不由谷寒香不生羞意，嬌軀快投入胡柏齡懷中之時，忽然一躍，掠著胡柏齡衣服而過。

胡柏齡微微一笑道：「咱們既然收養了人家孩子，也該把孩子親生父母的屍體埋葬起來。」兩人奔入林中，找到那兩具並臥的屍體，胡柏齡拔出背上長劍，就地挖掘起來，他功力深厚，兩臂有千鈞神力，雜林內雖然是堅硬的砂石地，但他挖掘得卻毫不費力，但見寒光閃動，片刻之間，已挖成了一個八尺長短、三尺寬窄、五尺深淺的土坑。

他還劍入鞘，望著那兩具並臥的男女屍體，不禁心生感慨，暗自言道：「我胡柏齡一生之中，只知殺人之事，今日卻來埋葬被別人所殺之人。」只見他輕探雙臂，先把那男子屍體，放入坑中，然後又把女人屍體捧起，正待放入坑中之時，忽聽一聲輕響，一粒龍眼大小、銀光燦爛之物，由那女屍身上滾落下來。

雖然是一瞥之間，但因他目光銳利，已然看清那圓形銀球之上，雕刻著一條張牙舞爪的飛龍，只覺心頭一震，雙手一鬆，竟把那女屍摔入了土坑之中。他不願讓嬌妻看出他驚恐之色，慌忙低下頭去，藉著移放那女屍機會，隨手撿起滾落在地上的銀球，藏入懷中。

谷寒香幫他填好土坑，一齊走出雜林，只見「江北五龍」一排並立林外，一見兩人出林，

遠遠地恭身相迎。

「冷面閻羅」微微一皺眉頭，轉臉對谷寒香笑道：「這五人都是我昔年舊部，已有數年不見，今日無意相逢，他們仍然眷戀舊情，苦苦求我收留，不過，我已洗手不染血腥，自然不能再和他們混在一起，待我去把他們趕走。」

其實胡柏齡這幾句話，並非由衷之言，他想到這次重履江湖，爭奪那綠林盟首之位，不但要迭經慘烈搏鬥，而且生死難料。即是僥倖成功，也必得有幾個心腹部屬追隨身側，以便相助，但因他一心向善，深悔以往之錯，偏偏「江北五龍」在江湖上惡跡昭彰，他雖有留用五龍之心，但卻不便啓口說出。

只聽谷寒香長長嘆息一聲，說道：「大哥，你既然決心爭雄北嶽，那就不如帶著他們一同去，本來我的武功就差，無能助你，眼下我還要照顧孩子，更是無法再幫忙，帶著他們也好多個幫手。」

胡柏齡嘆道：「這般人昔年助我爲惡，確是極好幫手，可是現在我已深悟前非，想以有生餘年，做幾件大快人心，或是有益人間的事，以贖前愆，只怕五人野性難馴，再做些大背我心願之事，那就得不償失了。」

谷寒香道：「自我和大哥結識之後，總是聽你談起昔年所犯過錯，可是我們相處數年，卻未見你做過一件錯事。」

胡柏齡淡淡一笑，道：「待我去問問他們，如果他們願意放下屠刀，放下孽網，改過向善，我就帶他們同去北嶽，要是未有改過之心？哼！那就先替江北民間除一大害……」說到最後，環眼中神光暴射，眉宇間隱現殺機，一連兩、三個起落，已到「江北五龍」身前數尺。

「江北五龍」之中「出雲龍」姜宏最爲機警，一看胡柏齡來勢不對，立時抱拳揖禮，笑道：「大哥也不替我們引見引見嫂夫人？致使兄弟們未向大嫂請安！」

胡柏齡冷笑一聲，道：「你們五個苦苦找我，想必是爲了那位新任江北綠林的盟主，未能善待你們，想藉我胡某之力，替你們除去強敵，是也不是？」他略一停頓，不待「江北五龍」接口，又道：「可是我已發誓洗手，不再妄殺一個好人，只怕你們一場心機是白費了！」說話之時，已暗中運集了功力，蓄勢待發。

「江北五龍」互相望了一眼，倏然躍合一起。原來五龍目睹胡柏齡面露殺機，怕他陡然出手，幾人自知無一人能接他一擊，只一出手，必有人立斃掌下，是以躍集一起，準備合五人之力接他一掌，五人十餘年奔走江湖，始終寸步未離，平時遇上強敵，總是一齊出手，早已心意相通，只那一眼互望，已然傳達了各人心中之意。

胡柏齡看五人竟圖合力拒擋，不覺臉色大變，緩緩舉起右手，道：「好啊！你們就合力接我一掌試試。」

「江北五龍」知他功力深厚，一擊威勢，有如山崩海嘯，哪裡還敢答話？個個凝神運功，十道目光，齊注「冷面閻羅」。

胡柏齡正待落掌下劈，忽聽谷寒香嬌婉的聲音在身側響道：「大哥，你不能傷他們……」

「冷面閻羅」回望嬌妻一眼，倏然收掌，躍退五步，說道：「念你們昔年一番追隨心意，放你們一條生路，快些上馬去吧。」

「江北五龍」眼看昔日的龍頭大哥，竟這般義盡情絕，不禁同聲黯然一嘆，翻身上馬，正待放轡而去，忽又聞那玄衣少婦說道：「大哥這樣對待你舊時朋友，不覺太傷他們的心麼？唉！大哥為什麼不勸他們改除舊惡，洗心向善，幫你做些好事呢？」

胡柏齡還未答話，忽見「江北五龍」同時一勒韁繩，轉過馬頭，緩緩下馬，一齊走到胡柏齡身前，躬身說道：「大哥都能深悟前非，立志向善，我等罪孽惡行，較大哥何止深重十倍？大哥如肯念及舊日一番追隨之情，允把我等收留身側，我等極願追隨大哥，做幾件大快人心之事，也可稍贖前愆。」

「冷面閻羅」冷笑一聲，道：「一個人從罪惡之中，拔身向善，豈是一件容易之事？且不去說什麼江山易改，秉性難移的話，單就內受同道排斥追殺，外難獲一般正大門派中人物諒解，這兩面受氣之事，豈是一個出身綠林、殺人成性的人所能忍受得了？」

「出雲龍」姜宏忽然提高聲音道：「我等五人，都是出身武林正大門戶，只因少不更事，受了綠林中人物誘惑，叛離師門，私逃下山，哪知一入江湖，立即陷入泥淖，不克自拔，積惡愈深，惡性愈大，轉眼間十五寒暑；自從大哥歸隱之後，我等眼看一般兄弟死的死、散的散，大都身遭慘報，但仍不知悔悟前非，反而激起滿腹怨忿，一心一意地要找大哥替他們報仇，自己卻不知反省，在這十五年中，造了多少孽？妄殺了多少好人？今聞大嫂幾句警言，使我茅塞頓開。願以餘生之年，追隨大哥身後，做幾件心安理得的事情出來，也可稍減內心愧疚痛苦，縱受千刀萬剮之苦，亦在所不惜。」

他這話一說完，錢炳、何宗輝、李傑、劉震等立時一齊接口求道：「姜兄之言，正是我等

心意，只祈大哥答允讓我等追隨左右，既可予我等自新之機，也可爲大哥略效微勞。」

胡柏齡仰臉一陣大笑，道：「如果你們真有此心，從今之後，我們仍是患難與共的好兄弟……」他突然一整臉色，環目中神光閃閃，接道：「如有人口不應心，那就不如趁早走開，免得日後悔恨無及。」

「江北五龍」一齊躬身答道：「縱然粉身碎骨，亦無半句怨言，但請大哥放心。」

胡柏齡聽五人說得斬釘截鐵，臉上毫無半點猶豫之色，不禁心頭一喜，笑道：「你們既然有這等向善之心，我自然歡迎……」忽地一揚左臂，拔出背上長劍，反手投擲而出，但見寒電奔馳，紅穗耀目，冷芒過處，一株碗口粗細的榆樹，應手而斷。劍斷榆樹，餘力不衰，又穿透數尺之外一株合抱的大白楊樹，沒及劍柄。

「江北五龍」看他擲出劍勢，威力驚人，個個看得一呆！

「出雲龍」姜宏驚嘆一聲，說道：「大哥功力，較昔年又精進很多了。」

胡柏齡「哈哈」一陣大笑，道：「如果哪位兄弟背棄今日之言，此樹就是他的榜樣！」

「江北五龍」齊聲答道：「我等如有違背今日約言之處，任憑大哥處置！如果口不應心，天誅地滅！」

胡柏齡看五人一齊立下重誓，心中甚是高興，笑道：「非是小兄懷疑諸位兄弟，實因那積惡返善之行，乃大不易爲之事，如非發之於心，實難望其有成，諸位兄弟既能迷途知返，深悔前非，望能以無上智慧、定力掃盡靈台。要知半生作惡，已成積習，一旦想放下屠刀，談何容易？非有極大智慧、定力莫辦。」

他忽然回顧嬌妻一眼，接道：「如以我昔年作爲，罪惡之深，較諸位更有過之，只因遇得你們大嫂，忽然由罪惡深淵之中，覺醒過來，她本身的善良純潔，固然給了我莫大啓示，但更重要的是她對我百般的深摯情意，這是我想到無數的善良人家，無數的相愛夫婦，只因我們一念妄動，使別人骨肉離散，家破人亡，每每憶念及此，就恨不得拔劍自刎，以求心安……」

他仰天一聲長嘆，接道：「但轉念又想到此身既可爲惡，爲什麼不可行善？不瞞諸位，小兄近年之內，也曾暗中做過幾件大快人心的事，雖然一樣手染血腥，但心境卻是大不相同，俠盜之分，善惡之行，全都繫於一念之間，此中微妙，極難用口舌解說，何況一個人驟然間去惡向善，既不能獲得武林正大門戶出身的俠義中人相信，又開罪了綠林中的朋友，造成了兩面受敵之局，非有強大的定力、決心，實難忍受，我這次明目張膽，重履江湖，表面上是趕赴北嶽，爭奪天下綠林盟主之位，其實是想借那綠林盟主身分，假道行善，以稍減心中愧疚。」

「出雲龍」姜宏正色說道：「大哥既有造福天下蒼生之心，我等自當竭盡棉薄，助大哥一臂之力。」

胡柏齡道：「這次北嶽之會，群集了天下綠林道中高手，成敗之數，殊難預料，只能盡其在我，成敗聽天了。」說罷，步入雜林，拔出長劍，還入鞘中，當先躍上馬背，放轡疾奔。

谷寒香和「江北五龍」也紛紛躍上馬鞍，七騎長程健馬，直放北嶽。

經過了三天緊趕，第四日中午時分，已到恆山腳下。

胡柏齡默算那綠林大會日期，相距還有五天時間，正好藉這數日工夫找處僻靜所在住下，

一則養息，二則以保行蹤隱秘，心志一動，回頭對谷寒香道：「現下相距那綠林大會之期，尚有五日，我想先進山中找一處幽靜的山谷中住下，免得展露行蹤，也可靜靜地養息一下。」

谷寒香笑道：「咱們這些年來，不是常常露宿在荒山幽谷麼？不管哪一次，我不都是過得很快活麼？」她忽然低頭望了懷中的孩子一眼，臉上笑容突然斂去，道：「唉！可是現在咱們有了這一個孩子，事情就不同了，這幾日因爲兼程趕路，他一直沒有好好休息過，如再露宿荒山幽谷之中，受那風吹雨打，我怕他忍受不了。」

「出雲龍」姜宏微微一笑，接道：「深山大澤之中，有的是天然突岩石洞，有些比人工所建的方樓畫閣，還要舒服得多；至於吃喝之物，我已在途中採辦許多，盡夠我們幾人十日之用，嫂夫人但請放心入山。」

谷寒香忽地展顏笑道：「我這幾日一直在擔心著這孩子傷勢，人都想糊塗了。」

胡柏齡望著嬌妻眉宇間隱現的倦容，心中十分憐惜，說道：「這幾日來，你一直抱著他，片刻都不肯休息，孩子雖然要緊，但你就一點不顧惜自己的身體麼？」

原來谷寒香幾日夜來爲調護孩子傷勢，未得片刻休息，雖是會武之人，亦不禁現露倦容。

只聽她長長地嘆了口氣，道：「大哥那『止血生肌散』本是療治刀傷的靈藥仙品，不知爲什麼竟似失了靈效一般？我已替他敷用數次了，傷勢還未見好轉。」

胡柏齡微微搖頭，欲言又止，沉吟半晌，才說：「他一個六、七歲的孩子，身受那等重傷，流血甚多，雖用『止血生肌散』，但也非短期內能夠復元，再休息幾日自然會好，你也不必過分擔心。」其實他已看出孩子不只外受刀傷，內腑也受傷不輕，是以在初敷止血生肌散後，大見神效，但卻如曇花一現，數日來傷勢不但未見起色，反而愈來愈見沉重，他早已看出孩子難再施救，只因怕傷嬌妻芳心，不忍出口，只有待他油盡燈乾，自行熄滅生命火燄了。

他暗裡嘆息一陣，縱騎帶路入山，走了四、五里路，山勢已轉險惡，舉目危峰橫阻，絕壑攔路，坐騎已無法越度。處此情景，七人只得棄馬步行，翻越過兩座山嶺，到一處幽谷的入口所在。

胡柏齡回望嬌妻一眼，轉身對「江北五龍」說道：「如果記憶不錯，這處幽谷，距那天下綠林聚會爭雄的『寒碧崖』只不過二十幾里，咱們就此各自找處棲身所在，休息幾日，既可消除旅途疲勞，又可就近窺探敵情。」

谷寒香轉動星目，打量幽谷景色，只見千尋峭壁，夾峙著一道蜿蜒伸展的山谷，谷中滿生翠松綠篁，景物十分清美，只是略覺陰沉一些。

她低頭望望懷中身受重傷的孩子，幾天來似乎又瘦了不少，只見他雙目緊閉，睡得異常沉熟，心中甚感不安地笑道：「如是我一個人跟大哥住在寒雪冰潭之中，我也會過得很快樂，可是這孩子傷勢未癒，如果露宿在風霜之下……」

胡柏齡微微一笑，接道：「十年之前，我曾在這裡停留半月時間，記憶之中，在這座幽谷之內，有一座很寬大的山洞，足可容我們幾人存身，咱們先入谷中瞧瞧，如果你覺得不好，再深入尋找一處使你滿意的地方。」

他長相本極威猛，說起話來，聲如洪鐘，使人一見之下，心頭凜凜生畏，但對待嬌妻，卻是和藹異常，言來深情款款。

谷寒香粉頰上綻開盈盈的笑意，道：「爲了孩子，近日來我常常和你爭執，惹你生氣，唉！早知這樣，我就不帶他啦。」她低頭望著懷中氣息微弱的孩子，笑容逐漸隱失，泛起滿臉憐惜之色。

胡柏齡目睹嬌妻感傷之情，不禁心頭一凜，暗道：「看她神態，已對懷中孩子，生出了摯深的情愛，他如一旦不治而夭折，這憂苦感傷的折磨，叫她如何能承受得住？我必須想法子救這孩子性命。」心中尋思著療救孩子之法，人卻緩步向前走去。

「江北五龍」個個小心翼翼地跟隨他的身後，不敢多說一句話。

這位昔年縱橫在江北道上，被人尊奉爲綠林盟主的一代豪雄，雖已洗心革面，痛悔以往過錯，全意向善，但他昔年的餘威，仍然使「江北五龍」心懷著無比的畏懼，只怕出言觸怒於他；雖然看出他有著很沉重的心事，但卻不敢妄出一言。

七人繞著翠松綠篁走約十幾丈遠，到了一座峭立的山壁下面，胡柏齡當先帶路，繞過一塊突立的山岩，走入一座天然石洞之中。

「江北五龍」恭謹地閃退到兩側，齊聲說道：「夫人請進。」垂手低頭而立，神情間流現出無比的恭敬。

谷寒香微一猶豫，道：「你們爲什要這樣怕我呢？」她生平之中，從未遇到過這般對她恭敬之人，一時之間不知如何才好？

「出雲龍」姜宏抱拳答道：「龍頭大哥身爲江北綠林盟主之尊，我們理應尊敬夫人。」

胡柏齡嘆道：「昔年之事，早成過去，我們都是滿身孽債，兩手血腥之人，今後應當以有

生之年，做一些救苦救難、有益於人間之事……」他微微一頓，目光中流現出無比的和藹，笑道：「從今而後，咱們已是志同道合，生死與共的兄弟了。」

「江北五龍」受寵若驚般地呆了一呆，齊聲說道：「我們只願追隨盟主，執鞭隨鐙，心願已足，怎敢當龍頭大哥這等厚愛？」

胡柏齡微微一笑，道：「今後我仰仗諸位之處正多，彼此既已心意相同，豈可再有你我之分？我比你們大上幾歲，以後就叫我一聲大哥吧！」

「江北五龍」互相瞧了一眼，一齊拜伏地上說道：「盟主既然這樣吩咐，我等恭敬不如從命！大哥在上，請受我等一拜。」

胡柏齡雙肩微晃，人已躍出石室，伸手攔住五人，說道：「快些請起。」

「江北五龍」只覺他那隨手一攔之勢，有一股極爲強猛的潛力，擋住下拜之勢，不敢勉強，一齊站起身子。

谷寒香微微一笑，舉步由「江北五龍」之間，穿行而過，緊倚在胡柏齡肩臂之上，說道：「我應該替你們做些酒菜來慶賀一下，可是在這荒山之中……」

「出雲龍」姜宏哈哈大笑道：「大哥肯紆尊降貴，把我等當做兄弟看待，我等已覺榮寵無比，終身銘刻肺腑，怎敢再勞玉駕？」他突然覺著自己言辭神態之間，有些樂而忘形之感，慌忙住口不說。

胡柏齡笑道：「五位賢弟快些請入洞中休息一下，入夜之後，咱們還有事情要辦。」

「江北五龍」雖然追隨他近十年的時間，但卻從未受到過這般和顏悅色地相待，只覺心中

有著無與倫比的歡樂，一齊步入山洞之中。

胡柏齡轉臉望著嬌妻笑道：「一路之上，你都抱著孩子趕路，想來定已十分勞累，讓我替你抱抱，你去休息一下。」

谷寒香本待拒絕，但見丈夫眼光之中無限憐惜情意，心中暗自想道：「我如不答應他，只怕要惹他氣惱……」她乃天性溫柔和婉之人，對待丈夫用情更是深重無比，一和丈夫眼光相觸，竟自難以出口拒絕；緩緩地把孩子交到丈夫手中，微微一笑，說道：「我一點也不覺著疲倦，但你要我休息，我如不聽，你心中定然感到難過。」

胡柏齡笑道：「因擔心孩子傷勢，全副精神貫注在他的身上，人雖疲倦，但你並不覺得，如若再過幾日，待精神支持不住時病倒了，怎麼辦？」

谷寒香笑道：「大哥這般憐我惜我……」忽然想到身側還站著「江北五龍」，粉面一紅，倏而住口。他們數年以來，大都生活在深山僻靜之處，形影不離，從沒有第三個人和他們走在一起，彼此之間情愛深重，行動說話，亦無避忌，此刻驟然有「江北五龍」加入其間，一時間極難適應。

谷寒香一面緩步而行，一面流目打量石洞景物，這座石洞大約三間房子大小，中間有一道天然突岩，剛好把石洞分隔爲二，谷寒香緩步向裡面一間走去。

胡柏齡望了「江北五龍」一眼，道：「諸位也請坐下休息一下吧。」當先倚壁而坐，閉目運氣調息。他內功精湛，略一運息，立時由丹田之中泛上來一股熱氣，循經走脈，運行到四肢之上，緩緩把孩子放在地上，雙手不停地在孩子身上推拏。

那孩子睜著一雙又大又圓的眼睛瞧著他，嘴角間慢慢流現出微微的笑意，似乎胡柏齡的推拏之術使他感到很大的舒適，連日來的痛苦神情，一掃而光，慢慢地閉上了眼睛，沉沉地熟睡過去。

胡柏齡停下雙手，低頭望著橫臥在地上的孩子，心中泛起了無比的煩憂，他深諳醫道，已瞧出孩子難再拖過七日，眼下唯一能夠救他的辦法，就是自己拚耗元氣，打通他全身經脈，促使他氣血流暢，使他機能逐漸消失的六臟恢復功能，但這樣必然會使自己本身元氣大耗，對來日「寒碧崖」比武之爭，影響匪淺。

但他已從嬌妻的惜憐神色之中，看出這孩子對她是那樣重要，如果孩子一旦離開塵寰而去，必將大創愛妻芳心。

靜臥在地上孩子的微笑，流現出一片天真無邪，他看在眼裡，生出一種微妙的感覺，輕輕地嘆息一聲，茫然不知所從？他曾經親手毀滅過千百條生命，但當面對一個垂死的孩子時，卻有著手足無措的感覺，這正是人性中善良和殘酷分野，限界那麼微妙；他臉上一片茫然，呆呆出神，腦際中一直在盤旋著該不該救活這垂死的生命？

忽聽裡面石室中飄傳出來谷寒香嬌甜的聲音，道：「大哥，你也該好好地休息了，抱著孩子，定然休息不好，把孩子給我來抱，好麼？」

這清脆嬌柔聲音，卻如青天暴起的霹靂一般，使他的心絃震盪，也使他茫然無措的神志為之一清；他轉眼掃掠了「江北五龍」一眼，只見五人中只餘下三人靜坐室中，六道眼神，齊齊投注在他的身上。

天香飆

數年前往事，閃電般重現腦際，那時，他只要一住下來，「江北五龍」中總要派出兩人，替他守衛值夜，五人輪流擔值，從未間斷，如今事隔數年，難得他們還是這般忠於自己。心中回憶著昔年往事，口中卻答著谷寒香的問話，道：「孩子睡得很好，別把他吵醒了，你好好地休息。」伸出右手輕輕一揮，留在室中的三龍，一齊站起身子悄然退了出去。

他望著地上的孩子，微微一笑，暗提丹田真氣，左手輕按在他頂門「天靈穴」上，暗運內勁，逼出真氣，循著孩子「天靈穴」直攻體內。

要知一個毫無武功基礎的孩子，不能運氣和那攻入體內的真氣呼應，全憑仗胡柏齡本身精湛的內功，逼出的真氣，穿經走脈，帶動他氣血運轉，促使他心臟機能恢復功用，孩子雖然獲益甚大，但胡柏齡卻要大耗元氣。

片刻之後，他頭上的汗水已似水澆一般，滾滾而下，饒是他內功精湛，也無法承受這等真氣大量消耗之苦，但既一出手，在未打通孩子全身經脈之前，無法住手，一刻停息，即將前功盡棄，只得勉力苦撐，強逞內勁，源源不絕地逼出丹田真氣。

忽覺幽香撲鼻，一方柔軟的絹帕輕輕地拂著他頭上汗水，耳際間同時響起了一個嬌脆的聲音道：「大哥為了使我快樂，不惜這等耗消元氣，只怕對北嶽比武之爭……」

胡柏齡運氣正值緊要關頭，不敢分散精神，頭也不抬地答了一句道：「不要緊。」

忽聽孩子叫道：「媽媽！我要喝水。」

胡柏齡忽然收回按在孩子「天靈穴」上的左手，長長喘息一聲，側臉望著谷寒香，道：「他因流血過多，幾日來又被我們帶著奔走，未能好好休息，早已油盡燈乾，命懸旦夕之間

……」

谷寒香道：「大哥爲什麼不早些告訴我呢？」緩舉皓腕，輕揮羅帕，又擦去他臉上汗水。

胡柏齡微微一笑，道：「我見你對孩子情愛甚重，如果據實相告，怕你聽了傷心。」

谷寒香站起身子，笑道：「我去給孩子倒杯水來。」

胡柏齡點頭微笑，閉上雙目，運氣調息，他強行運勁迫出真氣，精神損耗極大，這一運氣調息，立時覺出不對，好不容易才把真氣調勻，運行全身，沖上十二重樓，漸入物我兩忘之境。他運功清醒，天色已然入夜，睜眼看去，只見谷寒香懷抱孩子，滿臉憂鬱之色，坐在對面。一見胡柏齡清醒過來，急道：「唉！大哥平日運氣調息，至多不過一個時辰就可醒了過來，怎麼這一次運氣調息，用了這樣長的時間呢？」

胡柏齡笑道：「你不用擔心，我替孩子打通經脈之時，耗損真氣過多，是以這次調息所用時間較長。」心頭卻是暗生凜駭，默算相距比武日期，除了今夜，尚餘四天時間，自己損耗真氣，卻無法在四日之中調息復元。

谷寒香道：「『寒碧崖』比武之爭，轉眼即到，我怕你……」

胡柏齡哈哈一笑，挺身躍起，道：「你看我不是完全復元了麼？」

回頭望去，只見「江北五龍」中的「飛天龍」何宗輝、「多爪龍」李傑、「噴火龍」劉震，並齊站在石室外面，不敢進來。

胡柏齡瞧了三人一眼，笑道：「你們怎麼不進來？姜、錢二位賢弟哪裡去了？」

「飛天龍」何宗輝道：「姜、錢二人現在谷口。」說話之間，人已跨入石室。

「多爪龍」李傑、「噴火龍」劉震，緊隨「飛天龍」何宗輝身後而入。

胡柏齡搖搖頭笑道：「去請他們回來吧！」一語甫落，忽聞風聲颯然。

「出雲龍」姜宏疾服勁裝，飄然踏入石室，口中微做喘息，顯然他是急奔而來。

胡柏齡微微一皺眉頭，問道：「出了事麼？」

姜宏道：「谷外來了七、八個人……」

胡柏齡接道：「不要管他們也就是了！」

姜宏道：「其中兩人，正是昔年追隨盟……」

忽然想到幾人已是結拜兄弟，立時改口接道：「正是追隨大哥的陳文、陳武兩位兄弟。」

胡柏齡淡淡一笑，道：「我們既已洗心向善，道不同不相爲謀，由得他們去吧！」

姜宏道：「除了陳文、陳武兩人之外，還有四個年齡相若，勁裝佩劍的少年，護擁著一個身穿長衫之人。」

胡柏齡道：「你要告訴我那身穿長衫之人，可能就是起而代我的江北綠林道上瓢把子，是也不是？」

姜宏道：「大哥料事如神，小弟正是此意，不過……」

胡柏齡笑道：「四天後，『寒碧崖』即可展開爭奪綠林盟主之位的大戰，現下如人未有犯我之心，不可找人麻煩；好在只有四日時間，屆時自然免不了和他一場折博，當可替你們出一口氣。」

姜宏不敢再說，抱拳一禮，向洞外退去。

胡柏齡忽然叫道：「你去把錢賢弟也叫回來吧！」

姜宏應了一聲，轉身而去。

胡柏齡微一沉吟，又叫住姜宏問道：「那人長得什麼樣子？大約有幾歲年紀？」

姜宏道：「其人故作神秘，經常黑紗垂面，他雖縱橫江北道上數年，卻沒一人能講出他的面貌，不過，依他身材看來，大約在二十三、四歲的年紀。」

胡柏齡「哦」了一聲，道：「別惹他也就是了！」

姜宏微一沉吟，問道：「如他們要進這山谷中來，是否也要放任他們進來？」

胡柏齡道：「此處既非我們所有，讓他們進來無妨。」

姜宏只覺胡柏齡性格大變，和昔年完全不同，當下說道：「大哥既然這等吩咐，我這就去通知三弟，不要和他們衝突起來，以免造成騎虎難下之局。」

胡柏齡點頭說道：「那人既然出手毒辣異常，獨讓錢賢弟守在外面，反將多讓我擔份心事，還是去叫他回到這石室中吧。」

突聞一聲怒喝，遙遙飄傳過來。

「出雲龍」姜宏臉色一變，道：「這喝聲似是錢二弟所發？」話至此處，倏然住口，目注胡柏齡等候示下。

何宗輝、李傑、劉震同時翻腕抽出背上兵刃。

「江北五龍」十數年一直形影不離，彼此之間，早已情重生死，心意相通，一聞那聲大

喝，立時辨出是錢炳求救的訊號，是以，個個心中焦急異常。

胡柏齡濃眉一揚，道：「走！咱們瞧瞧去。」大步向洞外走去。

忽聽堂中傳出來谷寒香嬌脆的聲音，道：「大哥，你要到哪裡去？」

胡柏齡還未來得及答話，瞥見一條人影疾如流星般直奔過來。

「出雲龍」姜宏大聲問道：「來人可是錢兄弟麼？」縱身一躍迎了上去。

「多爪龍」李傑、「噴火龍」劉震，一左一右地同時飛躍而起，緊隨姜宏身後而去；只有何宗輝一人站在胡柏齡身側未動。

胡柏齡回頭望了嬌妻一眼，道：「沒有什麼大事，你回去休息吧。」

谷寒香道：「我一個人怎能放得下心休息呢？」

忽聞兵刃交擊之聲，就在這一轉眼間，姜宏、李傑、劉震已和人動上了手；原來三人迎上前去，正趕上錢炳陷身危境，已快被人追上，當時情勢緊急異常，誰也顧不得開口說話，姜宏一側身讓過錢炳，隨手一刀「鴻雁舒翼」，封開兩柄點過來的長劍，擋住去路。兩個緊追錢炳的勁裝施劍少年，微一打量姜宏，一語不發，同時探臂出劍，左右合擊過來。

李傑、劉震同時趕到，李傑施一對虎鉤，劉震施兩支判官筆，目睹對方雙劍聯手攻出，心頭大怒，雙雙搶步急攻，判官筆、虎頭鉤搶前面接住了兩支長劍。

但聞衣袂飄風之聲，又一個全身黑色勁裝，手橫長劍的少年，離絃流矢般直衝過來，人還未到，手中長劍已自點襲出手，一招「毒蟒出穴」指向姜宏前胸。

「出雲龍」反手一刀「丹鳳撩雲」架開長劍，藉勢還了一招「春雲乍展」，刀光電射，橫

掃過去。

施劍大漢陡然向後一仰，剛剛沾地的身子，倏忽間又向後退回去四、五尺遠，避開了姜宏一刀橫掃，振腕重又攻了上來。

這六人照面之後，一語不發，立時展開了一場極爲猛烈的拚搏。霎時間，筆芒點點，鉤影縱橫，刀光如雪，劍氣漫天，彼此之間，展開了搶制先機的快攻。

「飛天龍」何宗輝搶前一步，扶住了步履踉蹌的錢炳問道：「你受了傷麼？」

「入雲龍」錢炳道：「不要緊，我被他們合力夾攻之時，打了一掌，已被我讓過他掌力鋭鋒，左肩被掌勢餘力掃中，略一調息就可以復元。」

何宗輝瞧他臉色無異，心中放心不少，抬頭望去，只見丈餘外處，站著一個面罩黑紗、身著長衫、手搖摺扇的文生打扮之人，左右兩邊，站著陳文、陳武，身後隨著一個黑衣少年，橫劍而立，目光凝住在場中搏鬥之人的身上，一副躍躍欲動之情。

胡柏齡環眼中目光如電，望了陳文、陳武一眼。

陳氏兄弟眼光一和胡柏齡目光相觸，不覺心頭一震，趕忙別過頭去。

場中打鬥，愈來愈是激烈，三個黑衣少年，手中長劍的變化，十分詭異、毒辣，劍鋒指襲之處，無一不是人身關節要穴之位。

姜宏、李傑、劉震經過四、五個照面相搏之後，已覺出對手劍招怪異，以自己身經數百戰的經驗，竟無法瞧出對方武功路數，只覺對方劍勢忽正、忽反，來勢極難捉摸，幾人都是武林正大門戶出身，常聽師長輩分談起天下各派各門的武功，但眼前幾人的劍招，卻是從未聞見之

學。

儘管那幾個黑衣少年的劍招詭異凌厲，但姜宏、李傑、劉震卻能憑藉較為深厚的功力，和豐富的對敵經驗，維持個不勝不敗之局。

胡柏齡背手卓立，眼瞧姜宏等和對手相搏了三、四十招，雖落下風，但卻毫無力竭之情，不禁回頭對何宗輝笑道：「這幾年來，你們功力進境不淺，雖處劣勢而心不亂，尤屬難得。」

驀聞「出雲龍」姜宏一聲長嘯，忽地放手搶攻，刀法一變，施展出十八羅漢神刀，但見他一招一式地施將出來，既無波濤洶湧般刀光，亦無什麼詭異多變的奇襲，但每一刀攻出手去，卻有著極為強猛的威力，落落大方，無懈可擊。

何宗輝和姜宏同是少林門下出身，兩人也同在一處學藝，對姜宏武功知之甚詳，知他那十八招羅漢神刀，是由少林派十八羅漢杖法中演化而成，姜宏功力雖然稍較深厚，但也難能把這套刀法，發揮到十成威力，平時對敵之間，姜宏也常用出這十八招羅漢神刀對敵，不知何故今宵威力竟似特別強猛？攻出五招已把對手迫落下風，心中大感驚奇　定神瞧去，只見姜宏滿臉莊嚴肅穆，凝神運刀，神情間從容沉著，不管對方劍招如何變化，如何詭異難測，但都被姜宏平平凡凡的刀招化解開去。

場中形勢逐漸地開始轉變，姜宏由守轉攻，李傑一雙虎頭鉤，劉震的兩支判官筆，在相搏數十照面之後，已能逐漸適應化解對方詭異的劍招。

原來那三個黑衣少年出手的劍招雖然凌厲，但尚未臻達爐火純青之境，而且所會不多，一套劍法反覆應用，早被李傑、劉震料敵機先的防守，迫得攻勢大挫，加以對敵經驗和內家真

力，不如姜宏等三人豐富深厚，強弱之勢，逐漸更易。

驀聞一聲長笑，那黑衫蒙面的長衫文士，雙肩微微一晃，人已欺入場中，口中大喝道：「沒有用的東西，還不給我閃開？」話還未完，人已欺到姜宏身前，左手翻轉之間已然抓住姜宏刀背，飛起一腳直踢過去。

此人出手疾如電奔，姜宏只覺眼前人影一閃，刀已被人抓住，不禁心頭大駭，對方右腳已近小腹，如不撤手丟刀而退，勢非傷在對方腳下不可。

就在這生死剎那之間，一股拳風，斜裡直撞過來，耳際響起胡柏齡朗朗長笑，道：「好一招空手入白刃的擒拏手法。」人隨聲至，探手間抓住了姜宏手中的刀柄。

強勁的拳風，迫得那長衫蒙面文士，不得不收回踢向姜宏的右腳，但他右腳收回的同時，右掌已隨著疾伸而出，猛向姜宏前胸拍去。

胡柏齡右手抓住刀柄，左手駢指疾點而出，一招「畫龍點睛」迎向那蒙面文士右腕，指風如剪，直點脈門。

這幾招攻拒之學，無一不是驚險絕倫、凶猛異常的手法，那蒙面文士，攻得凌厲無比，胡柏齡也化解得恰當至極，交手兩招之下，彼此已都知逢上勁敵。

長衫蒙面文士，挫腕收回擊出的掌勢，左手陡然加力，一股暗勁，由刀上直傳過去。

這等借兵刃暗傳內家真力傷敵的手法，非有極精深的內功，絕難辦到，胡柏齡微感心頭一震，一面運集內力反擊，一面暗自忖道：「此人武功不弱，這次恆山大會之上，除了一叟、二奇之外，又多此一強敵，屆時難免要多費一番手腳，不如藉今宵機會把他征服收爲己用，或是挫辱一番，迫他離此。」心念一轉，又暗加二成內勁。

兩股藉力互相傷擊的暗勁一觸，胡柏齡突感心頭一震，但那長衫蒙面文士，卻被胡柏齡反擊之力震得馬步不穩，全身搖顫著向後退去。

此人生性似極倔強，人雖被震向後退，凶性不減，口中冷哼一聲，握刀左手加勁一震，一柄精鋼單刀，竟被他暗運內力折斷。

胡柏齡目光是何等銳利之人？瞧他不顧自己內力反擊震傷之險，仍然強運功力，震斷鋼刀，無非借此掩人耳目，以掩飾他的窘困。

果然，觀戰之人，都被他這巧妙震斷鋼刀之策，掩遮過去，只道他因刀斷而退。

胡柏齡也不揭破，微微一笑，投去手中半截單刀，道：「兄台功力深厚，在下佩服。」

長衫蒙面文士冷笑一聲，道：「好說，好說，大駕可是人稱冷面……」

胡柏齡道：「『冷面閻羅』是江湖中人相加的匪號，在下正是胡柏齡，兄台想必是……」

長衫蒙面文士，朗朗大笑聲中，探臂鬆開橫繫腰中的一條白色絹帶，手腕一振一抖，白絹脫落，露出一把三尺六寸長短、寒芒耀目的緬鐵軟刀，順手一揮，劃起一圈銀虹，說道：「兄弟自出道江湖以來，尚未用過兵刃和人動手，今日幸會，敢不自珍，在下冒昧了。」

胡柏齡眼看對方冷傲神情，心知如不把他壓服，今宵絕難罷休，當下笑道：「承你這麼看得起我，胡柏齡何幸如之！在下就以這一雙肉掌，奉陪大駕的緬鐵軟刀幾招！」

蒙面長衫文士，自從出道江北之後，一直所向無敵，如何能受得胡柏齡這般的藐視譏諷之言？氣得冷笑一聲，喝道：「好大的口氣！」

振腕劃起一片刀風，欺身直攻而上。

此人出手一擊，大是怪異難測，手中緬刀並不攻向敵人，而是圈化起一片繞身刀光而進。

胡柏齡雖身負絕世武功，見聞廣博，但也為他這未聞未見的攻勢所惑，一吸氣疾退三步。

只聽長嘯震耳，那蒙面長衫文士手中緬鐵軟刀陡然振出朵朵刀花，分襲胡柏齡數處要穴。

胡柏齡大喝一聲：「好一招『鐵樹銀花』。」

右手「呼」的一掌「星渡天河」，把一股極為強猛的內家真力，凝聚成一股腕口大小的力柱揮出，裂空生嘯，撞向對手，撤出朵朵刀花。

這等把內家真力凝做一線的擊法，非內功達到爐火純青，進入隨心運用之境，絕難辦到，單是這揮掌一擊，已使那蒙面文士，大生驚駭之心，一吸丹田真氣，挫腕收回緬鐵軟刀，向後疾退五步。

胡柏齡一擊搶回主動，側身欺攻而上，左手施出擒拏手法一招奇學「暗風拂柳」，手腕翻轉之間，穿隙而入，硬扣那蒙面文士握刀右腕的脈門。

這一擊迅奇兼具，果是名家手法，只看得全場觀戰之人，無不暗生敬服。

蒙面長衫文士心中雖然驚駭，但卻毫不慌亂，右腕暗加內勁一震，緬鐵軟刀倏忽間倒捲過來，截斬小臂。

胡柏齡暗暗一驚，忖道：「此人藝業果然不凡，無怪一出道，就征服了江北群雄，霸稱江北綠林道上總瓢把子。」左手一沉，避開刀勢，側身一肘，橫擊過去。

蒙面文士震刀解危之後，身子一側，左手摺扇疾展，斜斜地劃出一招「仙鶴亮翼」護住了

身子。

這一招大出胡柏齡意料之外，如不及時收招，必將被對方摺扇劃傷，當下一吸丹田之氣，腿不屈膝、腳不移步地向後退出三尺。

要知高手過招，佔先機最爲重要，胡柏齡攻襲之勢，被迫向後一撤，那蒙面少年立時藉機搶攻，刀、扇齊施，連環擊出，剎那間，刀光如雪，扇影縱橫，連攻了十四、五招，而且刀、扇指襲之處，無不是人身致命的要害。

胡柏齡一著失機，陷入被動，吃那蒙面文士一輪急攻，迫得無力還手。

但他究竟是久經陣仗之人，雖處劣勢，心神不亂，掌指交錯，招招是斬脈點穴手法，專在那蒙面文士刀扇擊出之時，指襲他的脈穴要位，迫他自行撤招。

這等巧襲手法，不但要認位奇準，而且要快速絕倫，在對方招術擊出一剎那間，搶先封襲對方脈穴，迫使敵人自動撤招，不過此等手法，乃武學中極難練成的手法，非有絕佳的內功，不能妄用，一點失錯，即將傷在對方手中。

但這等極高斬脈點穴手法，非具有上乘武功之人，極不易看得出來，是以場中之人，都看那蒙面文士，劍花扇影攻得凌厲無比，早已勝算在握，其實兩人拚搏了十幾招後，那蒙面文士，已爲胡柏齡斬脈襲穴的指掌，迫得手忙腳亂，心中暗生驚駭。

胡柏齡別有用心，是以，不肯當真下手點傷對方，他以對方的劍招猜度，自己這等手下留情之舉，心中定已明白，哪知蒙面書生，卻似渾然不覺一般，不禁心中大怒，正待施下辣手求勝，忽聽一個嬌脆的聲音，起自身後，道：「大哥，可要用兵刃麼？」

胡柏齡心中一凜，疾攻兩招，迫退那蒙面文士，還未來得及開口，那蒙面文士忽然收了寶劍，說道：「兄台武功高強，在下自嘆弗如。」

回頭對陳文、陳武和四個施劍少年說道：「咱們走啦！」

縱身一躍，人已到兩丈開外，隱入夜色之中不見。

陳文、陳武和那四個施劍少年，緊隨那蒙面文士身後而去。

「江北五龍」一見敵人撤走，全都拔出兵刃正待追趕，卻聽胡柏齡低聲說道：「不要追他們。」

「入雲龍」錢炳回看時，只見「冷面閻羅」胡柏齡微做喘息之狀，但他似怕人聞得，盡量壓制住喘息之聲，不禁心頭大駭，呆了一呆，叫道：「大哥。」

胡柏齡微微一笑，道：「你們也該休息一下啦。」

轉身望著谷寒香低聲接道：「孩子呢？」

他怕谷寒香瞧出自己喘息之狀，故意提出她最爲關心之事，以分散她對自己注意的精神。

果然，聽得她輕輕的「哎喲」一聲，轉身向石洞之中奔去。

胡柏齡加快腳步，緊隨她身後而入，盤膝閉目坐下調息。

谷寒香抱著孩子出來，緩步走到胡柏齡身邊，她本想說幾句慰藉之言，但見胡柏齡閉目而坐，只好倚著他身旁坐下。

幾人在山谷之中，一連住了四天，這幾日夜中，胡柏齡很少說話，日夜盤坐運氣調息，想

在綠林英雄大會之前，把替孩子療傷耗去的真元之氣，養復過來。

谷寒香自和胡柏齡結識以來，從未見過他這等用心地練習武功，即使練功過後，休息之時，也很少看到他有過笑容，但她只道丈夫憂慮難得那綠林盟主之位，心中惶惶難安，是以失去往日歡樂，溫柔倚偎身側，輕語相慰，她哪裡想得到胡柏齡正在凝神專志排出心中雜念，想創奇蹟，要以短短數日夜的時間，把耗消的真元恢復；如在平時，至少要三個月以上的時間，才能修養復元。

這天，已屆比劍之日，胡柏齡並沒有創出奇蹟，消耗的真氣，仍然未復。

但他為了怕嬌妻擔心，不得不振作精神，笑道：「今日是綠林英雄大會揭幕之日，『嶺南二奇』和『羅浮一叟』早年都已享名江南，這次聯名發起英雄大會，邀請遍天下綠林同道參加，野心自是不小……」

他略略一頓之後，又道：「如果我這次比武失手，你要好好地帶著孩子離開，此次參與這盟主之爭的人，大都在綠林道上極有身分，如果你不招惹他們，想他們絕不致加害於你。」

谷寒香急道：「大哥，你怎麼能這樣說呢？唉！四、五年啦！你還不知道我的心麼？要是真的有了什麼不幸之事，我一個人難道還能活得下去嗎？」

她低頭望了孩子一眼，瞧著「出雲龍」姜宏道：「孩子幾天來傷勢已大見好轉，我和大哥要是有了什麼不幸之事，你們就帶著他離開這裡，找一個積善之家，把孩子送去託人撫養。」

「江北五龍」一齊躬身答道：「大哥武功絕世，蓋代英傑『羅浮一叟』『嶺南二奇』豈是敵手？更遑論其他之人，嫂夫人但請放心。」

胡柏齡淡淡一笑，大步走出石洞，他因損耗功力未復，自知難耐久戰，對爭霸綠林盟主之位，信心大減。

姜宏心思縝密，幾天來都暗中留神胡柏齡的舉動，此刻看他笑容無限淒涼，已往的豪邁之氣，驟然不見，心中暗自憂慮，輕輕一皺眉頭，舉步緊隨胡柏齡而出，他本想說幾句鼓勵之言，以激起胡柏齡豪壯之氣，但一時之間，又想不出適當言詞。

太陽爬過山峰，照射在幽谷的松竹上，朝露如珠，閃閃生光，胡柏齡當先而行，帶著谷寒香和「江北五龍」魚貫緩行在崎嶇的山道上。

一向豪氣如虹的「冷面閻羅」胡柏齡，此刻卻滿臉凝重之色，心頭如壓著千斤重鉛，步履之間，沉重異常。

他一人情緒低落，似乎影響了所有的人，大家默默而行。

登了一座山嶺，胡柏齡突然停下了腳步，遙指前面一座插天絕峰，說道：「前面那座雲霧封繞的高峰，就是『寒碧崖』，這場綠林中爭霸之戰，又不知要斷送多少英雄豪客的性命？」

說完話，仰望雲天，神情間無限黯然。

姜宏目睹胡柏齡黯然神色，心中突然一動，暗道：「我必須要激起他大義凜然之心，才能使他恢復爭雄之念，豪壯之氣。」當下問道：「昨宵兄弟和那蒙面怪人屬下激戰之時，施出十八招羅漢神刀，扳回劣勢，爭回主動，對此事，一直耿耿難忘。」

胡柏齡道：「十八招羅漢神刀，乃少林派中十八羅漢杖法演化而成的正宗刀法，威力強

大，豈是一般以詭異之稱的劍法所能抗拒，有什麼奇怪之處？」

姜宏笑道：「大哥說得不錯，不過兄弟平日也常用出十八招羅漢神刀和人對敵，但卻都不及昨夜威勢來得強大，刀刀有如神助一般，不知原因何在？」

胡柏齡不但武功絕佳，而且才智超人，略一沉思，答道：「十八招羅漢神刀，乃是一種正宗武學，如果施用之人不能正意正心，光明磊落，很難把刀勢威力發揮出來，想我等過去所作所為之事，無一不是滿手血腥，難見天日，是以你施展那十八招羅漢神刀之時，無法把刀勢威力發揮出來；昨宵你突然神勇大增，你自己也許不知原因，但小兄一側觀戰，卻看得極是清楚，你劈出的一招一式，無不神色莊嚴，凜凜含威，是故，對方劍招雖然極為迅猛狠辣，但卻反為你刀法所制，小兄要向兄弟恭賀了。」

姜宏微微一笑，道：「大哥仁德感召，雖然只短短幾句相勸之言，卻如醍醐灌頂，使我等驟悟前非，一念向善，頓生浩昂之志，將以有生之年，做幾件有益人間、行仁扶危之事，以減少點過往的積惡，雖然粉身碎骨，但也死得心安理得，大哥武功博深，才智絕人，和我等相比，無擬泰山卵石，正是武林擎天巨柱，豈可自消豪壯之心……」

胡柏齡哈哈大笑，道：「兄弟說得不錯，謀事在人，成事在天，只要心存正大，死而何憾？」登時豪氣大生，放腿向前奔去，片刻之間，已到「寒碧崖」下。

胡柏齡回頭望了谷寒香一眼，低聲囑道：「香妹小心！」忽地一振雙臂，凌空直升兩丈多高，落在一塊突岩之上，四下張望了一陣，果然發現一條登山小徑，正待飛下突岩，接迎幾

人，「江北五龍」已自拏出爬用的索繩，擁護著谷寒香攀登上來。

胡柏齡看他們備帶之物十分齊全，不覺微微一笑，道：「左側十幾丈處，有一條小徑，似是通往峰頂之路，一叟、二奇兇名甚著，只怕沿途有什麼埋伏？你們最好和我保持著三、四丈的距離，免得一旦遇伏，應變不及！」說完直向左側奔去。

他的輕功提縱術，已達登萍渡水、踏雪無痕之境，只要有著足之處，就可飛躍疾奔而行。但「江北五龍」和谷寒香卻無法和他相比，幾人相扶而行，向左側走去。

胡柏齡當先開路，疾向絕峰上面奔行，沿途之上，一路未停，也未遇上埋伏，到達峰頂之時，已是辰末時分。放眼瞧去，只見一片廣闊的草坪之上，早已坐滿了二十餘桌客人，每桌十人、八人不等，但所用桌椅都是一色檀木製成，這等插天絕峰，一徑如線，空手攀登而上，都十分吃力，也不知主持其事的一叟、二奇，用的什麼方法，把這些東西搬了上來？

峰頂一處，炊煙縷縷，十幾名身著白色圍裙的廚師，正在忙碌著調製菜肴。

這峰頂草坪，大約四、五畝地大小，顯然早已經過人工修整，是以瞧上去十分平坦。

廣坪正中，排列五席，桌椅之上，都用黃緞墊襯，但座位虛設，並無一人在座。

姜宏目光一轉，低聲向胡柏齡道：「大哥，那正中五桌，大概都是各方霸主參與爭奪綠林盟主之人的座位，周圍大概是隨行同來之人的座位。」

舉目四望，瞧不到一處可以隱身地方，方不禁暗自奇道：「隨行之人既到，爲何不見正主？」他乃久歷江湖之人，略一沉思，已然有了主意，接道：「參與正主，想必在附近休息，他們既不派人迎接大哥，大哥也不必去找他們，反正那正中五桌席位之布設，十成十是各地霸主之位，大哥不妨和嫂夫人先行入席，選擇一個最好的位置坐下。」

胡柏齡點頭笑道：「這辦法倒是不錯。」轉臉望去，只見數道目光盡投注嬌妻身上。

要知谷寒香美絕天人，姿色生香，任是何等穩重之人，見了她那等艷麗容色，也難正襟危坐，一眼不瞧。胡柏齡經常遇上這等尷尬之事，司空見慣，已經不以為意，但「江北五龍」卻不禁一個個大怒起來；「多爪龍」李傑在五人之中，脾氣最暴，不禁破口罵道：「沒有見過世面的下流胚子，挖了你們狗眼睛，看你們還瞧不瞧！」

他這幾句話，罵盡全場之人，坐在較近之處的幾個人，都聽得字字入耳，立時有四、五個人站了起來，說道：「你罵什麼人？」

胡柏齡一皺眉頭，暗道：「全場之人將近兩百之數，如要打了起來，勢非鬧得一場糊塗不可？」正待出來，把當先站起幾人壓制下去，以鎮全場。

忽見谷寒香懷抱孩子，搶前兩步，擋在李傑前面，說道：「你們要幹什麼？」

她雖是責叱之言，但聲音嬌脆動人，容色耀眼生花，幾個站起之人，一齊都坐了下去，呆呆一笑，卻是答不出一句話來。

「出雲龍」姜宏低聲叱道：「老四不要多事。」

「多爪龍」李傑忍下胸中之氣，冷哼一聲，大步向前走去。

幾人到了那中間席位之處，姜宏選了正中一桌主位，拉開椅子，笑道：「大哥、大嫂，就請在此席坐下，我和幾位兄弟，到旁邊席位上去。」

胡柏齡看姜宏選擇的席位，乃全席最好的位置，微微一笑，低聲說道：「此位如非二奇的

席位，定是那『羅浮一叟』的位置，我如坐了下來，只怕要把三人氣個半死。」

姜宏道：「『羅浮一叟』和『嶺南二奇』聯合召集天下英雄，爭選盟主，裝也要裝出一點寬宏大度出來，縱然心中不滿，也不至說什麼難聽之言！」

胡柏齡回顧嬌妻一眼說道：「咱們就在這桌位之上坐下吧！」

谷寒香嫣然一笑，倚著丈夫身邊而坐，這一笑，如花盛放，引得四圍群豪又是一陣騷動。

「出雲龍」姜宏眼見兩人坐好，回頭對「入雲龍」錢炳等低聲說道：「走！咱們到左一側桌空位上坐去。」

二 群雄大會

五人剛剛轉過身軀，忽聞長嘯劃空，直傳峰上，眨眼間一個手搖摺扇，身著長衫，面蒙黑紗之人，已越過群豪，直向正中席位奔上來，正是四日之前，和胡柏齡在山谷中動手相搏，新起的江北綠林道上盟主「蒙面怪人」。

此人在光天化日、朗朗乾坤之下，仍然不取下蒙面黑紗，但因他身法奇快，來勢有如丸飛電掣一般，大部分人均未看到他蒙著面紗。

直待他到正中席位之上，停下了身子，大部分人才瞧清楚，這位在光日照耀之下蒙著面紗的怪人，立時引起紛紛議論。

胡柏齡微微一皺眉頭，瞧了他一眼，發現他站的角度，似正凝神望著嬌妻，不禁心中微生怒意。因那蒙面黑紗極是濃厚，胡柏齡只能從他神態之間，和他站的角度中，推想出他正凝望著嬌妻。忽然心頭一凜，暗道：「此人面紗這等濃厚，我一點也無法瞧到他面色和眼中神光，不知他何以能夠瞧到別人？而且在動手相搏之時，還能運用自如，難道他真能透物瞧人不成？」一心中動了懷疑之念，暗中留神看去，這一用心看，果然被他看出了破綻。

原來那濃厚的蒙面黑紗之上，嵌著兩塊指甲大小的水晶石片，外面又有一層黑紗掩遮，而

且那兩片水晶石片的顏色，也是濃黑之色，和面紗顏色相同，不留心很難看得出來。忽聞一陣喘息之聲，四個勁裝佩劍的少年，和兩個疾服大漢，跑得氣喘如牛般，衝向正中席位之處。

「江北五龍」本欲要走，但因怕這蒙面怪人陡然出手攻襲，立時散開，護守著谷寒香。幾人心知胡柏齡武功高強，那蒙面怪人縱然下手徒施暗算，也難傷得了他，是以幾人都集中著保護谷寒香的安全。

這時，分坐在四周席位上三山五嶽的豪客，都紛紛站起了身子，注視著場中的舉動，有些好事之人，已自緩步向場中逼去。

那蒙面怪人自登上峰頂後，目光一直投注在谷寒香身上，對場中混亂之局渾如不覺一般。四個黑衣勁裝的佩劍少年雖然跑得氣喘如牛，但一見四周群豪有不少緩步向場中逼來，立時拔出背上長劍，排成一個半圓形，保護那蒙面怪人的背後和側翼。

陳文、陳武同時望了胡柏齡一眼，垂手靜立一側，動也不敢亂動一下。

胡柏齡目注兩人，微微一笑，道：「咱們多年不見了，你們二位好吧？」

陳文、陳武相互望了一眼，同時躬身答道：「盟主大安！」

胡柏齡道：「此一時，彼一時，兄弟那江北綠林盟主之位，早已爲人取代，兩位大可不必再這般稱呼兄弟了。」

陳文、陳武目光轉向那蒙面怪人投瞥了一眼，欲言又止……

「出雲龍」姜宏冷哼了一聲，正想斥罵兩人幾句，但卻爲胡柏齡用眼色阻止。

這當兒，已有不少江湖豪客走近了那蒙面怪人身後停下，大聲喝道：「你們懂不懂江湖上

刺耳至極。

的規矩？」幾人一齊大叫出聲，而且喝問之言，又彼此不同，聲音有尖有粗、有高有低，聽來

那蒙面怪人突然轉過身去，一揚手中摺扇，冷冷地喝道：「哪一個敢多管在下閒事？請向前再上三步！」只聽幾聲冷哼同時響起，三個大漢同時舉步而出。

那蒙面怪人忽地一揚左腕，日光之下但見三線白芒一閃，那三個舉步同出的大漢，剛好也同時大叫一聲，一齊摔倒地上，整齊化一，分厘不差。此人抬腕之間，立仆三人，使全場中人，個個心頭一震！有幾個準備隨同三人身後出來的人，立時停下腳步。

那蒙面怪人冷笑一聲，說道：「哪個還不怕死？再請向前三步。」

群豪互望一眼，面面相覷，誰也不敢搶先舉步。

胡柏齡微微一笑，低聲對谷寒香道：「咱們快些坐下！」橫跨一步，在正中一席落座。

谷寒香星目流動，四顧群豪，都爲那黑紗蒙面怪人出手毒針立傷三人威勢震懾，注意力都集中在他的身上，微微一笑，緊倚胡柏齡身邊坐下。

「出雲龍」姜宏打量了一下場中形勢，低聲對胡柏齡道：「這蒙面怪人出手極辣，眼下還不知傷到了哪一路的人物？此事只怕很難善罷干休，說不定要造成……」

胡柏齡搖頭笑道：「你們放心吧！不管傷的哪一路人物，都不致引起風波。任何人也不願背上破壞綠林大會之責。」果然，那擁來群豪，眼看同伴傷了三人，而且己方也不過十四、五人，縱然一齊出手，也毫無制勝把握，默然向後退去。

黑紗蒙面怪人眼瞧群豪退下，冷笑一陣，揮手對四個佩劍少年和陳文、陳武說道：「你們

退下去吧！」轉身在胡柏齡對面坐下。

要知這峰頂廣坪之上，群集了天下各省、各路的綠林人物，彼此之間心中都存著敵對之意，誰也不肯幫助別人，是以那黑衣蒙面怪人雖然一出手就傷了三人，但除了正東兩桌席位之上奔來的十幾個大漢之外，大都是袖手旁觀，瞧著好玩的人，一看苗頭不對，立時四散而去；直待那黑紗蒙面怪人轉身入座，才有三人奔了過來，把受傷摔倒在地上的三個同伴救走。

那蒙面怪人就座之後，兩道眼神仍然盯住谷寒香瞧，幸好此時「江北五龍」都已退到旁側席位上，胡柏齡因自知嬌妻美麗絕倫，凡是見到她的人，不分男女，都難免要多瞧幾眼，平日習見此事，忿妒之心，消滅很多，正待出口，暗中諷勸他幾句，使他自行收斂一下放浪形骸的驕氣，那黑紗蒙面怪人已搶先開口，道：「兄弟出道江湖之初，已聽得胡兄大名，恨無機緣早日相遇，前宵有幸一會，果是名不虛傳。」

胡柏齡聽得微微一怔，暗道：「他怎麼知道我的姓氏呢？」忽然想到陳文、陳武追隨自己多年，對自己做事性情，瞭若指掌，自是難怪他知道了。當下微微一笑，道：「好說，好說，江北綠林，如非大駕出來領導，只怕早已鬧成群雄分割，相互殘殺之局了。」

黑紗蒙面人朗朗大笑一陣，接道：「胡兄辛辛苦苦創出的基業，兄弟來坐享其成，說來慚愧得很。」

胡柏齡暗自想道：「此人初和我相遇動手之時，是何等冷傲，不知何以此刻忽然變得這等謙和起來？」凝眸望去，只見黑紗重重，難見他臉上神情變化。

那蒙面人似已瞧出了胡柏齡心中懷疑之事，立時低聲接道：「兄弟自出道江湖以來，還未遇過像胡兄武功這般高強之人，是以兄弟對胡兄早已傾服。」他微微一頓，用更低的聲音說道：「這次『羅浮一叟』和『嶺南二奇』召請天下綠林同道會聚北嶽，名是各憑武功，爭奪天下綠林盟主之位，其實心懷鬼謀，早已預做布置，想一舉殲盡不服三人出掌盟主之人。」

胡柏齡微做沉吟，想道：「此人面罩黑紗，無分晝夜，均不願以廬山真面見人，如非有極大的缺陷，定然是有什麼不可告人的隱密？倒要防他一著。」故作鎮靜，淡淡一笑，道：「不知兄台在何處聽得這等消息？」

那蒙面怪人道：「不瞞胡兄，兄弟在這數日之中，已暗探『羅浮一叟』和『嶺南二奇』臨時巢穴三次，聽得了幾人不少陰謀，雖不敢說全盤了然，但已知大略梗概。」他話至此，突然住口一嘆，道：「兄弟自離師門，從未遇上過敵手，但前宵和胡兄幽谷一戰之後，頓覺武功一道，深博精遠，兄弟所學，極是有限。」

胡柏齡道：「客氣，客氣……」

蒙面怪人道：「據兄弟縱觀大局，眼下實力最強的仍屬『羅浮一叟』和『嶺南二奇』的聯手之勢，三雄、四怪雖然不可輕視，但如想問鼎盟主之位，那是自不量力，不過挾三雄、四怪，當可一壯聲勢。」

胡柏齡聽他縱論爭霸綠林盟主大勢，滔滔不絕，見識頗高，不覺暗自讚道：「此人不但武功卓絕，為生平所會頂尖高手，而且膽識過人，實乃不可多得之材。」心中暗興傾慕之感。

只聽那蒙面怪人續說道：「目下局勢，一叟、二奇已是智珠在握，穩操勝算，但如胡兄能

和兄弟聯手，當可使大局一轉，盟主誰屬又當別論！」

胡柏齡暗道：「此話倒是有幾分可信。」但他乃持重老練之人，心中雖覺對方說得不錯，但卻不肯一口應允，微笑不語。

那蒙面怪人等候片刻，仍不得胡柏齡的答覆，續道：「在下生平之中，從未服過他人，但自那夜和胡兄動手之後，心中即生敬慕之感，如果胡兄肯於折節下交，兄弟絕無爭取盟主之心，甘願附驥追隨左右。」

胡柏齡笑道：「咱們談了半天，在下還不知兄台高姓大名？」

那蒙面怪人笑道：「兄弟姓鍾，雙名一豪。」

胡柏齡道：「鍾兄高見，兄弟極是佩服，不過……」話至此處，忽見四周群豪，紛紛站起身子，全場突然靜寂下來，鴉雀無聲；回頭望去，只見峰頂一角突岩之後，魚貫走出廿餘人，有老有少，高矮不等，長衫、勁裝，形形色色，正是天下各處，獨霸一方的綠林魁首。

鍾一豪低聲說道：「走在最左面的那個長髮散披，胸垂花白長髯、金箍束髮、全身灰衣的人就是『羅浮一叟』。」

胡柏齡目光銳利，雖然相隔距離甚遠，但仍可看清「羅浮一叟」的面貌，只見他臉形奇長，雙目暴凸，兩面太陽穴卻高高突起，一望即知是內外兼修的高手。

這班人現身之後，腳步突然加快，片刻之間，已到正中席位之處。四十幾道目光，一齊投注在胡柏齡、谷寒香的身上。一則因爲兩人落據的座位乃全場最爲適中的正位，再者谷寒香容

顏絕世，這些人雖是稱霸一方的綠林雄主，極知自重身分的人，也不禁多瞧幾眼，對那面罩黑紗、裝束詭異的鍾一豪反而沒有注意。

胡柏齡武功卓絕，定力深厚，雖在眾目交投之下，仍然若無其事，神情鎮靜，視若無睹。群豪怔視了胡柏齡等一陣，一個身著天藍長衫、鷹鼻鷂眼、年約五旬左右的老者，突然排眾而出，抱拳對胡柏齡等說道：「三位在何處立窯？可曾接到邀請的柬子麼？」

鍾一豪冷笑一聲，接道：「這北嶽大會乃是爭取天下綠林盟主之位，任是何人，只要有興趣參與，大概都可算上一份，這等的盤根究柢，不覺得有些小家子氣麼？」

藍衫老者突然臉色一沉，道：「朋友高名上姓，這話未免說得近乎狂妄？遍天下綠林同道何止千千萬萬，如果都像閣下一般沒名沒姓的人也要大搖大擺地高據主席，未免太小視我們東道主人了吧？」

鍾一豪敞聲一陣冷笑，聲音尖銳刺耳，有如冰窖地中吸出來的一陣陰風，歷久不絕。

藍衫老者大喝一聲，截斷鍾一豪冷笑之聲，怒道：「你究竟是什麼人？如再不報上姓名，可不要怪我開罪了？」

鍾一豪冷冷地答道：「你雖不認識我，可是我卻認識你，你是『嶺南二奇』中的『搜魂手』巴天義。」

此語一出，卻使巴天義大大地吃了一驚！默然索思，想遍了天下綠林人物，仍然想不出什麼人整天面垂黑紗？

要知鍾一豪出道江湖之後，只在江北道上忽隱忽現，和他動手的人從來很少逃得過他的毒

手，縱有一、二個人逃得性命，但爲了保存自己的聲譽，也隱諱不言，誰也不願把自己敗在一個形貌、姓名都弄不清楚的怪人手中之事告訴他人；是以鍾一豪雖已取代胡柏齡成了江北綠林道上盟主，並未傳播整個江湖。

「搜魂手」巴天義名列「嶺南二奇」，身分甚是尊崇，當著天下各路霸主之前被對方直呼姓名，而自己卻不知對方身分、來歷，心中甚感愧忿。但他乃見多識廣之人，生性又極陰沉，在未弄清楚對方底細之前，不肯貿然發作，兩道目光投注在鍾一豪臉上，一語不發。

忽聽一聲大喝，一個全身勁裝、年約四旬的大漢，分開人層直衝出來，此人身高八尺，臉色赤紅，短鬚如戟，根根見肉，背上斜插一柄金背開山刀，刀面足足有一尺寬窄，只看那沉重的大刀就可知其臂力過人，襯著他虎背熊腰，高大的軀體，看上去神威凜凜。

胡柏齡微一側目，瞧了那大漢一眼，冷然一笑，抬頭望著天上一朵飄浮的白雲。

那大漢衝出人層，環目怒視了胡柏齡和鍾一豪一眼，說道：「在下嶗山王大康，是哪位打傷了兄弟屬下？請出來答話。」

胡柏齡聽他自報姓名，忽然轉過頭來，又瞧了那大漢兩眼，笑道：「閣下可是人稱『嶗山三雄』之一的『勇金剛』麼？」

王大康哈哈一笑，道：「不錯！兄台和在下素不相識，可是聽得江湖上傳言說過俺『勇金剛』麼？」他身材高大，聲如洪鐘，哈哈大笑起來，響徹山峰，引得全場之人齊齊向他注視。

胡柏齡淡淡一笑，道：「兄弟久聞『嶗山三雄』的大名，今日幸會。」說完，轉臉他顧，不再瞧王大康一眼。

鍾一豪忽地站起身子，道：「人是兄弟打傷的，你要怎麼樣？」

王大康濃眉怒聳，厲聲喝道：「殺人償命，欠債還錢，打傷『嶗山三雄』的屬下，分明是瞧我們兄弟不起。」其人說話聲音已經很大，這般大叫起來，更是震得人耳際嗡嗡作響。

鍾一豪冷冷說道：「兄弟一向只知殺人、欠債，卻從不知償命、還錢。」

王大康怒喝一聲，大邁一步，忽的一拳，直向鍾一豪前胸擊去，他天生驚人神力，又練的外門功夫，一拳擊出，有如鐵鎚撞岩一般，帶起一股「呼呼」風聲。

鍾一豪冷笑一聲，正想舉手封架，忽聽一個陰森的聲音說道：「王兄暫請住手。」橫裡疾伸過一隻手來，托住了王大康擊出右臂肘間關節。這人出手奇快，疾如電奔，伸手一托，竟拏住王大康的右肘，全場都不禁為之一震，連鍾一豪也不自禁地轉過頭來；只見那人面如淡金，長髮散披，胸垂花白長髯，身著灰衣，正是發起這次綠林英雄大會的「羅浮一叟」霍元伽。

王大康右肘關節被人托住，全身力氣用不出來，側目怒視「羅浮一叟」問道：「霍兄出手拏住兄弟肘間關節，不知是何用意？」此言一出，群豪之中一大半忍不住微微一笑，他這般大呼大叫質問於人，不啻自供技不如人，但他卻問得理直氣壯，面無愧色。

「羅浮一叟」鬆了王大康右肘關節，笑道：「比武即將開始，王兄心中縱有不平之氣，也望能瞧在老夫面上，忍耐片刻，待一會兒再說不遲。」說完，也不待王大康答話，轉臉望著胡柏齡道：「這位兄台可是江北綠林道上盟主，人稱『冷面閻羅』胡柏齡的胡兄麼？」這幾句話，頓使在場的各方綠林霸主為之心頭一震，不約而同的把目光投注到胡柏齡的身上。

要知胡柏齡率領江北綠林人物，抗拒少林、武當兩派聯手，獨鬥少林高僧天明大師之事，

傳遍了天下，江湖中人很少不知胡柏齡三字，是以，聽得「羅浮一叟」叫胡柏齡三字之後，都不禁心頭一跳，轉臉瞧去。

胡柏齡緩緩站起身子，抱拳笑道：「兄弟已退出江湖，洗手歸隱，不再過問江湖之事，但聞恆山大會之後，竟難自抑制，兼程趕來北嶽，承諸位不棄下愚，允准兄弟佔得一席之位，在下心中感激至深。」

「羅浮一叟」霍元伽哈哈一笑，道：「兄弟本已和巴氏兄弟奉柬相邀，只因胡兄行蹤隱秘，無法覓得大駕，難得胡兄及時趕來，使這北嶽之會生色不少。」他微微一頓後，又轉臉望著面垂黑紗的鍾一豪道：「請恕在下眼拙，不識這位兄台，但眼下之人都是江湖上各地雄主，兄台這等故示詭異，黑紗遮面，不覺著有些太小家子氣麼？」

鍾一豪冷冷接道：「爭奪盟主之事，各憑武功，至於在下面垂黑紗，似乎無關緊要吧？」

「羅浮一叟」冷哼一聲，道：「藏頭露尾，故弄玄虛，豈是大丈夫的行徑？」

鍾一豪道：「霍兄如果看不順眼，兄弟待會兒先請賜教！」此人冷傲異常，言詞犀利，每一句，都使人難忍難受。

「羅浮一叟」冷笑道：「好！屆時老夫自當揭去你黑紗，讓天下英雄瞧瞧你廬山真面。」

鍾一豪道：「只怕未必見得？」

「羅浮一叟」雙目一瞪，神光湛湛地逼射鍾一豪，似要發作。

鍾一豪暗中運氣戒備，口中卻又冷冷接道：「霍兄如果等待不及，咱們就先打上一場，然後再吃酒不遲。」他句句字字，都含著挑戰之意，只激得霍元伽一張淡金臉變成了鐵青之色。

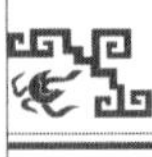

胡柏齡眼看局勢劍拔弩張，大戰一觸即發，趕忙接口說道：「兩位暫請息一時氣忿，待會兒比武之時，兄弟當拭目一看兩位身手。」

「羅浮一叟」冷笑一聲，突然高聲說道：「擺酒。」轉身走到左側一桌坐下。

他本來預備高據正中一桌主位，但因座位被胡柏齡夫婦搶了先去，只好退居其次，搶了左面一桌主位。

這班人都是江湖之上一方雄主，誰也不願屈居人下，聽得「羅浮一叟」大叫擺酒，立時紛紛搶奔席位，動作迅速無比，有不少為搶主位，還暗中較量了幾招武功。

但聞一陣冷笑、怒哼交織，幾股潛力激蕩成風，吹得桌椅上黃緞墊子飄飄飛舞。

「搜魂手」巴天義目睹大家爭坐主位的情景，冷笑一聲說道：「恆山大會，旨就在我江湖綠林道上推舉出一位武功高強、才智出眾之人，主盟大局，並非請諸位爭坐上席來的。」他話還未完，群豪爭位已息，自是武功較高之人搶到了主位；眾豪剛剛坐好，忽聞一陣噹噹鑼聲起自峰下。鑼聲來勢奇快絕倫，倏忽之間，已達峰上，群豪各自心頭一震，不約而同轉臉瞧去。

只見一個身穿天藍長衫，頭包方巾，腰束絲帶，左手高舉兩塊一尺長短的鐵板，右手拏著直徑八寸的一面銅鑼，四旬上下文士裝扮之人，大步直向正中席位上走來。

谷寒香星目流波，瞧那舉板拏鑼之人，低聲對胡柏齡笑道：「這位算命先生可也是來爭那盟主之位的麼？」

原來此人除了雙手的鑼板之外，肩上還掛著一個長長的白布袋子，上面寫了碗口大小一個「命」字，下面兩行小字寫道：

神卜斷禍福　鐵筆判生死

胡柏齡還未及回答谷寒香相詢之言，那算命先生已然搶先接道：「好說，好說，在下一個算命之人，豈敢覬覦那綠林盟主之位？只因風聞這次北嶽大會，群集了天下綠林道上精英，在下想趕來做點生意。」突然搖動鐵板打起銅鑼，高聲叫道：「哪路英雄肯信在下？快請來卜上一課，斷言你生死吉凶、禍福壽祿，錯一句分文不取。」說話之間，人已在谷寒香左側席位之上坐下。

「搜魂手」巴天義冷哼一聲，大步直走過來說道：「兄台如是來參與英雄大會，我們竭誠歡迎，但如存心搗亂而來，哼哼！那就不要怪兄弟出手傷人了。」

那算命先生似是十分畏懼巴天義，竟然一語不發，放下手中銅鑼、鐵板，正襟而坐。

「羅浮一叟」霍元伽緩緩站起身子，高聲說道：「兄弟這次和『嶺南二奇』具名邀請諸位聚會北嶽，承蒙諸位賞光，不惜千里跋涉之苦，趕到這『寒碧崖』上，兄弟甚感榮寵，如有簡慢之處，尚請諸位大量海涵……」話至此處，突然一頓，舉手大喝道：「上菜！」但見廣坪一角中，急步奔出來幾個上身穿白衣的青年，各自端起一盤菜肴，健步如飛地送到各桌之上。這些人似都是久經訓練之人，動作迅快，健步如飛，但盤中菜湯，卻點滴不溢。

胡柏齡瞧得心中一動，暗道：「這班人分明都有著武功的基礎，八成是三人門下弟子或手

下親信。」立時暗中留上了神，果然被他瞧出這些送酒上菜之人，身上都似帶著兵刃，立時暗示給鍾一豪。

鍾一豪輕輕地咳了一聲，暗中運集功力，蓄勢以待。

這時，正好有一個手捧菜盤的白衣少年走將過來，鍾一豪待他走近桌旁之時，陡然伸手，一指點去。

那白衣少年耳目極是靈敏，鍾一豪點出之勢，已夠迅速，而且猝然施襲，事前毫無警兆，竟然被他一閃避開。

「羅浮一叟」霍元伽，冷哼一聲，右手一揚，一物破空飛來，勁急生嘯，直向鍾一豪前胸射來。

胡柏齡若無其事地舉起酒杯，對那算命先生裝扮之人笑道：「在下敬你一杯。」

那算命先生微微一笑，道：「這個窮秀才如何敢當？」

但聞「呼」的一聲輕響，胡柏齡手中酒杯正好迎著飛來之物。眾豪轉頭瞧去，只見一支筷子，由胡柏齡手中酒杯對穿而過，怪卻怪在酒杯不碎，滿杯酒點滴未溢。

這等曠絕的手法，簡直是罕聞罕見，只看得在場群豪一呆！

只聽「羅浮一叟」陰沉沉地冷笑一陣，道：「『冷面閻羅』之名，果不虛傳。」雙手齊揚，兩支筷子並排飛來。

胡柏齡突然朗朗大笑道：「想不到兄台還是位黌門秀才？失敬，失敬。」暗中潛運真力，手中酒杯陡然破空而起，直向上飛去，五指一開一合，竟把兩支破空而來、勢道勁急、力透山

石的筷子，夾在正中三指之間，口中仍然和那算命先生談論著，始終未轉頭瞧過「羅浮一叟」一眼。

這當兒，鍾一豪已然把那白衣少年制住，撕去他白色外衣，露出一套黑色疾服，腰間圍著一條虎皮帶子，分插了十二口柳葉飛刀，刀上一片藍汪汪的顏色，立時可以辨出是經過毒汁淬鍊之物。

鍾一豪伸手解下那黑衣少年腰中的虎皮帶子，高舉手中，一陣陰沉冷森的長笑道：「『羅浮一叟』、『嶺南二奇』，你們具名邀請天下綠林道上高手聚會『寒碧崖』，可是準備一網打盡強敵……」

「搜魂手」巴天義不容鍾一豪再說下去，大喝一聲，飛撲過來。

胡柏齡回頭對谷寒香道：「『羅浮一叟』、『嶺南二奇』陰謀被當場拆穿，只怕他們要惱羞成怒，提前發動。」話至此處，全場已成混亂之局，群豪眼看鍾一豪當場抄出那白衣人身上淬毒兵刃，個個心生驚震！疑心酒菜之中有毒，哪裡還敢食用？紛紛站起身子，全場一片喝罵之聲。正中五桌席位上坐的客人，也都臉色大變，紛紛起身。

「羅浮一叟」一看激起眾怒，立時高聲說道：「各位暫請落座，聽我霍某一言。」

鍾一豪已然由腰間抖出緬鐵軟刀，此人唯恐天下不亂，想藉機引起一場混戰，高聲接道：「在下實想不到霍元伽竟敢以這等卑劣手段，加諸天下綠林同道？各位請謹防酒菜中有毒。」

「搜魂手」巴天義本已飛撲向鍾一豪，卻被胡柏齡遙遙一劈空掌風，震得人在空中連打了兩個轉身，落在中途。這一擊勁道奇大，巴天義雖然已運氣全身，但仍被胡柏齡虛空一擊的掌

風，震得氣血浮動，不禁心頭大感驚駭！腳落實地，立時閉目而立，運氣調息，如果胡柏齡趁勢再劈出一掌，必可將巴天義震斃掌下。

場中局勢已成混亂，群豪被鍾一豪挑撥之言，激得怒火大熾，但聞一陣乒乒乓乓之聲，桌、碗橫飛，菜肴滿地。

「羅浮一叟」霍元伽眼瞧大局已難挽回，初步毒計已敗，全都是那蒙面怪人所擾，心中恨不得一掌把鍾一豪震斃手下，但他乃見聞廣博，心機深沉之人，心知此刻群情激昂，都是對自己而發，如若一出手，必將成眾矢之的，強忍住心頭怒火，一語不發，冷眼看局勢變化。

原來霍元伽和「嶺南二奇」預計在酒至半酣之時，再在酒中下上強猛的毒藥，一網打盡天下高手，把幾個強敵除去，脅迫其他的人相從，先取盟主之位，再設法整除異己，哪知竟被鍾一豪破壞，叫他如何不恨？

群豪鬧過一陣，情緒逐漸平復，全場之中，只有中間五桌仍然桌椅整齊，碗碟無恙。只因中間五桌之人，都是各地雄主，一方首腦身分，都有幾分矜持之心，雖然對「羅浮一叟」和「嶺南二奇」不滿，但還能自持不亂。

霍元伽直待群情平復之後，才拂髯大笑，道：「兄弟和嶺南巴氏雙傑，費盡氣力才把桌椅運上這絕峰之頂，備下酒菜，替各位接風洗塵，不想諸位竟因人幾句挑撥之言，打得桌椅橫陳……」

鍾一豪冷笑一聲，接道：「兄弟破壞了這個毒謀天下綠林英雄之事，霍兄覺著有些不服是麼？」

霍元伽道：「閣下沒名沒姓，面蒙黑紗，故作詭異神秘之態，挑撥是非，激動群情，不知是何用心？」他微一停頓之後，突然高聲說道：「諸位之中，想必有不少辨解毒藥的能手，請相驗一下兄弟的酒菜，是否有毒？」

鍾一豪一聲長嘯，壓住群豪嘈亂之聲，接道：「霍兄老謀深算，豈肯在初上酒菜之中下毒？這一點，就是兄弟也不會爲之。」

「羅浮一叟」陰陰一笑，道：「閣下處處撩撥兄弟，不知是何用心？」說完，緩步向鍾一豪身側欺去，他雖是久走江湖之人，但也受不了鍾一豪連番挑逗，準備出手。

胡柏齡眼看局勢已有利於己，原來擁護「羅浮一叟」之人經這一番大鬧之後，已然動搖，當下大聲喝道：「事已至此，霍兄也不必多費口舌解釋，各位來此之意，並非想討三位一杯酒吃，我們綠林中人，不應作虛僞之言，兄弟說話，一向真誠，不如就此開始比武，早決盟主誰屬？」群豪相互望了一眼，各自暗中點頭。

鍾一豪大聲說道：「這位胡兄說得不錯，就請三位主事宣布這次比武的規矩。」

「羅浮一叟」冷然說道：「既然如此，咱們兩個先比上一場再說。」身子一晃，直向鍾一豪身前欺去，動作過迅快，一閃即到。

胡柏齡冷笑一聲，大喝道：「且慢！」身軀一轉，人已擋在鍾一豪前面。

霍元伽本已舉手擊下，鍾一豪也橫刀待攻，雙方即將動手之時，胡柏齡卻在兩人快要搏擊出手的剎那，衝到了兩人身前，一招「劃分陰陽」把兩人硬分開了。

「羅浮一叟」只覺一股強猛的潛力，直逼過來，易攻爲守，揮掌一擋。

兩人都暗自潛運真力，一較暗勁，彼此都不禁心頭一震，半斤八兩，難分勝負。

胡柏齡道：「霍兄乃武林間久負盛譽之人，這等氣量狹窄，不怕天下英雄恥笑麼？」

霍元伽道：「胡兄這般強自出頭，可是想先和兄弟比劃比劃？」

胡柏齡「哈哈」一陣大笑後，道：「霍兄如果有興，兄弟自然要奉陪，不過咱們兩人的生死勝敗，只不過個人榮辱，對爭奪盟主之位，並無補益，是以兄弟之意，想請霍兄把這次柬邀天下綠林同道的用意為何？爭取盟主之位的方法？當眾宣布，以憑各位參與大會的英雄裁決，如果大家認有不妥，也好提出修正，如霍兄辦法周詳公正，大家都表同意，那時霍兄如願向兄弟挑戰，兄弟絕不推辭！」

他乃聰明異常之人，心知眼下集聚的群豪，乃天下綠林道上的精英人物，如果激起群憤，引起群攻，縱有通天本領，也難抵天下英雄聯手攻勢；「羅浮一叟」、「嶺南二奇」處心積慮，早已有備，不知暗中聯合多少同路之人，雖經鍾一豪當面揭穿陰謀，離間了不少人心，但百足之蟲，死而不僵，還不知有多少人和他同謀？單是他那送酒、辦菜的屬下，人數已然近百，如果再被他暗中聯合有人，群鬥起來，自己方面，人數先就吃了大虧，而且爭奪盟主的方法未講，大打一場，也難求得結果，是故，不願出手和「羅浮一叟」相搏。果然他這幾句，正大堂皇之言，使不少綠林英豪隨聲附和，要「羅浮一叟」先說出爭奪盟主之位的辦法，然後再動手比武不遲，群情激動，你言我語，剎那間場中又現出一片混亂之狀。

「羅浮一叟」眼看形勢對自己愈來愈是不利，如再存投機取巧之心，只怕真要鬧得天下綠林豪雄，攜手聯攻自己，只好高聲說道：「各位既都有早些爭奪盟主之意，兄弟自應順附眾情

……」群豪頓時平靜下來，剎那間鴉雀無聲。

霍元伽提高聲音道：「武林間各大門派，都彼此互通聲息，常有數派聯手分別對付我們各地同道之事，想必各位都有所聞，用不到兄弟舉例詳說。」他微微一頓後，接道：「因此，兄弟才想到咱們亦應彼此聯合一體，相互救援，以對抗那般自鳴正大門戶出身的俠義人士，不過此事想來容易，如要做到，卻是一件大不易爲的事，兄弟和『嶺南二奇』再三相商，才決定柬邀各位來恆山一聚。」

鍾一豪冷冷地接了一句道：「藉此機會一網打盡天下英雄。」

「羅浮一叟」怕他再說下去，高聲接道：「我綠林同道，天南地北各居一方，平日很難聚會一起，藉此機會彼此一敘，也好共商對付敵人之策，不過，蛇無頭不行，鳥無翅不飛，如不推舉出一個人來主盟其事，事令無法統一，自難和人對抗，是以，兄弟想藉這次聚會的機會，推選一位盟主出來主持其事。」

群豪齊齊轉過頭來，投注在「羅浮一叟」臉上，神色肅然，聽他宣布比武方法。

霍元伽目光緩緩由群豪臉上掃過，接道：「我們在江湖上闖蕩的朋友，推舉盟主方法，自然要以武功爲主，不過，刀槍無眼，動起手來，自難免有所傷亡，兄弟爲減少比武傷亡，想出了一個法子，凡欲參加爭奪盟主的人，須先通過三關考驗，然後才可參與比武，如果無能通過三關考驗，那就要被取消參與爭取盟主的資格。」

胡柏齡笑道：「霍兄辦法不錯，此舉可減少很多傷亡，但不知那三關考驗方法爲何？」

「羅浮一叟」道：「所謂三關考驗，辦法容易至極，第一種是輕身功夫，第二種是內家

真力，第三種請隨意現露一手武功；因爲各人所學不同，有以掌力雄渾著稱，有以內力深厚馳名，如果三關考驗，全都硬性規定，未免有失公平，故而兄弟在第三關考驗之中，任憑各位自露一招絕學，此關最易，但也最難，個中道理，想諸位都很明白。」

忽聽一人高聲說道：「參與比武之人，是否定要先通過一、二兩關考驗？」

霍元伽微一沉吟道：「這個兄弟事先已經想到，爲顧及所學不同，成就各異，一、二兩關以通過其一爲準……」他微微一頓後，突然高聲說道：「兄弟想這三關考驗之策，最爲重要的並非是考驗各位武功，而是希望各位目睹群豪顯技之後，自知無能取勝之人，知難而退，免得多招傷亡。」

胡柏齡道：「霍兄想得不錯！但眼下時光不早，既然早有準備，那就請早些開始吧。」

霍元伽道：「諸位稍請休息，兄弟就叫人布置。」說完，高舉雙手，互擊三掌。

但見廿餘個白衣少年，分執應用之物迅快奔入場中，搬開正中桌、椅，片刻間布置妥當。

胡柏齡看場中布置之物，簡單無比，一目了然，一支高約兩丈左右、大指粗細的竹子，頂端橫著一支一尺多長、火香般的細枝，細枝後丈餘處一面方桌之上，放著三十餘塊大如鴨蛋的石塊和一大桶清水、二十餘個酒杯，方桌過去，兩丈左右處，分站十個白衣少年。場中布置雖然簡單，但大部江湖豪客卻看得臉上變色。

「羅浮一叟」哈哈一笑，道：「各位看場中簡單布設，想必心中已經明白。」

胡柏齡道：「霍兄這等布置，雖然能使人一目了然，但武功一道，無窮無盡，最好能將霍兄心中預想的考驗方法說出，也好讓我們增長一些見聞。」

霍元伽冷冷一笑，道：「胡兄最好少尋兄弟開心，比武開始後，兄弟自當先行領教威震江北的楞中套劍絕技！」

胡柏齡微微一笑，道：「好說，好說，兄弟自然要捨命奉陪。」

「羅浮一叟」似是已被激得狂怒沖心，胸前長髯根根直垂如針，仰天一陣怪笑，如猿啼鶴唳，聽來刺耳至極。

一陣怪笑過後，似是發洩了他胸中不少積忿，臉色緩和不少，沉默片刻，才緩緩說道：「這豎立竹竿上的橫枝，是一種極爲嫩脆的草莖，著力稍重即折，兄弟之意，凡是自覺輕功過人的朋友，不論手抓、足著，只要不損、不折草莖，即算通過一關。」

他微微一頓，指著方桌上的卵石和一桶清水接道：「這第二關以考驗內功爲主，軟、硬二功任擇一種，不論掌擊、指點或用手捏，以碎去桌上一塊卵石爲通過，或以桌上酒杯盛滿清水，以內家掌力吸出杯中存水，但不許點滴灑在桌上，不能讓酒杯移動破損，碎石、吸水任選一種；至於第三種兄弟胸無成見，各位任意表演一種武功，諸位都是身負絕技之人，各以所長，或掌、或指、兵刃、暗器，隨意表演，但只限一招，兄弟已派了十名屬下，聽候使喚，各位需要什麼應用之物？儘管吩咐他們去辦。」當場眾豪聽完「羅浮一叟」一番話後，登時有一些人知難而退。

霍元伽目光如電，緩緩掃了未退出的眾豪一眼，又道：「兄弟既設下三關考驗，自應當先獻醜。」餘音甫落，突然一提真氣，雙臂一振，高大身軀陡然凌空直起，疾如離絃弩箭一般，倏忽之間已到了那豎立竹竿的草莖之上，果然如著實地，草莖竹竿，穩如磐石，毫未晃動。

在場眾豪除了胡柏齡、鍾一豪和那算命先生裝扮的中年儒士及「嶺南二奇」外，各人心中都微生駭然之感，登時又有三處綠林雄主自動退了下去，場中所餘，只不過二十餘人了。

但聽「羅浮一叟」仰臉一聲長嘯，頭下腳上疾撲而下，懸空兩個翻身，落在那方桌前面，雙手同出，右手握了一塊卵石，左手拏了一只酒杯，探手間盛了一杯清水放在桌上，暗運真氣，右手握石，左掌向杯上一按，猛然一按，猛然一揚，只見一股水箭應手而起，直射丈餘遠近，化成一片水滴灑落，杯中滴水未存，桌面一點未濺。

「羅浮一叟」輕聲一笑道：「微末之技，就教高明。」右手五指緩緩伸開，振腕一抖，一塊堅硬無比的卵石，化作一片灰末飛灑數尺方圓。他在同一刻之中，碎石、引水，分頭並行，只瞧得在場群豪，大部為之一呆。

鍾一豪冷冷地說道：「碎石引水，算不得什麼絕學，在場之人，大概都有這點本領，霍兄大可不必以此洋洋自得，還是試試第三關吧？」

「羅浮一叟」雙目似要噴出火來，冷然投瞥了鍾一豪一眼，緩步向前走去，大約有一丈左右時陡然停了下來，說道：「兄弟浪得虛名，實無真才實學就教各位……」

說話之間，忽地一舉右手，身軀凌空而起，快捷無倫地向十餘個白衣少年撲去，他去勢如風，有如飛鳥旋空一般，轉了一轉，重落原地，拱手笑道：「兄弟這套空手取兵刃的功夫，粗淺得很，諸位請勿見笑。」言罷，緩步退下。

在場之人都覺著奇怪，瞧不出「羅浮一叟」這般一進即退的身法，何以叫出空手取兵刃的名字？但胡柏齡和那算命先生裝扮之人，卻看得臉上微微變色，鍾一豪因臉上蒙著黑紗，難以見到他臉上表情。

直待霍元伽退場良久，才見一道白光由空中直落下來，插入地上。緊接著白光閃動，片刻間十支寶劍，齊齊插入地上，每支相距只不過四、五寸遠，支支距離相等，高低一樣。他在一剎那間，拔出十個白衣少年背上長劍，投入空中，動作快得幾乎使人無法瞧得清楚，落下時群集徑尺之地，各劍距離相等、高低一樣，這般未聞未見之學，震動全場，當下又有四個獨霸一方的綠林雄主，退了出去。

胡柏齡暗自一皺眉頭，目光電射，橫掃全場一周，正待舉步出場，忽聞一聲大叫，一名大漢排眾而出。

鍾一豪轉頭看去，見來人正是「嶗山三雄」中之一的「勇金剛」王大康。

王大康抱拳對四周群豪一揖，說道：「兄弟獻拙，各位請勿見笑，霍兄既然說過三關考驗，任擇其二，兄弟就免去第一關輕身功夫考驗吧！」他聲如洪鐘，自說自話，也不管在場中人反應如何，大步直向那方桌之處走去，伸手取過一個卵石放在左手之上，暗運真力，右手用力一擊，但聞「呼」的一聲，碎石如粉，飛灑數尺。

胡柏齡看他鐵沙掌力練到這等地步，已達力斃虎、豹之境，心中暗生驚奇，忖道：「縱是身負上乘內功之人，只怕也難受得他這一掌？」

王大康雙掌碎石之後，也不望四周群豪，大步直對那十個白衣少年走去，停在場中，拱手對那十個白衣少年說道：「請諸位過來幫一下忙。」

十個白衣少年依言走了過來，齊齊躬身施了一禮，站在旁邊。

王大康環視群豪一眼，說道：「兄弟施一點膂力。」大步走了過去，把十個白衣少年排成一行而立，和自己相距約兩尺左右，提高聲音接道：「請諸位合集全力，和兄弟一較膂力。」

那十個白衣少年，都是「羅浮一叟」門下最爲精明的弟子，聽得王大康之言，立時知他用心，同時伸出雙手，頂在前面一人背上，動作迅快無比，片刻之間，排成了一條長陣，最前一人，雙掌伸出和王大康雙掌相抵。

王大康舌綻春雷，大喝一聲，雙手潛運真力，猛然向前一推，那十個白衣少年吃他一推之力，果然全都站立不穩，踉踉蹌蹌地向後退了四、五步遠，王大康哈哈大笑，大步退到一側。

在場眾豪眼看力推十人倒退數步的膂力，心中暗自敬佩，忖道：「此點雖是蠻打之法，但這等驚人神力，也足以叫人膽寒。」

緊接著眾豪相繼出手，試闖三關考驗，「嶗山三雄」、「江南四怪」、「嶺南二奇」等相繼通過，有三關齊試，也有自行減闖兩關。但所有的人，均無超過「羅浮一叟」之能。

這時，全場之中只餘下鍾一豪、胡柏齡和那算命先生裝扮的中年儒士。

鍾一豪回頭望了中年儒士一眼，道：「秀才兄請啊？」

那算命先生裝扮的中年儒士，呵呵一笑，道：「好說，好說，我看還是兄台先請！」

鍾一豪輕輕一拂面紗朗聲笑道：「如此兄弟有僭了！」

餘音未絕，驀地拔身而起，疾如流星一般，直射上豎立竹竿的橫繫草莖之上，略一停留，一個大翻身疾撲而下，落在那方桌前面。

此人輕功之高，似尤在「羅浮一叟」之上，看得全場中人屏息凝神。

鍾一豪放聲一笑，道：「在下獻醜了……」雙手齊出，分握兩塊卵石，暗中運氣，片刻之後，伸開五指，兩塊卵石仍然完全無恙。

所餘在場較技之人，都是綠林中一流人物，經驗、見聞均極廣博，知他暗中必已動了手腳，是以雖見兩塊卵石完好如初，卻無一人流現輕視之色，反而聚精會神地目注那兩塊卵石。

哪知鍾一豪把兩塊完好卵石輕輕放在桌面上，竟然掉頭不顧，向前走去。

他這一舉動，立時引起了輕笑之聲，只有「羅浮一叟」、胡柏齡和算命先生等人，臉色仍然一片肅穆。

鍾一豪走約一丈之外，陡然一個翻身，兩股潛力遙向那卵石之上擊去。

掌風到處，一片砂灰飛揚，兩塊卵石竟然齊化砂灰，飛灑一地。

原來他早已暗運內力，把兩塊卵石握碎，但外形仍然保持完好如初之狀。

鍾一豪擊碎卵石之後，一語不發，大步退到一側。

胡柏齡回頭瞧了那算命先生一眼，笑道：「秀才兄，咱們兩個誰先來？」

算命先生裝扮的中年儒士一笑，道：「自然笨鳥兒先飛，打旗的先上，窮秀才給你們開道了。」身子忽地一轉，盤旋而起。

此人身法，世所罕見，全身如風車一般轉個不停，卻藉那旋轉之力，向上升去，看似緩慢，其實極快，眨眼間人已到豎立竹竿的橫繫草莖之處。兩臂猛然一舉，上半身倏而一升，頭上腳下地落在草莖之上，搖板打鑼，高聲吟道：

我居北海君南海　寄雁傳書總不能
桃李春風一杯酒　江湖夜雨十年燈
持家但有四立壁　治病不蘄三折肱
想得讀書頭已白　隔溪猨哭瘴溪藤

吟罷，縱身而下，直落到方桌前面，鐵板揚處，夾起一塊卵石，潛運真力一壓，一陣簌簌輕響，卵石化成碎末灑在地上，左手鋼鑼疾出，在那滿盛清水的桶內一挖，挖起一鑼清水，向後疾退三步，張口一吹，鑼中盛水，登時化作一道水箭，直向桌上一只酒杯中射去，眨眼間杯中水滿，鑼中積水，也剛好點滴不存。

場中高手大都瞧得目瞪口呆，似想不到此人竟有這等功力！

「搜魂手」巴天義低聲對「羅浮一叟」道：「霍兄可識得此人麼？看他武功，似是尤在蒙面怪人之上，想不到……」

驀聞一陣鐵板相擊之聲，打斷了他未完之言。

轉頭望去，只見那扮裝算命先生的文士已到了那十個白衣少年身前，搖打著手中鐵板，對十人一句一字地說道：「你們身上帶有暗器麼？」

十個齊齊恭身，但卻由最前一人答話，道：「老前輩需要什麼，只管吩咐，在下等立刻可以辦到。」

中年儒士笑道：「你們最好把各種暗器都拏一點來！」

白衣少年心中雖然覺著奇怪，但他仍然依照吩咐之言去做，取了七、八種暗器來。

中年儒士望了那暗器一眼，只見鏢、箭、梅花針等各類常見的暗器大都齊全，微微一笑，目光環掃十人一眼，問道：「這些暗器，你們都能用麼？」

十個白衣少年聽得同時怔了一怔，齊聲答道：「勉可應用。」

中年儒士道：「那很好，你們每人選一樣常用的暗器，分站在我的四周，聽我鐵板一響，同時對我打來，用足力道，打死了窮秀才絕不讓你們償命！」

十人一齊轉頭望了霍元伽一眼，各自選了暗器，散立四周，把那中年儒士團團圍在中間。

中年儒士高聲說道：「各位儘管全力施展，向我窮秀才出手！」舉起手中鐵板，互擊三響。

十個白衣少年相互瞧一眼，同時舉手發出手中暗器。剎那間，鏢、箭齊飛，劃空生嘯，夾雜銀芒閃閃的梅花針，四面八方，一齊打到。

中年儒士搖板低歌，似乎根本未把四面飛射來的暗器當一回事，左手銅鑼飛舞，但聞一陣叮叮咚咚之聲，那密如驟雨的暗器，盡爲他手中銅鑼擊落。

片刻工夫，十個白衣少年手中的暗器發完，那中年儒士也收了銅鑼，退到旁邊。

這時，場中參與爭奪盟主之人，只餘下一個胡柏齡還沒有考闖三關。

中年儒士走到胡柏齡身旁低聲笑道：「時光不早了，快些出場去吧！」

胡柏齡微微一笑，緩步出場，抱拳一揖，朗聲說道：「兄弟胡柏齡獻醜了。」

餘音未絕，雙臂突然一抖，全身筆直而起，直升到兩丈七、八尺高，才藉著下落之勢，雙腳微微一點，豎立在竹竿橫繫草莖之上，一個大翻身，頭下腳上，疾撲而下，腳未落著實地，雙手齊齊伸出，左手抓起一只酒杯，探臂間盛起一杯清水，右手已同時撿握著一塊卵石，手捧著滿盛清水的酒杯，一個倒翻身，腳落實地，杯水點滴未溢，緩步走近那十個白衣少年說道：「各位請亮出兵刃。」

十個白衣少年依言取了兵刃，長槍、單刀、短劍、鐵棍，各人手中兵刃，全不相同，躬身說道：「不知老前輩，要我等如何效勞？」

胡柏齡兩掌平伸，左手托杯，右手托石，笑道：「諸位請用兵刃圍攻於我，每人可用十招，只要能把我掌中托的酒杯中盛水逼得灑出一滴，在下就甘心認敗服輸，立時離開北嶽，不再參與盟主爭奪之戰。」

這幾句話說得口氣托大，全場中人都有點面現懷疑之色！

忽見十個白衣少年一起舉起手中兵刃，迅快地分散四周，正東一人舉起手中花槍，大喝一聲說：「老前輩小心！」

一招「毒蟒出穴」當胸刺去。

此人一出手，四面的人緊隨發動，剎那間槍影刀光，寒芒電掣，狂風驟雨般地猛攻而上。

胡柏齡果然一招不還，雙手平伸，托石、捧杯，單憑縱躍閃避的身法，在刀光劍影中穿來閃去，他身體雖然魁梧高大，但卻靈活無比，十個白衣少年既無防敵還擊之慮，各出全力搶攻，合擊之勢，密如光幕，但胡柏齡卻能在寒光繞體的猛攻之下，從容應付。

眨眼間，十招已過，十個白衣少年，一齊收了兵刃躍退。

胡柏齡左手高舉，杯中盛水，果然點滴未溢，仍是滿滿一杯。

「搜魂手」巴天義冷哼了一聲，還未來得及開口，胡柏齡自提聚真氣，左掌向前一送，杯中盛水激射而出，一線細流，重返那水桶之中。

杯中水完，掌中酒杯卻倏然飛起，盤空旋轉著向前飛去，將要到方桌上空時，驀聞胡柏齡一聲長嘯，右手卵石破空飛出，直擊酒杯之上，輕響過處，卵石片片碎落灑下，那酒杯卻安然落在桌面之上完好如初，毫無破損。

場中群豪個個看得心頭震動，胡柏齡卻緩步退到一側。

「羅浮一叟」目光炯炯地掃射全場一眼，高聲問道：「還有哪位有興，出場一現身手？」

連問了三聲，無人答應。

「搜魂手」巴天義高聲接道：「諸位既要隱技自珍，參與爭奪綠林盟主之位的人數，即將就此確定了！」

場中眾豪，仍然無人答話。

宣布三關考驗，就此結束，所有參加之人，全都通過。

他微微一頓之後，高聲接道：「現在開始爭奪那綠林盟首之位，爲示公平起見，兄弟想到了一個辦法。」

全場之人陡然間靜肅下來，目光全都集注在「羅浮一叟」身上，但卻無一人接口說話。

霍元伽目光流轉，環視了全場一周後，高聲接道：「這次參與盟主爭奪之人，連兄弟算上，總共一十三人，如果以連勝十二陣的比法計算，只怕在場之人都難有此功力？因此兄弟想以抽籤之法，各自決定對手，得勝之人，再參加下場抽籤，另和新的對手相搏，以此類推，最後餘下兩人，以勝負決定盟主之位。」

鍾一豪冷笑一聲，道：「霍兄辦法說來雖高明，但這等比試之法、未免含有取巧成分……」

他敞聲大笑一陣，道：「就孥兄弟說吧！如若第一次抽籤，不幸和這位胡兄對手，兄弟首遭淘汰，未免輸得太冤，但在場之人，除了胡兄之外，兄弟都有點不大服氣。」

「羅浮一叟」霍元伽本想利用抽籤之法，把幾個武功較高的排在一起，先讓別人力拚一場，自己好保存實力，對付強敵。如今被鍾一豪當面揭破，心中甚是惱怒，但他乃生性陰沉之人，喜怒不形於色，當下淡淡一笑，道：「兄台既不贊同兄弟之策，不知有什麼高明辦法……」

鍾一豪接道：「兄弟的辦法，最是簡單不過，彼此之間，自由挑戰，直待無人應戰之時為止，最後獲勝之人，就是領導我天下綠林的盟主，此法簡易公平，各憑真才實學，誰也別想取巧……」

忽地縱身一躍，落入場中，接道：「這第一陣麼？兄弟先向霍兄挑戰！」

霍元伽冷笑道：「好極！好極！兄弟也正想領教閣下的武功？」緩步向場中走去。

驀聞一聲大叫道：「霍兄別忙，這第一陣讓給兄弟先打如何？」

一條人影，穿空而來，搶先落入場中，正是「嶺南二奇」的「搜魂手」巴天義。

鍾一豪一側身，迎了上去，暗中已把門戶封住，高聲說道：「巴兄想動兵刃呢？還是比試拳掌？」

巴天義道：「任憑尊意，兄弟無不從命。」

鍾一豪道：「如以在下之意，先比拳掌，如果難分勝負，再以兵刃相搏。」

忽地欺身而進，一招「直叩天門」當胸直擊過去。

巴天義看他說打就打，餘音未絕，拳已遞到，不禁大怒，冷笑一聲，橫臂出掌，一招「橫架金梁」潛運功力，硬封鍾一豪的拳勢。

鍾一豪似是存了速戰速決之心，右拳直擊不變，左拳緊隨擊出，橫裡一招「葉底偷桃」疾劈左脅。

巴天義側身斜讓，避開鍾一豪的左拳，大喝一聲，右臂又加幾成勁力，去勢也加速不少。

但聞砰然一震，雙方右拳接實，各自被震得退了一步。

鍾一豪勇猛彪悍，一退即上，雙掌合擊，一招「雙風貫耳」疾擊過去，右腳同時飛起「魁星踢斗」直踢小腹，一進之間，兩招迅猛絕倫的攻勢，一齊出手。

巴天義心頭微生凜駭，暗道：「此人如此神勇，實是少聞少見，剛才那一招硬拚，勢均力敵，他功力並不高過於我，怎麼連真氣也不調息，竟又這等猛衝而上？」就在念頭轉動的一瞬之間，鍾一豪雙掌、右腳已同時攻到。

巴天義再想閃避之時，時間上已來不及，只得雙臂平胸推出，向左、右一分，一招「二龍分水」又硬接鍾一豪一招「雙風貫耳」，右腿平掃而出，猛擊鍾一豪踢來右腳。

但聞砰然一聲，四臂、兩腿同時接實。

這兩人功力悉敵，一出手，兩招硬拚，只看得全場中個個心頭大震，暗道：「這等不顧生死的蠻打硬拚，實是未聞未見之事……」

但聞一聲冷笑、悶哼，同時響起，兩人各自向後退了三步。

連續兩招硬拚、硬打，使兩人都有點真氣不繼，同時覺到血翻氣浮。

巴天義退後三步，立時凝神運氣調息，鍾一豪卻一語不發地重又疾衝而上，左手一揚，當胸按去。

他這不顧生死重又疾衝而上，大大地出了巴天義的意外，在他感覺之中，鍾一豪擊出的拳掌勁道，並不強過自己，連續兩招硬打之後，他自覺已無再戰之能，是以想到鍾一豪絕無力再行搶攻。

哪知事實大出了他意料之外，待他警覺之時，鍾一豪掌勢已到前胸。

他在真力耗消過多之後，已不似平時一般的靈活，閃避之勢略緩，前胸已被鍾一豪疾擊而來的右掌按上，登時覺著前胸如受巨鎚一擊，雙足再也站立不穩，張口噴出一股鮮血。

鍾一豪一擊成功，忍不住哈哈大笑，道：「名震天下的『嶺南二奇』也不過如此而已！竟然難以接得在下三……」

他話未說完，突聞巴天義大喝一聲，一掌疾劈過來。

這一掌發難突然，來勢又迅快絕倫，鍾一豪側身一讓，沒有讓開，吃巴天義掌勢劈中了左肩，只覺肩骨一陣劇疼如裂，身軀連搖數搖。

巴天義一掌擊出之後，突然身子一陣晃動，又噴出一口鮮血，腳步踉蹌，身子搖搖欲倒。

他似是極力想穩住身子，不使摔倒地上，是以不停地移動雙足，想穩住重心，但他終於無法如願，移動數步之後，終於摔倒在地上。

這時，只要鍾一豪隨便出手一擊，立時可以把巴天義擊斃在掌下，但他卻如木刻泥塑一般地站著不動。

這是一場武林中罕見的搏鬥，兩人都沒有施出一招詭異拳掌，沒有一招巧攻，只是平平常常的兩招硬拚，使兩個武林間一流高手，同時身受重傷……

胡柏齡微微一皺眉頭，高聲說道：「霍兄請以主持大會的身分，判布他兩人的勝敗！」

「羅浮一叟」霍元伽輕輕地咳了一聲，道：「這個麼？兄弟很難判布，巴天義雖然摔倒在地上，但那位不肯通報姓名的蒙面兄台，也已沒有再戰之能，如果兄弟判布錯誤，只怕難以使天下英雄心服！」

胡柏齡冷笑一聲，道：「這麼說來，凡是入場比武之人，定要分出生死，才能決定勝負誰屬了？」

要知一經判布勝負，落敗之人即不能再參加第二場比試，是以「羅浮一叟」故意拖延時間，希望「搜魂手」巴天義經過一陣調息之後，能夠站起再戰。

他目光銳利，早已看出鍾一豪也已氣力用盡，拚耗最後一口元氣，壓制住內腑傷勢，不讓它發作出來，如巴天義能夠起身再戰，鍾一豪無法壓制內傷，必然要暈倒當場，至多是個兩敗俱傷之局。

忽見鍾一豪身子搖了兩搖，緩步向倒在地上的巴天義走去。

全場中人都為之心頭一震，因為大家心中都明白，鍾一豪只要能走近巴天義，立時將有慘劇發生。

巴天義已掙扎著由地上坐起身子，雙目圓睜地瞧著鍾一豪。

鍾一豪舉步之間，如拖千斤重鉛，走得十分艱難，一步一晃，看樣子隨時有摔倒在地上的可能。

兩個身負重傷之人，都已把生死置之度外，準備以僅存的餘力，做最後一擊，以性命做孤注一擲，決定勝負誰屬？

胡柏齡何嘗未看出鍾一豪已無能再戰，心中大感焦急，此人雖行動詭異，但武功卻很高，在這次盟主爭奪大會之上，不失為一個極好的幫手，如若有了什麼不幸，對自己影響匪淺。

正待出手阻止，忽聞一聲大喝，一條人影疾飛入場，直向鍾一豪迎撞過去。

胡柏齡冷哼一聲，提聚真氣，疾進數尺，舉起右掌，準備施出「百步劈空掌」，解救鍾一豪之危。

就在他移步向前之時，驀聞鐵板叮咚，那中年儒士已先他一步向場中躍去，衣袂帶起了飄風之聲。

「羅浮一叟」大聲喝道：「快請住手！」

那中年儒士去勢雖急，但轉動之勢更快，身子一側，倏然而住，鐵板、銅鑼交叉胸前，剛好擋住那衝向鍾一豪的人影。

那人身法亦極靈快，聽得「羅浮一叟」大喝之言，立時施展千斤墜的功夫，硬把向前疾衝

的身子收住，腳落實地，相距鍾一豪，只不過三尺多遠，望著那中年儒士冷笑一聲，回身抱起「搜魂手」巴天義，大步退到一側。

「羅浮一叟」眼瞧著「搜魂手」巴天義被「拘魄索」宋天鐸救了回去，心知再要拖延時間，只怕要引起天下英雄心中反感，只好高聲說道：「在下以主持大會身分，判布那位蒙面仁兄勝了一陣！」

他最後一字剛剛落口之時，鍾一豪突然張口噴出一股血箭，暈倒在地上。

原來他和「搜魂手」巴天義兩招硬打、硬接之中，彼此都出了全力，勢均力敵，巴天義及時吐出了胸中瘀血，還擊一招之後，倒在地上，鍾一豪卻因求勝心切，提聚僅餘真氣，壓制了傷勢的發作，使傷勢轉趨嚴重。

但聞一聲大喝，一人疾躍入場，正是搶救「搜魂手」巴天義的「拘魄索」宋天鐸。

此人和巴天義並稱「嶺南二奇」，武功極高，心地陰險，生性殘忍，以單刀和拘魄索馳名江湖，嶺南道上傷在他手下的綠林高手，不知凡幾。

那中年儒士正待伸手扶鍾一豪退下休息，宋天鐸已疾躍入場，翻手拔出背上單刀，抖出腰中拘魄索攔住去路，冷冷地說道：「且慢退下，既然勝得第一陣，豈有不接第二仗便退之理？」

那中年儒士微微一笑，道：「這等挑戰之法，窮秀才瞧不順眼。乘人之危，豈是大丈夫的行徑?要想打，窮秀才可以奉陪……」

宋天鐸冷冷接道：「你就是想和我動手，也待我勝得了那位蒙面之人，咱們再打不遲！區

區自信還能接得兩陣！」

中年儒士一揚手，「噹」的一聲鑼響，高聲笑道：「你如怕我窮秀才，那就等他休息復元之後再打吧！」

伏身抱起鍾一豪向後退去。

宋天鐸一抖手中拘魄索，「呼」的一聲，直向中年儒士雙腿纏去，口中厲聲喝道：「站住。」

中年儒士頭也不轉，雙足微一用力，全身凌空而起，讓開一索。

宋天鐸冷笑一聲，右腕暗運真力，向上一揚，軟索隨著中年儒士凌空而起的身子，疾追上去，靈動如蛇，快速絕倫。

但聞那中年儒士冷哼一聲，道：「拘魄索之名，果不虛傳。」

左臂一甩，凌空飛上的身子，忽然轉向一側，斜斜向旁邊飛去。

宋天鐸大聲喝道：「好一招『巧燕斜飛』的身法。」

手腕加力一帶，手中拘魄索突然暴長數尺，橫掃過去。

原來他這拘魄索，全長一丈二尺，對敵之時長短隨意變化，忽長忽短，叫人難測虛實。

那中年儒士輕功雖佳，但因懷中抱住鍾一豪，身法的靈巧，大受影響，目睹對方拘魄索運用隨心，變化莫測，心知難再在空中應付，立時一沉真氣，施出千斤墜的身法，迅快無比，落著實地，拘魄索掠頂而過，掃破他包頭方巾。

宋天鐸看他連閃三索追打，不禁暗自佩服，大聲喝中，一沉健腕，橫掃拘魄索，突然由上

而下，倒捲擊來。

中年儒士看他索法愈出愈奇，心頭暗自驚駭，心知再這般打下去，必然要吃大虧，當下舉起手中銅鑼一揮，「噹」的一聲大震，封開了宋天鐸下擊的軟索。

谷寒香抱著孩子，站在胡柏齡身後，看他揮鑼擊索的手法奇準，不禁嘆道：「原來他這銅鑼還可當做兵刃應用，那手中鐵板，自然也可用來克敵了。」

中年儒士封開一索之後，立時以極快的動作，放下了鍾一豪，右腕一抖，鐵板「叮咚」脫手飛出，直向宋天鐸飛擊過去。

宋天鐸橫跨兩步，讓開鐵板，橫刀削去。

中年儒士突然一收右臂，鐵板陡然又飛了回來，左手一振，銅鑼卻盤旋而出，夾著一片尖風擊去。

原來他這鐵板、銅鑼後面，都有極堅固的細索連著，套在手腕之上，鐵板、銅鑼隨時脫手飛出擊敵，以補兵刃過短之弊。

宋天鐸在出手之前，已覺出此人手中武器奇怪，吃虧太大，其中如無奇招，兵刃上必有變化，暗中早已留神戒備，是以，那中年儒士鐵板脫手飛出時，他毫無驚奇之感，卻沒有想到他手中銅鑼竟然也可以脫手擊敵，而且來勢勁急，疾轉如輪，較飛回鐵板，快速極多，一時間閃讓不及，舉刀封去。

只聽「噹」的一聲，單刀正擊在銅鑼之上，銅鑼旋轉之勢一緩，忽然順刀滑下，疾向前胸撞去。

因爲他這銅鑼擊出的手法，全是旋轉之力，和一般擊來兵刃、暗器，力道大不相同，一遇阻力，立時折轉擊去，不致被人一擊而落。

宋天鐸武功雖高，但也無法應付意外的變化，匆忙間一提真氣，身子陡然向後收縮半尺。旋轉的銅鑼夾著凌厲的尖風，掠胸而過，劃破他前胸衣服。

拘魄索、鐵板、銅鑼，各人露出了兩手絕招，只看得全場中人，無不心頭暗生敬佩，彼此半斤八兩，不分負勝，拘魄索帶去了中年儒士一條包頭方巾，旋飛的銅鑼也劃破了宋天鐸前胸衣服，彼此都是生死一髮，存亡須臾。

宋天鐸驚魂略定，突然大喝一聲，舉刀揮索直衝過來。

那中年儒士不退反進，縱身一躍，疾迎上去。

鐵板、銅鑼、單刀、軟索，展開了一場搶制先機的快攻。

三件奇形怪狀的兵刃，施展開後，看得人眼花撩亂。

但見索影縱橫，刀光如雲，銅鑼飛旋，鐵板叮咚，瞧得人目迷五色。

這兩人兵刃特殊，武功招術，也和一般兵刃不同，打得奇招百出，花樣橫生；宋天鐸的拘魄索，可長可短，近戰遠搏都能運用自如，索如靈蛇戲水，繞空飛舞，忽上忽下，當真有叫人難測之能。

但那中年儒士的鐵板、銅鑼，也施得神出鬼沒，銅鑼護身，鐵板攻敵，不管宋天鐸索中夾刀的招數如何凌厲，均無法搶得一點優勢，不大工夫，雙方已拚搏百招。

要知「嶺南二奇」在江湖上凶名素著，武林中人都對他們忌憚三分，但這中年儒士卻是個名不見經傳之人，能和宋天鐸力拚百招而不露敗象，立時引起全場中觀戰之人一陣騷動，轉頭耳語，議論紛紛。

胡柏齡冷眼旁觀，看那中年儒士，愈戰愈是沉穩，招數也愈來愈奇，宋天鐸攻勢雖未受挫，但已不如初交手時那麼凌厲；而那中年儒士卻逐漸由守變攻，爭取主動，看樣子只要再拚上三、五十招，那中年儒士大有反守爲攻之能。

激戰之中，忽見倒臥在地上的鍾一豪挺身而起，略一調息，掙扎著站起身子，步履踉蹌地向後退去。

胡柏齡大步迎上去，低聲道：「鍾兄不可太過好強，快坐下調息一陣，保重身體要緊。」因他面上蒙著黑紗，無法看清他神色如何？卻聽他微微一嘆，說道：「『嶺南二奇』之名，實不虛傳，我受傷不輕，今日之戰，只怕無能爲胡兄再盡綿力了！」

胡柏齡探手入懷摸出一粒丹丸，說道：「萍水相逢，得鍾兄這般厚愛，兄弟感激不盡，這粒丹丸，雖非什麼療傷仙品，但對鎮神行血方面，不無小補，鍾兄快請服下，靜坐一陣，以鍾兄精湛內功，絕無大礙。」

鍾一豪伸手接過丹丸，正待放入口中，忽覺一陣香風，迎面襲來，谷寒香右手抱著孩子，左手遞過來一個拔去塞子的水壺，說道：「我大哥的補血鎮神丹，療治內傷最具神效，你快些用水沖下。」一聲音柔脆，語氣中滿含關懷。

鍾一豪伸手接過水壺，把丹丸投入口中，用水沖服，盤膝坐下，運氣調息。

就這片刻時間，場中的激鬥，已有了急劇的變化。

那中年儒士已由守變攻，鐵板、銅鑼奇招綿連，忽而脫手飛打，忽而欺身近攻，夾雜著亂人耳目的「叮咚」之聲，攻勢凌厲絕倫。

宋天鐸由攻變守，逐漸落了下風，拘魄索變化雖奇，但卻爲對方銅鑼奇妙的招數所制，空自地盤空飛舞，難以攻入對方護身鑼影。

「羅浮一叟」霍元伽眼看自己倚爲左右雙臂的「嶺南二奇」，一個身受重創，一個落敗在即，不禁大減了爭雄豪氣，暗自忖道：「如不及早設法，替下『拘魄索』宋天鐸，『嶺南二奇』要是全被重創當場，實力將大受損折……」

心念一轉，立時低聲吩咐隨在身側的四個弟子，要他們設法擾亂武場，以找自己下場接替宋天鐸的藉口。

他想得雖好，但時機已自晚了一步，驀聞場中清嘯、怒叱同時響起，「拘魄索」宋天鐸踉蹌而退。

宋天鐸似是要藉後退之勢，穩住身子，但他卻未能如願，倒退了五、六步後，仍然跌坐到地上。

「羅浮一叟」霍元伽眼看自己倚仗爲左右雙臂的「嶺南二奇」雙雙受創當場，不覺怒火暴起，大喝一聲，飛奔出場。

他怕那中年儒士及時撤退，是以，迅快絕倫地衝了出來，冷然喝道：「鐵板、銅鑼，江湖間從未聞得，秀才兄定然是一位隱跡風塵的高人了！兄弟自不量力，願以赤手空拳，接你鐵板、銅鑼幾招！」

這些話如若出於他人之口，定將受到場中各地綠林豪雄斥責爲大言不慚的狂妄之徒，但由「羅浮一叟」口中說出，卻似變成了理所當然之事，無人覺得他這等托大之言，說得不該。

中年儒士微微一笑，道：「只怕窮秀才鐵板、銅鑼，難是你的敵手！但如你一定要比，窮秀才說不得只好捨命奉陪了！」

「羅浮一叟」陰惻惻地一笑，道：「好說，好說，只怕難以接得下秀才兄的鐵板、銅鑼神奇招數。」

說話之間，人已欺身而上，當胸一掌直擊過去，他一出手，即踏中宮直進攻敵，簡直把那中年儒士手中鐵板、銅鑼視做玩物。

這在武林規矩中講，乃是極瞧不起對方的舉動，大凡江湖中人，都極重視「名譽」二字，遇上這等情事，雖明知不是對方敵手，亦必以死相拚。

但那中年儒士卻有著大異常人的涵養，不但毫無動氣之態，而且手也不還，縱身一躍，向旁邊閃讓開去。

「羅浮一叟」想不到此人當著天下英雄之面，竟然不把自己加諸於他的羞辱，放在心上，不禁微微一怔！笑道：「秀才兄究竟是讀書人，和我們江湖上草莽之人不同，這涵養功夫，實叫兄弟佩服。」

語氣之中，滿含譏諷，只聽得場外的人都有點代那中年儒士不平，心中暗自想道：「別人怕了你也就是了，你這般出言譏諷，未免有些欺人太甚了。」

那中年儒士對「羅浮一叟」的譏諷之言，竟似也未放在心上，微微一笑，道：「霍兄這般

稱讚於我，窮秀才如何敢當？你以空手和我鐵板、銅鑼相搏，我如再不讓你三招，豈不讓天下英雄笑我窮秀才白讀了聖賢之書。」

此人答非所問地胡亂扯了幾句，但卻表情逼真，似是他當真不知武林間比武規矩，輕描淡寫的幾句話，竟把「羅浮一叟」加諸的羞辱，解於無形之間，反而激起了霍元伽的怒火，只聽他怨聲喝道：「原來秀才兄是有心相讓於我，那就再讓上一招試試！」

雙肩微晃中，高大的身軀快捷雷奔電閃般，直欺而上，一招「雷火交擊」當頭擊下。凌厲強猛的潛力，隨掌而出，罡風激蕩，帶起了呼嘯之聲，排山倒海般直撞過去，威勢驚人至極。

中年儒士表面上雖仍然笑容可掬，但心裡卻是暗暗驚駭，忖道：「此人功力這等深厚，如若被他擊中一掌，只怕當場就得斃命。」

一提丹田真氣，身子飄空而起，橫向一側飛去，讓開「羅浮一叟」掌風。

霍元伽一擊未中，向前疾衝的身子停也不停，一個轉身，又衝過去，雙掌平胸推出，一招「移山塡海」，強猛的潛力，浪湧而出，橫及四、五尺寬，猛撞過去。

這一擊的威勢，較剛才尤爲猛惡，中年儒士臉上的笑容，忽然斂失不見，雙目凝視，神情肅然，雙臂一振，身軀筆直而上。

他已看出「羅浮一叟」的功力修爲，已達爐火純青、收發隨心之境，如果再向旁側躍避，對方只需一轉身子，帶轉擊出力道，追擊過來，這等猛惡之勢，再想閃避，只怕不易？只有凌空而起，再見機應付。

只聽「羅浮一叟」冷笑一聲，推出雙掌，猛然一招，那排空狂飆，陡然向上翻去。

中年儒士應變雖然快，但「羅浮一叟」擊出的掌風，籠罩了四、五尺方圓，想在一避之下，讓開擊來掌力，豈是容易之事？但覺一股強猛絕倫的力道，撞在雙腿之上，登時覺著腿骨劇疼如裂，身不由主地向外摔了出去，直飛出兩丈開外，才向地上摔下。

就在那中年儒士吃掌風擊中之時，胡柏齡已同時疾躍而起，快如離絃之矢一般，直飛過去，懸空一攫，不待那中年儒士摔落實地，已把他受傷的身子抱入懷中，緊接一個大翻身，輕飄飄地落到地上。

全場中人都爲「羅浮一叟」奇猛的掌勢內力，而生出凜駭之感，亦爲胡柏齡迅快的救人身法心折，個個神色凝重，鴉雀無聲。

「羅浮一叟」目光是何等的銳利！在攻闖三關的比試過程之中，已然瞧出這次爭奪盟主的勁敵，只有胡柏齡一人而已；他原想以「嶺南二奇」之力，先行和胡柏齡硬拚上兩陣，然後趁他戰後力疲之時，再出手和他決戰。

哪知事與願違，「嶺南二奇」竟然雙雙挫敗在鍾一豪和那中年儒士手中，這意外的變化激起他胸中怒火，一怒出場，連運內家真力，打出震駭人心的劈空掌風，準備把那中年儒士擊斃掌下，眼看大功將成之際，又爲胡柏齡挺身救下，不覺把一股忿怒之火，盡轉在胡柏齡的身上。當下冷笑一聲，問道：「胡兄以江北六省綠林盟首之尊，竟然不依比武規矩行事，難道就不怕天下英雄恥笑麼？」

胡柏齡微微一笑，道：「不知兄弟哪裡有背比武條規？還望霍兄當面說明。」

「羅浮一叟」霍元伽，雙眉一挑，冷冷一笑，道：「此番北嶽大會，共爭天下綠林盟主，到場的都是一時英雄俊彥，豈是那普通比武較技可比……」

胡柏齡不待話完，接口說道：「霍兄此言，更使兄弟難解？但不知此次北嶽之會與普通一般比武又有何不同之處？」

「羅浮一叟」道：「普通比武場內場外的朋友，可以衡量當時局勢，從權處理，但今日之會，爭的是綠林盟主尊高之位；到會的人，也必是抱有雄心，自信武學出人頭地之人，動手過招，事關榮辱勝敗，如無十成把握，就應藏拙不露，既然有膽量下場，想必早存了以性命做爲賭注之心，不見真章，自是不肯善自干休，是以此等爭雄論霸之戰，豈容他人插手？」

胡柏齡「哦」了一聲道：「聽霍兄之言，似有責怪兄弟救人之意？但霍兄動手較藝之時，兄弟並未伸手，或有任何阻擾之處，這不依比武規矩行事的罪名，兄弟實……」

霍元伽未容胡柏齡話完，截道：「胡兄未阻擾比武，但適才出手救人，就是大爲不該之事。」

胡柏齡臉色微變，道：「非是我胡某人多事，此人吃霍兄掌風擊中受傷，場中人有目共睹，弟兄如不出手扶救，豈不斷喪一條人命？」

「羅浮一叟」連聲冷笑，道：「那只能怨他學藝不精，自不量力，這天下綠林盟主之尊，豈是這等容易奪得的麼？不判生死，怎分勝負？胡兄貿然出手救他，就是存心破壞比武條規……」

胡柏齡見「羅浮一叟」愈說神氣愈是蠻橫，心中亦生怒意，當下問道：「請問霍兄，這比

武條規之中，足否註明落敗之人一定不得生還這種條規？兄弟闖蕩江湖，也不是三天、五日，倒還未曾聽見說過，霍兄由何處聽得此等成規？兄弟極願詳聞其事。」

「羅浮一叟」方才所說，原都是強詞奪理之言，經胡柏齡一再反問，不由得僵怔在當場，答不出話來。

「羅浮一叟」霍元伽，雖對胡柏齡忌憚三分，但他乃是異常冷傲之人，當著天下英雄之面，如何能忍受得下？惱羞成怒，額上青筋暴脹，怒道：「江湖規戒之事，見仁見智，看法不同，胡兄既有意包攬是非，難道我霍某人當真怕了你不成？盛會難得，今天霍某人倒要領教你『冷面閻羅』幾手絕學。」

「冷面閻羅」胡柏齡，又豈是易與之輩？他轉臉看了谷寒香一眼，朗朗一笑，道：「既然霍兄有興，兄弟自是要捨命奉陪了。」

說話聲中，人倏地凌空倒躍，把懷中的中年儒士送到「江北五龍」面前，低聲囑道：「閣下可先行運功調息……」

反身一躍，人又重返場中，抱拳對「羅浮一叟」道：「霍兄是以拳掌賜教呢？還是準備用兵刃交手……」

「羅浮一叟」正待答話，忽聽側方一聲暴喝，道：「且慢，在下久聞『冷面閻羅』稱雄江北。咱們兄弟心慕已久，機會難得，霍大哥，這一陣留給咱們兄弟，看著江北、江南，到底誰是英雄？誰是狗熊？」

眼前衣衫閃動，四條大漢，一齊湧入場中，來人正是聞名江湖的「江南四怪」。

胡柏齡抬頭瞧去，只見四個身著疾服之人，分站了三個方位，把自己圍在中間。四人之中，兩個身材十分高大，兩個卻是五短身材的矮子。

胡柏齡環掃了四人一眼，微微一笑，道：「兄弟久聞江南綠林道上，盛讚四怪之名，今日有幸一會。」

他目光銳利，掃了四人一眼，心中已自有數，暗道：「如若讓他們個別出手，我得多費上一番手腳、時間，倒不如讓他們聯手而上，藉機現露出幾手武功，給他們瞧瞧，一則可收鎮壓全場人心之效，二則可省去不少麻煩。」

只聽左首一個身軀高大之人，說道：「好說！好說！我們兄弟也久聞『冷面閻羅』胡兄大名，挾劍、楞橫行江北，所向無敵，今日能得機緣一會，榮幸萬分。」

胡柏齡道：「四位同時出場，可是想一起出手麼？」

最右的一個矮子接道：「如在平時，我四兄弟總是一起出手對敵，對方一人，我們四個，對方十人，我們也是四個；但今日之戰，情形不同，我們如果一起出手，縱然勝了胡兄，也要被天下英雄笑我們以多凌寡，胡兄亦可藉故推拖，不認失敗之賬。」

胡柏齡大笑接道：「如若我答應四人聯合出手，貴兄弟不知肯否一起賞光？」

左首第二人冷然說道：「那自是又當別論，只要胡兄不更改，推說不算，單打獨鬥，或是我們聯手齊戰，全聽胡兄尊意。」

胡柏齡笑道：「兄弟耳聞四位聯手搏敵之名，我看還是四位一起出手的好；至於怕兄弟藉故不認敗賬？貴兄弟只管放心，只要你們能勝得了我，兄弟立時拔腿離開這『寒碧崖』。」

四怪看胡柏齡自動要他們一起出手，不禁心花怒放，暗道：「如果我們一個個單獨和你動手，或許打你不過；你逼我們聯手對敵，那無疑自尋死路。」

四人心意相同，齊齊說了一聲：「恭敬不如從命！」

左首最高之人，和右首最矮之人，忽然一起衝擊過來。

胡柏齡忽地向後疾退三尺，兩人左右合擊之勢，一起落空，彼此錯身而過，交換了方位。

要知江南四怪的聯手合搏之術，乃武林道上久享盛譽之學，四人花了十幾年的時間，把各人在武功上的成就嚴密地配合起來，以各人之長，互補他人武功之短，成就了一套特殊的合搏武功。

這一套四人聯手的搏擊，並沒有依照什麼奇形的陣式變化，亦無一定的步法，完全依照幾人的功力，演變成各種的奇奧變化，江南綠林道上，不知有好多高手，都敗在四人奇奧的聯手合搏。

胡柏齡一退即上，雙掌左右分擊，正待向兩人劈出，忽聽兩人呼喝，另兩人由正面疾衝而上，四掌齊出，迎面擊來。

胡柏齡想不到兩人攻勢來得這等神速，不禁一怔！但他乃久經大敵之人，雖然變出意外，但心神仍然不亂，雙掌平胸，推出一招「移山塡海」。

一股強猛的潛力，隨掌湧出，硬接了兩人衝擊而來的掌勢。

二怪向前疾衝的身軀，吃胡柏齡推出的內力一擋，前進之勢微一受阻，胡柏齡已疾收內力，長嘯而起，懸空一個轉身，掠身二怪頭頂飛過，以巧快絕倫的身法，落在二怪身後，雙手

疾分，腳落實地，雙手亦同時按在二人肩頭之上，低聲說道：「兄弟不願和四位結仇，請賞兄弟一個面子，認輸退下吧？」

「江南四怪」一向驕悍橫行，覺著胡柏齡按在肩上的掌力不重，哪肯低頭服輸？彼此互望了一眼，潛運內力，一齊翻身擊出一掌。

另外兩人分由兩側疾衝而來，舉拳直擊過來。

胡柏齡濃眉軒動，蓄蘊掌心內力，猛然向外一吐，二人突覺肩頭之上，如受千鈞壓力一撞，身子突然疾飛出去，翻身擊出的掌勢，也失了準頭，直跌到八、九尺外。

胡柏齡震飛二人身軀之後，身子向後一仰，施展「鐵板橋」功夫，雙足著地不動，仰面直臥下去。

左右合襲而來的兩怪，衝擊之勢，本極迅快，一時間收勢不住，直向一起撞去。

胡柏齡陡然挺身而起，兩手並出，推在兩人間的「大包穴」上，只聽兩聲悶哼，一齊橫退了兩步，跌倒地上。

胡柏齡五回合之內，制服了「江南四怪」，破了四人馳名江湖的合搏之術，也使全場之人都爲之心頭一震。

「羅浮一叟」霍元伽，原想藉四怪之力，先耗去胡柏齡一部分真力，然後自己再出手和他硬拚，只要擊敗此一強敵，即可穩操勝券，取得天下綠林盟主之位。哪知事出算外，對方竟以奇快的身法，數回合之內制服了四怪，心中又驚又怒，正待親身臨戰，準備硬拚一陣，忽聽一震巨雷般的大喝，「嶗山三雄」之一的王大康，大步衝入場中，舉手一指胡柏齡，喝道：「以

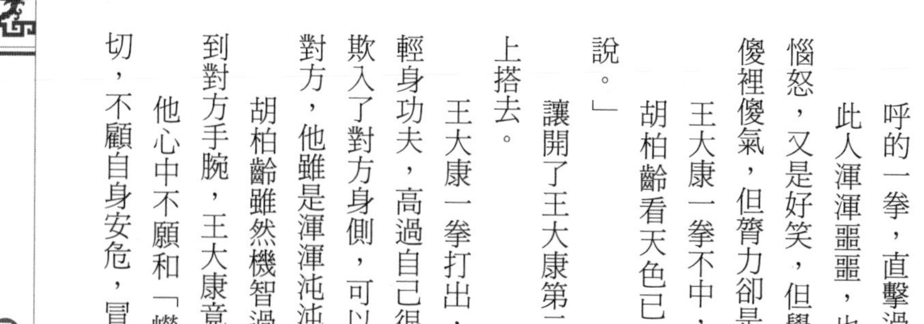

詭巧的身法勝人，俺老王瞧不順眼。」

呼的一拳，直擊過來。

此人渾渾噩噩，也不講什麼江湖過節，胡柏齡還未來得及答話，拳風已到前胸，心中又是惱怒，又是好笑，但覺他擊來拳勢虎虎生風，力道竟然十分強猛，心中暗暗忖道：「此人雖然傻裡傻氣，但膂力卻是不弱。」當下向旁一側避開一拳。

王大康一拳不中，第二拳連綿出手，身子一轉，又是一拳當胸擊去。

胡柏齡看天色已然不早，暗道：「此等之人，和他說也說不清楚，先把他制服之後再說。」

讓開了王大康第二次拳勢，右手卻在身子轉動的同時，斜探而進，極快地向王大康手腕之上搭去。

王大康一拳打出，身子也隨著向前衝去，他因第一拳被對方輕輕讓過，心中忽然想到對方輕身功夫，高過自己很多，這一拳只怕也難打到對方；如若身子衝近，第二拳縱然落空，但卻欺入了對方身側，可以和他近身相搏，那時可憑自己天生膂力，和他硬拚硬打兩招，或可勝得對方，他雖是渾渾沌沌之人，但卻也知以己之長，對人之短。

胡柏齡雖然機智過人，但卻沒有想到這個渾人，竟然會想出了壞主意來，右手五指剛剛摸到對方手腕，王大康竟然衝入他門戶之中，一掌向背心劈下。

他心中不願和「嶗山三雄」結仇，是以不肯施下辣手，對付敵人；卻不料王大康求勝心切，不顧自身安危，冒險求功，下禁心頭火起，冷哼一聲，左臂一收，手肘向後疾點而出。

他武功已到聽風辨位之能，雖然來不及回頭瞧看，但點出的肘勢，仍然認位奇準，王大康左掌剛剛觸及胡柏齡的衣服，左小臂「上廳穴」已被胡柏齡向後擊肘勢撞中，只覺臂上一麻，全身勁力頓失，掌勢變得軟弱無力，右腕也同時被胡柏齡的擒拏手法扣上，轉身一帶，身不由主的踉踉蹌蹌向前跑了幾步。

胡柏齡微微一笑，鬆了他被扣右腕，左拳同時輕輕在他右小臂上一拍，活了他的穴道說道：「承讓，承讓！」

王大康微微一怔後，大聲喝道：「這等打法，俺老王敗了也是不服。」揮拳當胸擊來。

胡柏齡閃身避開拳勢，心中暗自忖道：「鍾一豪同那中年儒士，都已身受重傷，一時之間，很難復元；『江北五龍』之力，不足應付眾人，我和『羅浮一叟』一場激戰，勝負尚難預料，敗了也還罷了，如果勝他，他絕不願甘心服輸認敗，必將另生枝節，此人雖渾，但卻甚是剛直，如能收服此人，『嶗山三雄』或可為我所用，至低限度，當不致再幫『羅浮一叟』。」

他心念轉動，也就不過是刹那間的工夫，當即笑道：「你要怎樣，才肯輸得心服口服？」

王大康略一尋思，道：「你先硬接俺老王三拳試試，我再敗在你手中，那就心服口服了。」說完話，又是一拳擊來。

胡柏齡潛運真氣，舉拳硬接了一拳。

王大康只覺他手掌堅如鐵石，一拳打上，腕骨被震得隱隱作疼，心中暗生驚駭，忖道：「我這一拳，力道可擊石成粉，怎生他這手掌比鐵石還硬？」大喝一聲，又是一拳擊去。

胡柏齡被他一拳擊在掌上，震得全身氣血微微浮動，不禁暗吃一驚，忖道：「此人膂力確

是驚人！」幾乎接不下他這一拳，趕忙提聚一口真氣，凝集前胸，疾向他拳上迎去。

王大康看對方居然挺胸擋受，心中忽生不安，暗道：「這一拳只怕要把他打得口中噴血，摔出去七、八尺外。」

哪知拳勢擊在對方胸前，如中棉絮一般，竟然絲毫用不上力，驚駭之下，收拳疾退三步。

胡柏齡這次運氣集胸，又接了他一拳，笑道：「王兄，還有一拳？」

王大康呆了一呆，又疾衝而上，左右雙拳齊出，分擊前胸、小腹。

胡柏齡待他雙拳近身，兩手疾出，輕輕一撥對方雙臂，身子微向旁側一閃，右腳絆在王大康雙腿之上。

王大康雙拳一齊落空，身不由主地向前衝去，吃胡柏齡伸腿一絆，一跤向前跌去。他身子將要摔在地上之時，忽覺背上衣服被人抓住，向上一提，把衝跌之勢穩住，雙腳重又落在實地之上。回頭看時，只見胡柏齡面含微笑，站在十步之外。

原來胡柏齡以極快的身法，抓住他衣服向上一提，穩住他衝跌之勢後，立時向後躍退。

王大康愣在當地，想了一陣，忽然抱拳說道：「俺老王服氣了，咱們別打啦！」大步向旁側走去。他說打就打，要退就退，也不理會別人如何談論。

這時「嶗山三雄」中的老大、老三，瞧他認輸而退，深覺顏面攸關，雙雙奔了出來，卻被王大康伸出雙臂擋住去路，說道：「你們也不必再去打啦，咱們絕打不過人家。」其實他們都已瞧出了胡柏齡武功高強，縱然雙雙出手，也無制勝把握，王大康出手一攔，兩人果然退下。

此時參與爭取盟主之位的一十三人，「嶺南二奇」、「江南四怪」和那中年儒士以及鍾一豪等八人，都受了傷；「嶗山三雄」因王大康一戰之後，全體認輸，不再出手，全場中只餘下了「羅浮一叟」和胡柏齡兩人，決爭盟主之位。

三　龍騰虎躍

霍元伽望了「嶗山三雄」一眼，緩步走入場中，冷冷說道：「胡兄準備和兄弟比兵刃呢？還是先比拳腳了？」

胡柏齡道：「霍兄既是主人身分，賓不奪主，霍兄怎麼吩咐，兄弟無不從命！」

「羅浮一叟」道：「咱們先比拳掌，如果在兩百招內難分勝敗，再以兵刃相搏！」

胡柏齡微微一笑，道：「如果兵刃仍難分勝負？」

霍元伽接道：「要是兵刃仍難在兩百招內分出勝負，再以內功相拚，以決盟主誰屬？」

胡柏齡道：「霍兄思慮周到，兄弟極是佩服。」

「羅浮一叟」抬頭望望天色，說道：「時光已然不早，胡兄快請出手吧！」

胡柏齡道：「兄弟恭敬不如從命。」縱身而上，一掌拍去。

「羅浮一叟」橫跨三尺，回身還擊一拳。

胡柏齡一擊落空，人已凌空而起，施展「一鶴沖天」身法，躍起來一丈四、五尺高，半空中打了一個旋身，疾撲而下，一掌護身，一掌下擊。

「羅浮一叟」大喝道：「好一招『神龍出雲』。」縱身而起，雙掌平推擊出，疾迎過去。

胡柏齡護胸一掌疾出，兩人懸空硬接一招，四掌撞實，各自在空中打了兩轉身，落著實地。乍分即合，同時以迅捷無比的身法，猛撲過去，一合又分，但已互攻三招。奇快無倫的互攻身法，只看得全場中人個個凝神屏息。

「羅浮一叟」大喝一聲，重又撲上，拳腳齊施，搶攻了三拳四腿，把胡柏齡迫退五步。

胡柏齡避開一輪急攻後，又以迅速無比之勢，猛攻八掌，搶回原位。

兩人各自凝神小息後，重復動手，掌風足影，急如驟雨，剎那間砂土橫飛，難分敵我，但見兩條人影盤旋衝擊，看得人眼花撩亂。

這兩個綠林道上頂尖高手相搏，聲勢果然不同，忽而凌空硬拚一掌，忽而以奇詭快迅的身法，閃避對方襲擊之勢，不過片刻工夫，兩百招已然打完，人影忽分，各自向後躍退八尺。

胡柏齡、霍元伽兩個都是綠林道上的頂尖高手，相互搏擊，聲勢果然不同，忽而凌空硬拚一掌，忽而以奇詭快迅的身法，閃避對方襲擊之勢，不過片刻工夫，兩百招已然打完，人影忽分，各自向後躍退。

胡柏齡微微一笑，道：「霍兄之名，果不虛傳，兄弟今日得睹不少奇學。」

霍元伽冷然答道：「彼此彼此。」一抖腰間活鈕，取出一條通體烏黑的蛇頭軟鞭，接道：「兄弟久聞胡兄劍中夾枴之學，江北綠林道上無人能接過百招，今日有幸能得討教。」

胡柏齡道：「好說！好說！」右手抽出背上長劍，左手一舉接住「出雲龍」姜宏投過來的鐵枴，道：「拳掌承蒙霍兄相讓，兄弟叨了先行出手之光，這兵刃要請霍兄先出手了。」

「羅浮一叟」一抖蛇頭軟鞭道：「那兄弟就有僭了。」手腕一振，蛇頭軟鞭筆直地點擊過

去。

胡柏齡揮柺封住軟鞭，右手長劍一招「笑指天南」直刺過去。

霍元伽身子一側，避開劍勢，挫腕收回軟鞭，盤空一旋，舞出一片鞭影，當頭擊下。

胡柏齡推柺護頂，長劍疾攻而過。他分執柺、劍兩種兵刃，有時彼此呼應攻出，有時卻分做二起，柺攻劍守，或劍攻柺守，變化奇奧難測。

「羅浮一叟」蛇頭軟鞭招數雖奇，但卻被胡柏齡劍、柺分用的精奇招術，迫得撤身移位，在兵刃相搏之中，顯然胡柏齡的劍、柺合用，略勝一籌。但兩人武功，實非一、兩百招內可分勝敗，不過一頓飯工夫，二百招兵刃相搏又已打完，仍是個不勝不敗之局。

胡柏齡左手鐵柺疾掄出一片柺影，蕩開護住身子，向後疾退三尺。

「羅浮一叟」也同時收了蛇頭軟鞭，向後躍退。

這兩個綠林中頂尖高手，當著天下綠林同道之面，誰也不肯失信於人，在第兩百招出手之後，同時疾退。

胡柏齡反手把長劍插入背鞘之中，一頓手中鐵柺，插入石地五寸，拱手說道：「拳掌、兵刃都已比完，內功如何比試？還得霍兄指教。」

「羅浮一叟」霍元伽把手中蛇頭軟鞭扣在腰中，說道：「不知胡兄有何高見？先請說出，兄弟當洗耳恭聽。」

胡柏齡道：「在下胸無成竹，一切悉從霍兄吩咐？」

霍元伽道：「內功一道精深博遠，各人修爲之法不同，成就各異，有人善陰柔之力，有人

善陽剛之勁，如若出什麼題目，只怕很難得到公平之論？」

他在兵刃相搏之上，雖未敗於胡柏齡的手中，但天下英雄有目共睹，他在招數奇奧之上，要比胡柏齡稍遜一著，如若兩者再鬥下去，「羅浮一叟」勢將敗在胡柏齡劍中夾愣的奇幻攻勢之下，此中之情，不但觀戰中高手知道，就是「羅浮一叟」霍元伽自己的心中，也極明白，心中大感愧忿，這最後內功一搏，不但關係著兩人在江湖上的聲譽地位，而且也是綠林王座誰屬之爭。

眼下這「寒碧崖」上，雲集天下各處綠林道上的一方雄主，誰能在這一戰中擊敗對方，登上盟主之位，誰就可以行令天下，役使各處綠林中人。

只聽胡柏齡朗朗一笑，道：「那以霍兄之見呢？」

「羅浮一叟」微一沉忖，道：「叫兄弟說麼？不如彼此以內功相搏，不管各人的修為如何？以勝者為先，同時這最後一戰，也關係著那天下綠林盟主之位誰屬，如不分出明顯的生死勝敗，只怕也難有判分勝負的方法？」

胡柏齡道：「兄弟一切遵命，但不知如何相搏？」

「羅浮一叟」道：「咱們席地對面而坐，各出雙掌相抵，然後再運氣逼出內勁攻襲對方，誰人不支，倒臥下去，或是自告求饒，就算落敗了。」

胡柏齡目光環掃了全場中一周後，微笑道：「當著天下英雄之面，在眾目睽睽之下，縱然

有心想賴，只怕也難以做得出來？霍兄辦法高明，實叫兄弟心服口服！」

霍元伽冷哼一聲，當先盤膝坐下，伸出雙掌。

胡柏齡回頭望了谷寒香一眼，只見她懷抱孩子，凝目相注，心中關懷之情，流現於神情之間。當下微微一笑，向前走了兩步，在「羅浮一叟」對面坐下，也緩緩伸出了雙掌，二人在較量拳腳功夫之時，已知對方內功深厚，此時二人對坐，四手相抵，要以各人內功修爲，互分高下，自是不敢大意，各人心存戒意，滿臉現出肅穆之色，凝神目注對方。

比武較技，無論是拳掌、刀劍，雙方過招，尚可封擋躍避，如今「羅浮一叟」仗著自己數十年的修爲造詣，定下這等比搏的方法，確屬武林罕聞罕見之事，尤其這四掌相抵的互較之法，全憑真功實學，半點也勉強不得，如若一方較差，半途想抽手而退都不能夠，在場諸人都是武林高手，焉有不知利害之理？是以在二人坐定之後，只看得在場之人，個個神色凝重，屏息不動，靜靜看著場中。

二人四掌相抵，起先目光炯炯注視對方，片刻之後，二人同時緩緩斂收眼神，眼瞼低垂，動也不動一下，全場一片寂靜。約有一盞熱茶工夫，只見二人胸腹起伏，鼻息加重，臉上也泛起一片紅潤之色。

又過了片刻工夫，二人紅潤的臉上，冉冉地透蒸出一股薄薄熱氣，同時一挺上體，嘴角微動，似是提吸真氣，這時場中群豪都將眼光投擲到二人手臂之上，但見二人的衣袖，竟慢慢地鼓脹而起，「冷面閻羅」因身著勁裝，衣袖緊窄，尚且看不出什麼變化，那「羅浮一叟」霍元

伽因衣袖寬闊，情形便自不同，只見他那衣袖，不但爲一股罡氣所鼓脹膨起，而且漸漸地向上翻捲，露出了半截手臂。

同時二人的衣衫，也起了一陣猛烈的波盪，宛如立身在大風之中一般，吹得衣帶飄拂。又相持了半盞茶的時間，二人面色漸漸赤紅，青筋暴脹，那「羅浮一叟」的手臂也陡然粗壯一倍，二人盤坐之處，似是飆颺起一陣旋風，激帶起地上的塵土、草葉，圈繞著二人翻騰盤飛。

四周圍觀的群雄，雖都是江湖成名人物，看到眼下這等情形，都不禁大感驚駭，只看得群雄連大氣也不敢出，瞬也不瞬地凝目注視。

猛然間，場中響起兩聲長噓，二人各吐出一口長氣，睜開雙眼，射露出湛湛精光，「羅浮一叟」項頸微抬，拂胸長髯四外飛張。

「冷面閻羅」胡柏齡也一挺腰軀，虎目圓睜，環腮虯髯，根根直立，大有鬚髮俱張之概，二人這一提加功力，登時激起一陣狂飆，但見石飛砂揚，五、六尺方圓之內，瀰漫起一片滾滾塵土。

這兩人適才在拳、掌、劍、枴、蛇鞭過招之時，已相拚了數百招，自是耗去不少元氣，再經這一陣互較內力，額角上已是汗水涔涔。陡然之間，場中激發出一陣沉悶的衝擊之聲，砂土又是一陣翻揚，只見霍元伽、胡柏齡二人身軀同時向後一傾，紅潤的臉色，突轉青白，涔涔汗水，竟如豆珠一般，順腮流下，場中群雄一見此等情形，知是二人已硬拚了一次。

二人雖是各被對方震得略略後傾，但身軀依然坐在原地不動，四掌倏分即合。輕輕相抵一起，又同時緩緩閉上雙目。一陣劇烈地拚搏過後，又暫時恢復了平靜，兩人相對而坐，四掌觸

接，神色間十分平和。

但在場之人，心中都明白這不過是大風暴前一段暫時的平靜，兩人經過了一陣激烈地搏鬥之後，都正在運氣調息，一場更凶惡地搏鬥即將緊接展開。

只見兩人的臉色逐漸地恢復了正常，相觸的四隻手掌，緩慢地向後移開，相距約半尺左右時，忽聽「羅浮一叟」吐氣出聲，身子一傾，雙掌疾向前吐，掌風過處，地面砂土，順著手掌的推動，揚起三、四尺高的一團煙塵。

「羅浮一叟」素以雄渾的內力馳名武林，此時逢遇勁敵，又存了爭雄奪霸之心，出掌相搏，自是蓄勢而發，一掌推出，倏又收回，接著又疾推擊而出，這樣連續收推了四、五次，掌風的激蕩更如怒海狂濤一般，洶湧沸騰，直向胡柏齡衝擊而去。

這等凶猛渾厚的內力，力能倒碑拔樹，只看得在場群雄，驚心動魄，一齊將眼光投注到胡柏齡身上。只見胡柏齡二目圓睜，全神貫注，盯視著「羅浮一叟」的動作，也是雙掌吐送，不過他的掌勢，與「羅浮一叟」恰恰相反，人推他縮，人收他推，二人一推一送，互相迎合。

這兩人生是內家高手，一推一送之勢，看似輕淡，其實乃是全力地相拚，二人目不轉睛地看著對方，收臂送掌，絲毫不敢大意。二人互相推送約有十個來回，陡然兩聲悶哼，兩人突然同時向後彈震出四、五尺遠，場中群裡，不由一陣騷動，膽小的竟然驚叫出聲。再看二人，雖然各被對方內力震彈出數尺遠近，但二人原坐的身形，分毫未變，依然原式不動，原已恢復正常的臉色，此時又轉青白，同時二人的嘴唇，也在微微顫抖，雙目垂閉。

雙方微微睜開雙睛，互望了一下，一語未發，又自緩緩閉上雙眼，手撫丹田，默默調息了一陣。大約有一盞熱茶工夫之後，「羅浮一叟」突然一聳雙肩，原坐姿勢不變，身軀突然凌空而起，直向胡柏齡停身之處撞去。

胡柏齡雙掌平胸向前一推，立時有一股暗勁隨掌而出，有如一道無形的牆壁一般，把「羅浮一叟」向前撞來的身子擋住。

「羅浮一叟」向前疾衝的身子，吃那無形勁道一擋，身子立時又倒飛回去。

胡柏齡雙掌推出之後，身子也驟隨飛起，「羅浮一叟」卻原姿疾沉而下，身子一著實地，雙掌一齊推出。

這當兒，兩人的搏擊之勢大變，胡柏齡身懸半空，「羅浮一叟」卻盤膝坐在地上，兩人掌力虛空一接，胡柏齡陡然在空中翻了一個筋斗，倒飛出去七、八尺遠。

原來兩人功力內勁相差不多，哪個虛空落掌，哪個就難以接得對方掌勁。「羅浮一叟」發了一掌擊退胡柏齡後，並未趁勢追襲，卻閉上雙目休息。

胡柏齡翻了兩個筋斗之後，仍然原姿勢不變地落在地上，靜坐休息。

兩人又開始運氣調息，經過了兩次搏擊之後，場中之人，都已看出這兩人功力在伯仲之間，鹿死誰手？誰也無法瞧得出來；是以個個都緊張起來。兩人雖已停下搏鬥，但觀戰之人，仍然屏息凝神而立，比之相搏兩人，似是還要緊張許多！

大約又過了一頓飯工夫之久，兩人又同時睜開了眼，相互望了一眼，同時站起身子，向前走了幾步，面對面地坐了下來，各自緩緩伸出雙掌，推在一起。

只見兩人的臉色又開始嚴肅起來，各人頭上熱氣蒸蒸直向上冒。相持約一盞熱茶工夫，兩

人身軀都開始微微顫抖起來。但兩人相峙之勢，仍然保持著均衡，停在原來位上，誰也沒法向前推動一寸。

在場之人中，有不少武林高手，已瞧出兩人之拚，真正地進入了生死關頭，各以修爲內功暗勁，抵掌硬拚，只要有一人不支之時，對方立時將以排山倒海之勢，衝擊過去，趁勢把對方擊斃，所以誰也不肯退讓半步！

忽聽「羅浮一叟」吐氣出聲，一陣顫動，雙掌向前推進了一寸。

這時，場中已不似剛才那塵土飛揚、斷草四飛的情景，反而異常平靜，塵不揚、草不動。胡柏齡被「羅浮一叟」雙掌向前推進一寸之後，便呈不支狀態，身軀向後傾斜，臉色變成了一片紫紅之色。只覺對方壓來暗勁，愈來愈重，漸感真力不繼，心頭大是焦急。他心中異常清楚，全是爲了救那孩子之故，打通他奇經八脈，保全了孩子的性命，但卻耗去他全部真力，雖經數晝夜運氣調息，但並未調息復元。

但覺對方壓力層層疊疊，有如波浪一般，綿綿不絕地攻了過來，自己卻是內力漸告枯竭，不禁暗自一嘆，道：「完了！」精神一懈，鬥志大減，只覺雙臂一軟，身子又向後傾斜數寸。

這時「江北五龍」和谷寒香等，都不覺地圍了上來。

身受重創，靜坐養息的鍾一豪，忽然大叫一聲，掙扎著站起身子，踉踉蹌蹌地奔了過來，口中大聲叫道：「胡兄……不能……失敗……兄弟……」

他身受重傷未復，說起話來，十分吃力，斷斷續續，無法一氣說完。

胡柏齡聽得他呼喊之聲，精神突然一振，雙掌向前一推，衝進了一寸左右。

「羅浮一叟」長髮無風自拂，大喝一聲，雙掌一振，又把胡柏齡衝進之勢壓退了回去。

只見胡柏齡頭上汗水，有如冷水澆頭一般，滾滾而下，打濕了整個上衣，上身亦被「羅浮一叟」迫得緩緩向後仰臥下去。

被「羅浮一叟」掌力震傷的中年儒士，聽鍾一豪大叫，也睜開眼瞧了一瞧，吃力地搖搖頭，又閉上了雙目。

但聞兩人的呼吸之聲，愈來愈重，「羅浮一叟」雙臂也逐漸伸長，胡柏齡被人強迫得上半身成了三十度以上的傾斜之勢，看樣子極難再撐過片刻工夫。

谷寒香忽然回頭把懷中孩子交到姜宏手中，說道：「要是我大哥死了，我也不回去了，你們就把孩子送到一處積善人家，交給他們收養……」

她此時心痛如絞，縱有千言萬語，也是無從說起，交代完姜宏幾句話後，緩步向場中走去。

姜宏本不想接她交來的孩子，但見她臉上流現出無比堅決之色，雖是普普通通的兩句話，卻有著使人無法抗拒之力，竟然迷迷糊糊地伸出手去，接過了孩子。

谷寒香往前走了幾步，在相距胡柏齡四、五尺處，停了下來，伸手從懷中摸出一把九寸長短的匕首，除下絲絨刀鞘，低聲叫道：「大哥，你如打人不過，死了也不要緊，我仍會追守在你的身旁，做了鬼也是夫妻！」

胡柏齡回頭瞧去，只見谷寒香高舉手中匕首，放在前胸之上，眾目睽睽之下，臉上毫無羞

赧之情，情愛橫溢，微笑如花，大有視死如歸之概。

胡柏齡目睹嬌妻神情，心頭大生震駭，暗道：「我如敗在『羅浮一叟』手中，自己生死事小，連累嬌妻身殉，死在九泉之下，也難以安心。」心念及此，只覺胸中熱血滾滾直衝上來，鬥志陡然大增，大喝一聲，雙掌猛力向前一推。

「羅浮一叟」霍元伽眼看勝利在握，胡柏齡即將被自己深厚的內力，活活壓斃，忽覺對方掌心之內，千百縷熱力直沖而來，緊接著一股強大絕倫的暗勁，反擊過來，力道有如海潮山崩一般，竟是難以抵拒得住，但覺胸頭一震，全身驀地飛摔出去，直飛一丈多遠，才落下實地，口中鮮血狂噴，仰臉倒臥地上。

要知胡柏齡內力，本較「羅浮一叟」深厚，只因替那孩子療治傷勢，耗消真氣甚多，以致難抵「羅浮一叟」的內力，待他看到嬌妻舉刀當胸，準備以身相殉之情，心中大生不安之感，全身潛力迸發，深厚內力盡復，奮起神勇，大喝一聲，推出了一股強勁絕倫的力道，直逼過去，反敗爲勝，一擊成功，當場把「羅浮一叟」重創在掌力之下。

谷寒香喜極而泣，兩行熱淚，順腮而下，急急地奔了過去，屈下雙膝，跪在胡柏齡身邊，低聲叫道：「大哥你沒有受傷麼？」

胡柏齡微啓雙目，笑道：「不是你在我身邊，只怕我早已死在『羅浮一叟』的掌力之下了！」

谷寒香看他說話神情如常，放心不少，微微一笑，道：「大哥已經勝了『羅浮一叟』，已取得天下綠林盟主之位了！」

胡柏齡心中忽然一動，挺身站了起來，抱拳說道：「還有哪位兄台進場賜教？」雙目圓睜，環向四周掃視，豪氣凌霄，神威凜凜。

眾人見他奮發神威的一擊，把「羅浮一叟」震飛出去的威勢，哪裡還有人敢出場應戰？一時間全場中鴉雀無聲。

胡柏齡在場中足足站有一刻工夫之久，仍不見有人應戰。

忽聞人群之中一人大聲喝道：「既無人出面應戰，這盟主之位當可確定了！」

胡柏齡轉頭望去，看那說話之人，正是「出雲龍」姜宏。這時，他已把手中孩子交給了李傑，大步走了出來，朗聲接道：「兄弟再說一遍，哪位心有不服，快請出來，如若無人再爭這盟主之位，這次恆山『寒碧崖』上比武，就此結束，江北綠林道上總瓢把子『冷面閻羅』胡柏齡，贏得天下綠林盟主之位！」

陳文、陳武，和追隨鍾一豪的四個黑衣佩劍少年等，隨聲附和，大聲高呼起來。

「羅浮一叟」心機深沉，早已預做布署，不但把門下精粹，調集此處，而且還把「嶺南二奇」門下高手，也全調集這「寒碧崖」上，準備在自己爭奪盟主之位失敗後，發動預先布設的埋伏，一網打盡天下綠林英雄。

他計畫雖好，但卻沒想到自己竟然身受重傷，以致門下弟子在發動埋伏之前，不得不先把他抬離「寒碧崖」。

胡柏齡眼看群豪無人敢於出戰，心中暗自慶幸，因他震飛「羅浮一叟」的全力一擊，已耗

盡全身真力，如若此時有人挺身出戰，縱是武功極為平凡之人，只怕也難有一定勝得別人的把握。

忽聞耳際間，響起了谷寒香的嬌柔聲，道：「大哥，你奪得了綠林盟主之位，他們可是都要聽你說話麼？」

胡柏齡點點頭，笑道：「不錯……」

谷寒香道：「那他們為什麼都走了呢？」

胡柏齡道：「什麼？」轉頭望去，果見「羅浮一叟」的門下，和「嶺南二奇」中的門下，都正向山角一側退去，不禁心中大感懷疑？

但他乃生性沉隱之人，未把事情真相弄清楚之前，不願隨便說話，當下走近姜宏身側，低聲說道：「你快去瞧瞧那面山腳之下，是否有什麼埋伏？或是不服氣這場比武之爭而有所準備？」

姜宏應了一聲，舉步向前走去。

胡柏齡略一沉吟，又低聲說道：「切記不要和人動手，如發覺可疑之處，快些回來說給我聽。」

姜宏道：「大哥放心！」疾向人群之中衝去，一眨眼隱失不見。

片刻之後，姜宏急急地跑了過來，說道：「他們都集中山腳一側，因那山背之處是一片甚大的樹林，大部分人都隱入了林中，行動鬼鬼祟祟，但卻無法看出他們在做些什麼？」

胡柏齡略一沉忖，突然高聲說道：「兄弟承得各位相讓，幸獲盟主之位，如若各位心中有什麼不服之處，敬請當面說出……」他一連問了數聲，始終不見有人答話。

忽聽人群之中，有人大喝道：「這次恆山比武，爭天下綠林盟主之位，乃各憑真功實學之事，這位胡兄力敗『江南四怪』、『羅浮一叟』，武功已為大家親目所見，而且風範傾人，豪氣干雲，確為綠林道上極難遇得的奇人！如若無人再入場中相爭，兄弟之意，立即擁立這位胡兄主盟天下……」

只聽另一個高大粗豪的聲音，接道：「俺老王首先贊成，哪個不服氣？先來和俺老王較量較量。」說話之間，大步走了出來。

不知何人同時大聲喝道：「我們在江湖行走之人，豈可不守信諾？還不快些拜見盟主！」此人一言，群豪果然紛紛拜倒地上，片刻之間，各路豪雄，一齊拜伏在地。

胡柏齡面泛歡容，抱拳一個長揖，道：「兄弟不才，如何能當得諸位這般厚禮……」他微微一頓後，高聲接道：「這『寒碧崖』上，早已為人預備埋伏，兄弟想把這聚盟大會遷到距此十里的『萬月峽』舉行，不知諸位意下如何？」

但聞群豪齊聲答道：「全憑盟主作主。」

胡柏齡一揮手，各路英雄紛紛起身。這般綠林中人，大都是彪悍任性，如若心中不服於你，縱然刀橫頸上，依然不肯聽命；若是對人生出崇敬之心，卻又能忠心耿耿，不生二意。

胡柏齡回頭瞧一個「羅浮一叟」門下弟子，高聲叫道：「過來，我有話對你說！」

那人微微一怔！來得慢了一步，群豪之中立時有七、八個人自動奔了出去，把那人活活捉

了過來，送到胡柏齡面前。

胡柏齡揮手笑道：「快放開他，別傷著他了！」

原來幾人把他推送到胡柏齡身前之時，仍然有兩人分執他左、右臂，聽得盟主之言，果然鬆手而退。

那人站了起來，瞧了四周一眼，說道：「不知盟主有何吩咐？」

他見四周群豪，個個都對胡柏齡恭恭敬敬，不覺心中也生出敬仰之心。

胡柏齡道：「『羅浮一叟』傷好清醒之時，告訴他我已把聚盟大會，改遷距此十里的『萬月峽』中，他如有興參加，我胡某甚表歡迎，如若沒興參與，我胡某絕不勉強！」

那人應了一聲，轉頭走去。

胡柏齡冷笑一聲道：「別忘了對他說，我胡某不和他一般見識，『寒碧崖』設謀布置，豈能逃得過我的雙目？只此一樁，已足處死！」

那人回頭瞧了胡柏齡一陣，突然轉面疾奔而去。

胡柏齡豪氣大發，渾忘疲倦，朗朗一陣大笑，當先向峰下走去。

谷寒香伸出皓腕，從李傑手中接過孩子，緊隨在胡柏齡身後而行，山風吹拂著她衣袂披風，頰上笑意，如花盛放。

群豪相隨身後，行列浩蕩，片刻便已下了「寒碧崖」。

身負重創的鍾一豪和那中年儒士，早已有「江北五龍」和鍾一豪四個相護的黑衣佩劍少

年，用樹枝軟草做了兩副擔架，把兩人放在上面抬著，隨行在浩長的行列之中。

鍾一豪橫臥在草榻之上，不停地側轉翻動，但並不聞一句呻吟之聲，顯然他並非因傷疼難忍，而是心中正有著無比的歡樂。

胡柏齡似是極熟去「萬月峽」的道路，帶著群豪，大步而行。

這時，正是夕陽無限好，只是近黃昏的時分，天邊晚霞絢爛，峰頂積雪泛光，景色綺麗如畫。

忽聞一聲驚天動地的大震之聲，一股火焰沖天而起。

群豪回頭望去，只見「寒碧崖」上濃煙蔽天，耳際間滾石隆隆。

群豪正瞧得發呆之時，忽聽一個聲如雷鳴的聲音說道：「『羅浮一叟』這王八羔子，竟存了把咱們全都炸死在『寒碧崖』上之心，如非盟主神目過人，洞悉先機，只怕咱們都已被炸成碎粉了。」

群豪轉頭望去，看那說話之人，正是「崂山三雄」中的王大康。

胡柏齡微微一笑，道：「在那數百丈高峰之上，埋下千百斤的火藥，而又不露出一點痕跡，這工程不能算小，可惜霍元伽這一場心機算白費了！」說完，轉頭又向前面走去。

他這幾句淡淡之言，只聽得各路豪雄個個對他生出敬佩之感，因他言下之意，似是早已發覺「羅浮一叟」在「寒碧崖」上埋下火藥之事，但卻能隱忍不發，不肯藉機挑起群情激忿，卻以武功勝得「羅浮一叟」之後，易地聚盟，帶領群雄脫險，此等胸襟，何等磊落？和「羅浮一叟」相比起來，有如雲泥之別，是以更增群豪對他敬慕之心。

躍過了幾座山嶺之後，山勢陡然一變，只見兩座絕峰並立，有如一道石門。

胡柏齡回頭望著群豪笑道：「進了這兩座山的谷口，就是『萬月峽』了。」當先舉步而入。

群豪魚貫步入谷中，抬頭望去，只見兩側立壁如峭，萬道山泉，廣布其間，倒垂而下，其聲淙淙，如鳴珮玉，遙望深處，林木茂盛，一片翠蓋，谷中綠草如茵，山根下潺潺細流，景物幽絕如畫。

胡柏齡當先而行，在深入谷中五、六丈後，突然停下身子。

他這時的身分，在群豪心目之中，已經是天下綠林盟主之尊，他一停下腳步，群豪相繼而停。

「出雲龍」姜宏急步走到胡柏齡身側，低聲問道：「大哥！怎麼不往前走了……」

一語未完，瞥見谷中奔過來一條人影，身法迅速，有如流矢劃空而來。

姜宏顧不得和胡柏齡講話，轉身疾迎上去，同時左手一舉，群豪之中，立時又奔出四個人來。

胡柏齡低聲喝道：「不要和來人動手，快些退下！」

姜宏回頭瞧了胡柏齡一眼，依言退回。

但見來人疾如流星一般，片刻間到了群豪前面，相距胡柏齡五、六尺處，倏然停下，抱拳一禮，朗聲說道：「各位深入我們『萬月峽』來，不知有何見教？」

胡柏齡抬眼看去，只見來人年紀約在二十左右，一雙清澈的星目，安置在漆黑劍眉之下，生得神清氣朗，身著淡青色勁服，腰束一條白色腰帶，腰帶之上繡兩枚黃橙橙的銅環，銅環上扣著一條古銅色軟鞭。此人雖然年紀輕輕，但覺英風爽颯，心中不由生出了一層好感，而且言語間並無驕橫之氣，當下微微一笑，朗朗應道：「有一位『神鞭飛梭』萬曉光，不知是否還住在這『萬月峽』中？」

那青衣少年神貫雙目，瞧了胡柏齡一眼，略一沉思，道：「不錯，家師正是住在這『萬月峽』中……」

話至此處倏然住口，眼睛掃視了跟隨胡柏齡身後的群豪，訕訕地道：「但不知……」

「冷面閻羅」胡柏齡久歷江湖，一看這少年神情，就料到他心中在懷疑自己的身分，點頭笑道：「煩請你轉報一聲，就說江北胡柏齡親來拜訪。」

那青衣少年見胡柏齡氣度非凡，抱拳笑道：「既是家師好友，請隨晚輩進谷。」

說著一躬身接道：「晚輩爲諸位帶路了。」當即向前走去。

這條谷道，雖是十分平坦，但卻甚爲遙長，走了百丈之後，兩旁林木聳立，一陣風過，發出天然的音韻，吹過來沁人的花草芳香，夾著流水琤琮，宛如鳴琴，這怡人的風光，只看得胡柏齡心中讚羨不已。

群豪隨著那青衣少年奔了約有一頓飯工夫，又轉了兩道山彎，眼前景色又是一變，只見前面群山翠疊，山嵐輕繞，艷花爭妍，奇禽唱和。

那青衣少年忽地停步轉身，回首向胡柏齡道：「前面就是家師之居所，敢請諸位在此小憩，容晚輩前去通稟一聲……」

胡柏齡點頭一笑，那青衣少年一拱手，轉身順著山徑，向那萬綠翠蔭之中奔去。

胡柏齡一停下身軀，群豪全都止步，紛紛在草地之上停了下來，二百以上之人，停在這幽谷之中，卻聽不到一點說話之聲。

原來群豪都爲這山谷之中的秀麗景色吸引，不停地流目四顧。

忽聽橫臥在軟榻上的鍾一豪低聲叫道：「陳文！過來。」

陳文正在瀏覽峽中景色，聽得鍾一豪呼喚之言，趕忙急步奔了過去。

鍾一豪伸手從懷中取出一瓶丹藥，低聲說道：「快把這瓶丹藥交給盟主，要他轉贈給受我毒針打傷之人服下。」

陳文接過藥瓶奔了過去，雙手把藥物交給胡柏齡，低聲說道：「這瓶藥物，乃鍾公子命小的送交盟主，以解救受他毒針所傷之人。」

胡柏齡接過藥物，緩步走到幾個被毒針打傷之人跟前，倒出瓶中藥物，在每人口中放了一粒，低聲說道：「此乃解毒之藥，諸位快請服用下去。」

原來那幾個受傷之人，大都是「嶗山三雄」的手下心腹，「嶗山三雄」雖然爲胡柏齡武功懾服，心中對他十分尊敬，但對鍾一豪施放毒針，打傷手下之事，卻一直耿耿於懷，只因鍾一豪刻已身受重傷，三人對他雖然忿恨難抑，但卻不便乘人之危，發作出來，一直隱忍心中。

此刻見他略一清醒，立時把解毒物交人轉送盟主，替自己手下之人療傷，心中立刻消滅了

對他忿恨之心不少。

「嶗山三雄」不願把受傷之人，棄置在「寒碧崖」上，特命隨來之人，依仿鍾一豪和那中年儒士臥用的軟榻，做了三具，把他手下受傷之人抬上，隨行在浩蕩的行列之中。

胡柏齡以天下綠林盟主之尊，親手把藥物送入幾個受傷之人的口中，不但瞧得「嶗山三雄」更增敬仰之心，就是其他各路豪雄，也都看得個個暗生敬佩之感。

谷寒香緊隨胡柏齡的身後奔了過來，左手抱著孩子，右手打開壺塞，輕舒皓腕，用水沖下三個受傷之人的口中藥物。

她嬌艷如花，美麗絕倫，此刻微帶笑意，丰姿更是撩人，替三個受傷之人，親手沖服下口中藥物，只瞧得其他的人，大生羨慕之感，暗地抱怨爲什麼不讓自己也被毒針打傷。

這時，已是暮色蒼茫時分，峽谷之中，瀰漫著一片似霧非霧的雲氣，美麗燦爛的景色，逐漸被夜色遮去，只有輕拂山風之中，仍然飄送來陣陣山花芬芳。

那淡青服色的英俊少年，仍然不見返回，群豪之中已有人等得不耐，暗中咒罵起來。

要知道這班人中，大都是霸居一方的綠林群豪，哪裡肯這般循規蹈矩地靜待通報？只因胡柏齡在言詞之間，流露出和此峽谷之中的主人相交甚厚，群豪才不敢冒昧地硬闖入谷，如今久等不見人來，自是怒火漸起。

王大康挺胸走到胡柏齡身側，躬身一揖，說道：「請盟主下令，咱們打入這谷中去吧！」

胡柏齡微微一笑，道：「王兄久在江湖之上闖蕩，不知是否聽人說過『神鞭飛梭』萬曉光其人？」

王大康低聲誦道：「『神鞭飛梭』……萬曉光……好像聽人說過此人，只是一時間想不起來！」

他語還未說完，瞥見蒼茫暮色中急急奔來三人。

來人身法迅快，片刻之間，已到幾人停身之處。正中的人年約五旬，身穿天藍長衫，足著逍遙福字履，方巾包頭，長髯垂胸，濃眉環目，神威凜凜。

左面之人，正是那入谷通報的英俊少年，右首卻是一個十八歲的妙齡少女，一身紫衣，鬢插翠花，長得十分秀美。

胡柏齡搶前一步，長揖說道：「大哥別來無恙，還識得小弟胡柏齡麼？」

這老者正是「神鞭飛梭」萬曉光，急伸兩手，握住了胡柏齡雙腕，搖撼了一陣，道：「你還能記得我這位避居山林的老哥哥，很好！很好……」

他在過度的喜悅之下，只覺千言萬語，一起要湧出口來，一時之間，不知先說哪句才好？半晌工夫才長長一嘆，接道：「記得咱們兄弟分手之時，你還是個廿多歲的少年，如今竟也滿頰虯鬚了！」

一面說話，一面舉起手來，拂拭一下胸前長髯。

胡柏齡道：「大哥風采依舊，仍和廿年前一般模樣。」

萬曉光回頭對隨侍左右的一男一女喝道：「還不快些過來拜見叔父。」

那英俊少年和那少女同時拜倒地上，齊聲說道：「叩見叔父。」

胡柏齡伸手扶起兩人，笑道：「快些起來！」

萬曉光環目橫掃了全場一周後，笑道：「年華似水，轉眼間二十寒暑，小兄僻處荒谷，不知武林大事，五年前一位故友來訪，談起你揚名中原，主盟江北，一時間難抑思念之情，兼程趕往江北相訪，哪知晚去一步，你已不知遊蹤何處？害得我找了數月之久，但仍難覓得行蹤，只好惆悵而返……」

胡柏齡抱拳答道：「勞大哥長途跋涉，小弟心實難安，往事如夢，想起來痛心疾首，不談也罷！」

萬曉光突然壓低聲音問道：「你身後之人，不少是綠林道上知名人物，這……」忽然若有所悟地接道：「兄弟！你可是參與了那天下綠林盟主之位的爭霸……」

胡柏齡接道：「大哥料事如神，猜想的一點不錯，小弟幸得天下綠林盟主之位，不過……」他回頭望了排列在身後的群豪一眼，微微一頓，接道：「只因難遏想念之心，冒昧造訪，只怕有擾大哥清修了。」

萬曉光仰臉望天，沉思片刻，忽地捋髯大笑道：「吾弟原非池中物，自是一飛沖天，小兄已為你們準備好了酒席，快些請他們入谷歡飲一場，一為吾弟接風，二則祝賀你力敗群雄，奪得天下綠林盟主之位。」

胡柏齡道：「二十年未來造訪，見面就給大哥帶來了麻煩！」

萬曉光道：「知己兄弟，何須謙詞……」抬頭目注群雄，提高聲音說道：「『萬月峽』草廬主人，恭請各位英雄，到寒舍小飲三杯水酒！」

群豪聽他言詞客氣，全都抱拳作禮，齊聲答道：「多謝谷主盛情！」

萬曉光拂髯大笑，豪氣干雲地朗聲說道：「各位賞光，兄弟甚感榮寵，請恕老朽走前一步帶路了！」說完，轉身向前走去。

胡柏齡回頭對群豪說道：「這位萬兄，乃兄弟金蘭之交，諸位進入谷中，如有招待不周之處，還望擔待一、二。」

群豪同時恭身答道：「既是盟主義兄，我等豈敢有放肆舉動。」

胡柏齡知這群豪之中，什麼樣的人物都有，只怕在吃上幾杯酒後，野性發作，做出什麼規外之事，那可愧對盟兄，故而事先出言相誡，屆時如有藉酒放肆之人，出手懲戒，不致引起群情激忿。

他機智過人，思慮周密，事先已爲入谷後處置野性難馴的人，留下把柄。

群豪浩長行列，緊隨在萬曉光身後，急步而行，在這短短的一個時辰之中，都已對胡柏齡生出了崇敬之心，個個循規蹈矩，放腿疾走，鴉雀無聲。

萬曉光目睹胡柏齡身後豪客雲集，本甚擔心，他怕胡柏齡奪得盟主不久，群豪對他不服，藉酒生事，鬧出不歡之局；但見群豪靜肅隨行的舉動後，心中放寬不少，腳步逐漸加快，走約兩、三里路，到了一片翠竹林邊，這竹林似是經過了人工栽培而成，緊密異常，茂竹叢中，高挑著一盞紅燈。

萬曉光當先領路，緩步進入竹林中一條小徑。這條小徑，僅容兩人並肩而過，群豪到此不

得不停下腳步，魚貫而入。過了一片綠篁圍牆，地勢突然開朗，放眼綠蔭叢中，樓台聳立，高挑著十六盞垂穗宮燈，一片廣闊的草坪之上，早已擺好桌、椅。

萬曉光轉過身子，面對群豪，長揖肅容，高聲說道：「恕兄弟不知諸位駕臨荒山寒舍，未能早爲準備，如有什麼不周之處，還請各位擔待一、二。」

胡柏齡笑道：「這般叨擾，小弟已感不安，萬兄如再客氣，小弟更覺愧無容身之地了。」

萬曉光拂髯一笑，道：「你我兄弟熟不拘禮，但像這等盛會，兄弟未能善盡地主之誼，實覺有愧於心……」話至此處，突然提高聲音，接道：「寒舍未掃，不能恭敬諸位，就請在這草坪之上，飲上幾杯水酒，如不嫌棄，就請入座！」

群豪聽他這般一說，也不好再說什麼客氣之言，紛紛就位入席。

萬曉光手拉胡柏齡，緩步走到左側一角席位上並肩而坐。

這是一桌僻處邊角的席位，緊靠著翠竹圍牆，胡柏齡以盟主之尊，本應高居首位，只因萬曉光拉他入座，只好隨著義兄安位邊角。

這時，那青衣英俊少年，和那鬢插翠花的少女，都已退去，這一桌席上，只坐了萬曉光、胡柏齡和谷寒香等三人。

萬曉光入座之後，低聲笑道：「這位仙子般的玉人，不知是兄弟的什麼人？」

要知谷寒香膚色如雪，嬌美無匹，耀眼生花，雖已和胡柏齡結褵數載，但看將上去，仍然若十八、九歲的少女一般，萬曉光雖然已瞧出兩人親蜜之情，但是仍不敢冒昧直呼弟妹，只怕

唐突了美艷無倫的谷寒香。

胡柏齡欠身笑道：「該死！我倒忘了替大哥引見了，香妹快些見過大哥。」

谷寒香抱著孩子，欠身而起，離開了座位，盈盈欲拜。

萬曉光離座躬身，口中連聲說道：「不敢，不敢，大哥山野中人，不講求俗套禮法，弟妹快請就座吧。」

谷寒香欠身一禮，微笑入座。她乃不善言詞之人，一時之間，不知該如何措詞才好？

萬曉光眼神炯炯，藉垂穗宮燈之光，仔細地打量谷寒香一陣，忽然微微一嘆，默然入座。

此等之事，胡柏齡早已司空見慣，他心知嬌妻絕美，容色照人，不管什麼人見到了這等絕世玉人，也不免多看兩眼，對萬曉光的異樣舉動，也未放在心上，端起桌上茶杯呷了一口茶，說道：「大哥這二十年來，就沒有再在江湖上走動嗎？」

他見萬曉光默坐不言，隨口問了一句。

萬曉光如夢初醒般，口中「啊」了一聲，說道：「弟妹懷中孩子，可是兄弟的骨肉麼？」

他正在用心想著一件疑難之事，根本就未聽得胡柏齡問的什麼，答非所問地反問了一句。

胡柏齡笑道：「這孩子是我們途中所救，並非兄弟骨肉。」

萬曉光沉默一陣，回頭吩咐遠站在數尺外的一個下人衣著的大漢，道：「快些叫他們上菜。」

那人應了一聲，轉身就向那高大的宅院之中奔去。

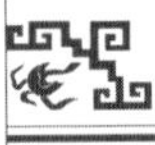

片刻之後，酒菜輪番而上。「寒碧崖」上「羅浮一叟」備好的酒菜，被鍾一豪挑起群情激忿，打得桌翻碟飛，一天之中，群豪大都未進食物，這般綠林中人，大都是生性豪放，不拘小節，腹中既然飢餓，立時大吃大喝起來。

胡柏齡雖然發覺了萬曉光心神不定，只道他對自己率領天下綠林投此驚擾之事不樂，心中暗打主意，吃過這一頓酒飯後，立刻告別。他心中有了算計，反而豪興甚高，開懷暢飲，舉杯敬酒。兩人對飲了十餘杯後，萬曉光忽然放下酒杯問道：「兄弟你已奪得這盟主之位，不知下一步如何打算？」

胡柏齡微微一嘆，道：「自和大哥北嶽分手之後，轉眼間已二十寒暑，二十年來經歷如夢，想起來實使人痛心疾首……唉！大哥想必已知道小弟在江北道上的諸般惡跡了！」

萬曉光舉起酒杯一飲而盡，沉吟片刻，說道：「往事已去，不提也罷，眼下急要之事，是兄弟今後動向；你已取得綠林盟主之位，一言一行，對當今江湖形勢，都有著極大的影響，咱們知己兄弟，恕我直言無忌，樹大招風，名大招妒，今後你要如何善……」話至此處，忽然住口不言，目光橫掠谷寒香掃過。

胡柏齡笑道：「大哥有什麼話，但請直言無妨，兄弟從無一事瞞過你這弟妹。」

萬曉光微覺臉上一熱，低聲接道：「古往今來，江湖上永遠是風險重重，多少英雄豪傑為了一個『名』字而死……」

他微微一頓之後，又道：「兄弟才智出眾，武功過人，小兄一向敬佩，但世間能夠稱雄一世之人，實是寥寥可數。」

胡柏齡滿飲一杯後，接道：「大哥可是聽得了什麼不利兄弟之事麼？既是情重骨肉的金蘭之交，還有什麼不可相告之言？」

萬曉光道：「此事說來，並非對兄弟個人有什麼不利，而是天下綠林梟雄聚會北嶽之舉，已然引起武林各大門派注意，早在半年之前『羅浮一叟』柬邀天下綠林豪雄比武北嶽之時，武林中正大門派，已動了戒懼之心，中原道上高手雲集，由武當派中掌門人親自出面主持，宴請大江南北雲集在中原道上高人，與會之人，都是望重一方的高手……」

胡柏齡微微一笑，道：「大哥想必已受邀與會了？」

萬曉光微微一怔！嘆道：「兄弟料事如神，鑒一省三，小兄確實忝陪了那次盛會末座。」

胡柏齡道：「那次盛會之上，想必已謀定了對我們這次北嶽大會之策？」

萬曉光道：「目前江湖之上，宵小橫行，到處劫貨殺人，過去各方綠林豪雄地盤分割，彼此之間各存顧忌，尚不致鬧得天下大亂，如這北嶽之會，推舉出一位主盟之人，那時各方豪雄，群至一旗之下，勢必要鬧得……」

忽然想到這天下綠林盟主，就是坐在他面前的義弟，趕忙住口不言。

胡柏齡道：「這也難怪，如若天下綠林霸主，統一在一人旗令之下，為非做歹起來，那可是難以防止之事。」

萬曉光聽得又是一怔！心中暗自忖道：「看來他倒是先我思慮及此了……」

當下笑道：「那場盛會之中，各處高手一致看法，預計取得綠林盟主之人，必是『羅浮一叟』，萬沒想到會是……」

胡柏齡接道：「此事不但在大哥意料之外，就是小弟在三個月前，也未想到此事，直待目前，才突動了此念，兼程趕來北嶽。」

萬曉光道：「現下你已是天下綠林盟主之尊，不知眼下有什麼計畫舉動？」

胡柏齡朗朗一笑，舉杯而起，不答萬曉光的問話，大步直向場中走去。

谷寒香轉臉望著他的身影，瞧他在群豪宴席前停了下來，星目一閉，長長吁出一口氣，臉上泛現微笑之容。

胡柏齡忽然舉手互擊三掌，全場立時杯停筷住，鴉雀無聲。數百道目光，一齊投注在他的身上。

忽聽一角有人大聲叫道：「盟主可有大事宣布麼？」

群豪轉頭看去，只見鍾一豪搖搖擺擺地走了過來，他身後緊隨著那中年儒士。

兩人雖然受傷甚重，但因功力深厚，經過幾個時辰養息之後，已可起身行走。

胡柏齡微微一笑，道：「兩位傷勢好了麼？」

鍾一豪大聲說道：「多謝盟主關心，屬下等傷勢已癒。」他也不管那中年儒士是否願意自稱屬下，就大聲叫了出來。

胡柏齡道：「兩位快請入座，在下有事要和各位兄弟商量！」

鍾一豪拉那中年儒士隨便找一個座位入席坐好，說道：「盟主乃我天下綠林至尊之位，什麼事但請下令就是，這『商量』二字，未免用得太過謙虛了！」

胡柏齡暗自忖道：「此人和我素不相識，不知何以會這般對待於我？」心中在想，口中卻高聲說道：「兄弟此次幸得盟主之位，其實還不是諸位抬舉在下……」

群豪之中一人聲說道：「盟主武功過人，我等都是親眼所見，誰要敢說一句閒話，俺老王先和他打上一架。」

胡柏齡微微一笑，接道：「今日之前，咱們綠林同道，分據各處，自稱雄主，不但彼此之間不相往來，而且所做所爲，大都是爲害世間之事，今日……」

說至此處，忽聞一陣衣袂飄拂之聲，疾掠身側而過。

轉頭望去，只見一個身著勁裝，背插長劍的少年，掠著群豪席位而過，直向萬曉光座位之上奔去。

胡柏齡一見那少年神情，立時知道是出了事情，隨即說道：「諸位請照常飲酒，不論何人未得我允准之前，不得擅自離位！」

轉身走向萬曉光身邊，問道：「大哥，出了什麼事？」

萬曉光道：「谷外有人相訪……」

胡柏齡臉色一變，道：「什麼人？」說過一句話後，臉色突然緩和下來，接道：「如是大哥故舊之交，兄弟不知是否該迴避一下？」

萬曉光微微一笑，道：「兄弟一戰成名江北，那次和你對敵之人，你還記得他是誰麼？」

胡柏齡心中突然一動，道：「大哥說的，可是望重江湖的少林高僧天明大師麼？」

萬曉光道：「半年之前，武林各大門派盛會一堂，其中少林派與會之人，就是天明大師，這位年高德重的大師，不但在江湖上聲譽極隆，就眼下少林寺中而論，也極受方丈尊重，門下

愛戴，少林派推他參與那場盛會，自是對天下綠林爭霸之事，十分重視……」

他略一沉吟，接道：「不過，他這次不速來訪，倒是出了我意料之外，兄弟儘管和你隨行之人討論你們的大事，小兄邀他到『萬月峽』外一談就是。」

胡柏齡道：「昔年黃河渡口之戰，小弟記憶猶新，天明大師的丰儀，仍然深留腦際之中，何不請他來共飲一杯？」

萬曉光道：「兄弟既是願和天明大師一見，請留在席位上稍候，小兄去接他進來。」言罷，起身而去。

這時場中群豪，都知道發生了事情，數百道目光，一齊投注在萬曉光的身上。

胡柏齡緩步走入場中，高聲說道：「諸位儘管照常用酒，非有在下之命，任何人均不得擅離座位一步。」

他身材高大，聲如洪鐘，這一擺出盟主身分說話，只覺豪氣凌雲，神威凜凜。

群豪聽得吩咐之言，果然紛紛舉起酒杯，不再注意此事。

片刻之後，萬曉光當先而入，在他身後，緊隨著一個身著灰色僧袍，足著芒履，肩負禪杖的老和尚。場中群豪，有不少識得此人，乃少林寺中高僧，名滿天下的天明大師，不自覺轉頭瞧去。

要知天明大師乃少林寺三大高僧之一，聲威所指，綠林道上之人，無不對他怯懼三分，此刻突然在此地出現，立時引起了一陣騷動，但因胡柏齡已先有約束之言，群豪雖然交頭接耳，

議論紛紛，但卻無一人擅離座位。

天明大師滿臉微笑，目掠群雄，緩步隨在萬曉光身後而行，直向胡柏齡落座的席位之上走去。

胡柏齡待兩人相距丈餘左右之時，起身迎了上去，抱拳一禮，笑道：「老禪師別來無恙，還識得晚輩胡柏齡麼？」

天明大師放下肩上禪杖，合掌當胸，高宣了一聲佛號，道：「不敢，不敢，胡施主還能記得老僧麼？」

胡柏齡道：「大師丰儀傾人，晚輩一見難忘。」說話之間，長揖肅客入座。

天明大師低沉地笑道：「老僧適逢盛會，極感榮幸，只是來得冒昧，恐怕有擾豪興了！」緩步入席而坐。

胡柏齡道：「大師來得正好……」

他言未盡意，但卻一笑住口，回頭瞧著谷寒香道：「這位是天明大師，快些上前見過！」

谷寒香欠身作禮，盈盈笑道：「常常聽大哥說起老禪師仁心俠膽，想不到今日能得一見。」她本聽胡柏齡說過和天明大師在黃河渡口相搏之事，一聽天明大師四字，立時記憶起來。

天明大師忽然一瞪雙目，兩道炯炯神光，凝注在谷寒香的臉上，瞧了良久，一瞬不瞬，她臉上任何一個部分，他似乎都要極仔細評量一番！

他乃名重江湖的有道高僧，這般貪饞地瞧著一個女子，而且對方又是天香國色、絕世無倫

的美女，立時引起場中群豪不滿，交頭接耳，議論紛紛，有幾個按捺不住胸中怒火，竟不守胡柏齡相誡之言，霍然站起身子。

胡柏齡搖手阻止，示意要群豪安靜。他因和天明大師座位相連，瞧他臉上神色凝重，目光奇異，實非心存輕薄，不禁心中也覺著奇怪起來？

足足有飲用一盞熱茶之久的時間，天明大師突然一閉雙目，長嘆一口氣，合掌當胸，沉聲喝道：「阿彌陀佛！」

他瞧來望去，看了人家半天，突然宣了聲佛號，別說胡柏齡、谷寒香大感莫名奇妙，就是「神鞭飛梭」萬曉光，也有些被他弄得丈二金剛摸不著頭腦，忍不住插口問道：「老禪師看出了什麼禪機麼？」

天明大師不理萬曉光的問話，回頭對胡柏齡道：「這位女施主，可是胡兄的令正麼？」

胡柏齡道：「不錯，老禪師如瞧出什麼禪機，還望指示一二。」

天明大師道：「國色天香，嬌麗無倫，溫柔雅靜，秀絕人寰，只可惜眉心上有一道地煞紋干犯紫斗，十年內恐要玉手染血，造劫武林……」

胡柏齡微微一笑，道：「老禪師言重了，她生性善良，連一隻雀鳥也不敢傷害，如說她造劫武林，真叫人難以相信？」

天明大師低沉一笑，道：「老納自小精研相人之術，自信不致有錯，但願我所言不中，天下蒼生幸甚，武林同道幸甚！」

胡柏齡朗朗一笑，道：「老禪師譽滿天下，武林中人，無不敬慕，但對此預言，在下卻是

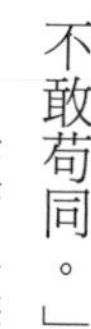

不敢苟同。」

天明大師端起面前酒杯，神色肅穆地說道：「老納已三十年不知酒味，今夜為武林蒼生破此禁例……」舉杯一飲而盡。

萬曉光陪了一個乾杯，笑道：「十年以後的事，暫時別想也罷！禪師既破了酒例，今宵不妨暢飲一番？」

胡柏齡大笑接道：「好極，好極，在下先敬老禪師三杯。」說話之間，舉起酒杯先自滿飲了三大杯。

天明大師似是心情異常沉重，勉強一笑，道：「老衲今宵當盡一醉，我佛慈悲，饒恕弟子放肆了！」說完，果然端起酒杯，一連乾了幾杯。

胡柏齡看得暗自好笑，忖道：「這老和尚怎地這等庸人自擾？無根無據之事，他卻擺出一副悲天憫人的神態出來？」

谷寒香緩緩端起面前酒杯，笑道：「我也敬老禪師一杯……」

天明大師舉杯一飲而盡，微微一笑道：「老衲有一樁不情之請，不知女施主是否可以答應？」

谷寒香嫣然一笑，喝乾杯中餘酒，笑道：「老禪師有什麼事？和我大哥說吧！只要他答應了，就行啦！」

天明大師轉臉望著胡柏齡，道：「老納苦修行腳，很少在寺中停留，老衲在寺中輩分雖尊，但卻沒有一個是老衲親自傳授武功的弟子，想把令正收做記名弟子，傳以武功。」

胡柏齡起身一禮，說道：「老禪師肯這般重顧於她，晚輩感激至極。」他轉臉向谷寒香道：「香妹還不快行拜師之禮？此等機緣，千載難逢，香妹造化不淺。」

谷寒香放下懷中孩子，盈盈拜倒地上，說道：「拜見師父！」

天明大師哈哈一笑，道：「就此一言爲定，大禮免去，快起來吧！」他說話聲音甚大，場中群豪大都聽到，千百道目光，一齊投注過來，一片肅然，鴉雀無聲。

胡柏齡偷眼望去，只見場中群豪個個神情愕然。

要知這實是一件不平常之事，天明大師爲當今武林正大門戶中一流高手，名列少林寺三大高僧之一，各正大門戶中人，無不對他尊敬異常，谷寒香卻是天下綠林盟主的妻子。這兩個大相逕庭的人物，不但環境不同，而且男女有別，少林寺門規森嚴，天下皆知，嵩山少林寺，素有嚴禁婦女入寺之規，他一個望重武林的高僧，收了這樣一個綠林盟首的妻子做爲門下弟子，可算是震盪江湖的一件大事。

萬曉光呆呆地望著天明大師，半晌之後，才哈哈一笑，道：「老禪師妙悟禪理，不受人間俗理的束縛……」

天明大師待谷寒香入座之後，微微一笑，道：「老衲還有要事，必須即刻離此，就此告辭了！」

此言一出，不但胡柏齡大感奇怪，萬曉光也有些莫名其妙？呆了一呆，道：「老禪師就這麼匆匆而來，又匆匆而去麼？」他素知天明大師爲人持重，告別絕非無因，只不過自己一時間難以想得出來罷了。

谷寒香起身說道：「我送師父一程！」目光卻投注在胡柏齡的臉上，滿臉的乞求神色。

胡柏齡微微一笑，道：「師倫大道，豈容忤逆？香妹自是應恭送師父一程。」

天明大師飄然離座，大步而去。谷寒香抱著孩子，緊追大和尙身後而行。

胡柏齡怕在場群豪中有人出手攔阻，隨在兩人身後，護送過那綠竹圍牆。

他目送谷寒香嬌麗的背影，緊隨在天明大師身後，繞過幽幽綠篁中曲徑消失，才轉過身子，快步走到廣場中高聲說道：「諸位快請，各入原位……」

群豪果然紛紛就座，數百道目光，一齊集中在胡柏齡的身上，個個神色凝重、莊嚴。

萬曉光目睹眼前情勢，不自禁地也緊張起來，因爲天明大師的突然而來，匆匆而去，似已引起場中群豪的懷疑之心，只要胡柏齡一道口令，立時將掀起一場風波……

場中群豪也和萬曉光有著一般的緊張心情，因那天明大師，乃望重武林的高僧，大江南北綠林道上，無不知他大名，何況他又是目下領導武林正大門戶的少林寺主持方丈的師兄，如若胡柏齡派人追襲，不但眼前即將展開一場激烈絕倫的拚搏，後果更是難以想像。

胡柏齡眼看在場群豪神情，知他們心中生了誤會，不由心中一動，暗道：「眼下情勢，極爲莊嚴、緊張，如藉這種肅穆氣象，把自己心中一點抱負，宣布出來，當可增強此事的威信。」

當下一正臉色，緩緩立起，兩道炯炯目光，環掃了四周一下，道：「我有一件心願，蘊藏心中甚久，甚想藉此盛會一吐心願，不知諸位可否有興耐聽？」

在場群豪齊聲應道：「盟主請說，我等洗耳恭聽！」

胡柏齡點點頭道：「好，既承諸君抬愛，胡某人就直言了。」

眼神又掠掃群豪，侃侃言道：「數百年來，刀兵紛爭，江湖上恩怨情仇，更是互纏不休，尤其咱們武林中人，爭拚得尤爲劇烈，是以無形中武林便分爲兩派，劃割成黑、白之分，那些憑仗武功，保貨走鏢，與一些劫富濟貧的武林同道，便被人目爲白道人物，他們自認是救貧扶弱的俠義道……」

他頓了頓，接道：「另外一批人，則是挾著血肉之軀，匹夫之勇，小則任性恣意，爲所欲爲；大則，雄據一方，安寨設卡，儼然官府，這些人要被視爲黑道。這便是咱們被白道人物所歧視的道理……其實，所謂盜亦有道，只要存心方寸，何事不可爲？何事不是人爲？古人所說舜亦人，吾亦人，欲爲堯、舜，只要心存此念，亦非難事，今天非是我胡某人一登盟主之位，就沽名釣譽起來，個人以爲，縱令身在綠林，存心作爲，還是貴乎光明磊落，仰俯無愧，才不負人生一場……」

這一番道理，只聽得群豪紛紛私議不已。

胡柏齡輕咳一聲，朗聲說道：「爲了改變世人對我綠林人物的看法，爲了安自己天良，爲了天下綠林千百年以後的地位，今天胡某人要以天下綠林盟主的地位，向在場的天下英雄，鄭重宣布，我胡某人不敏，要爲天下綠林道訂四大戒律，凡綠林中人，必須一體遵行。」

場中群豪頓時靜肅下來，數百道目光一起投注在胡柏齡的臉上，場中一片肅然莊嚴，胡柏齡也不覺有些緊張起來。

要知這班人，平日雄據一方，殺人越貨，爲所欲爲，什麼官府王法，根本不放在他們眼中，無拘無束，放浪形骸，陡然之間要立下幾大律條來束縛他們，就心理之上而言，先以難自忍受，如果有一人出言反抗，激起群情，勢必鬧成不可收拾之局。

胡柏齡沉吟了片刻，放聲大笑，道：「諸位如有不願受戒律約束的人，現下還來得及撤離此地。」

他一連問了數聲，群豪卻無一人答應。

沉默，更顯得場中情勢的緊張。

胡柏齡心中暗自忖道：「此事早晚都難免一場驚擾，不如早些說出來。」

當下一正臉色，提高聲音，道：「萬惡淫爲首，在下想這第一條戒律，應首戒淫行，霸姦良家婦女，採花傷命者，訂爲第一大戒！」

群豪一陣低聲議論，但卻沒人起身反對。

胡柏齡目注全場，沉吟了片刻，接道：「屠殺無辜，殘暴善良，使我綠林道上，最爲人詬責之事，應列爲第二大戒！」

此言一出，群豪一陣浮動，立時有人高聲說道：「盟主這戒殺之律，未免過於苛刻，我們在江湖道上行走，刀尖子下討飯，如若不能殺人，豈不要束手就縛，任人宰割？」

此人話還未完，忽見三條人影，疾奔而來，一人朗朗大笑，接道：「盟主之意，乃不讓我們妄殺好人……」

群豪轉頭望去，見來人正是「羅浮一叟」和「嶺南二奇」。

胡柏齡看三人身法迅捷，竟似大傷痊癒，心中暗生驚駭，忖道：「這三人受傷不輕，怎能在短短半日養息之中，完全復元？」

「羅浮一叟」霍元伽在相距胡柏齡丈餘左右之時，倏然而住，抱拳說道：「我等神志一復，立時趕來此處，但仍然晚了一步，尙望盟主免除遲到之罪。」言詞神情之間，流現出無比的恭謹。

胡柏齡心中雖懷戒懼，但口中卻微笑說道：「三位來得正好，快請入席，吃杯水酒再說。」

「羅浮一叟」笑道：「盟主已是我天下綠林道上首領之尊，有什麼事，只管吩咐就是，這等謙讓詞色，我等如何敢當？」

他這神態言詞，也不知是真？是假？只看得全場群豪，個個心中生出了奇怪之感，齊齊轉臉，向三人望去。

只見霍元伽和「嶺南二奇」畢恭畢敬的對胡柏齡行了一禮，就近找了三個位置入席坐好。

這位名傳天下，被人視爲綠林中第一高手，桀驁不馴的「羅浮一叟」，此刻突然間轉變得這般恭順，不但在場群豪心生奇怪之感，就是機智過人的胡柏齡也有些惶惑不安，不知其心存何意而來？

這當兒，鍾一豪和那中年儒士，突然站了起來，大搖大擺地走到了「羅浮一叟」和「嶺南二奇」身側的席位上坐下。

這顯然含有針鋒相對的示威，但卻使人自然感覺到一種均衡，因「嶺南二奇」的武功，和

那中年儒士、鍾一豪相差不多，胡柏齡卻足可抵「羅浮一叟」。

胡柏齡目睹鍾一豪和那中年儒士行動時的靈快，似是增了不少膽氣，微微一笑，道：「當今江湖之上，大都已不守信義，彼此之間，全以機詐相處，雖是承諾之事，但一遇到利害衝突，立時棄信諾於不顧，致造成彼此勾心鬥角，無法融洽一堂，是以，不守信義，應列爲第三大戒！」

他微微一頓之後，見無人出言反駁，繼續道：「南七、北六，一十三省，地域遼闊，最難使事令統一，如果一人不遵令諭，勢必影響全局，如果我們想除此數百年來綠林道上大弊，應把逆不受命之事，列爲第四大戒。」

話至此處，倏然而住，目光緩緩移動，掃視了全場一周，又道：「這四大戒律，都是我依據當前我綠林道上時弊而訂，大體含意，已如上述，在未成定案之前，各位盡可據理爭辯，一旦頒布，即盼各位一體遵照而行。」

忽見「羅浮一叟」站起身子，說道：「盟主口述四大戒律，確爲我綠林道上時弊，在下當先擁護。」

群豪看霍元伽首先贊同四大戒律，無不覺著奇怪，一時之間，數百道目光，一齊投注在他的身上。

胡柏齡機智過人，豈肯失此機會?當下說道：「各位既不反對，此案即定，眼下各位先請放懷暢飲一醉，明日我當把這四大戒律書文頒布。」

說完緩步走回自己席位之上。

群豪之中，大部分都是不願身受束縛之人，但又都不願率先反對，各人心中不樂，舉杯盡酒求醉。

幸好，萬曉光藏酒甚豐，群豪雖然善飲，仍可源源供應，不大工夫，全場中人，醉倒十之六、七。

胡柏齡表面之上，雖然看不出什麼？但他內心，卻甚感沉重，只怕群豪不服他四大戒律，各自散去。他雖無留戀這盟主之心，但這一來，對他布善蒼生的心願，卻將付諸流水。

萬曉光嘆口氣，低聲說道：「兄弟雄才大略，實非常人能及萬一，身背惡名，廣播善因，這等俠心義膽，小兄雖不敢預言後無來者，但卻前無古人，看來昔日傳言，都是有意中傷，小兄竟被流言迷惑，信以爲真，想來慚愧得很。」

胡柏齡淡淡一笑道：「那也不是，昔年傳說兄弟諸般惡跡之言，不但件件真實，而且恐怕傳言沒法盡舉惡跡，唉！如若不是遇得你那谷氏弟妹，只怕我現在仍是滿手血腥的造孽之人！」

萬曉光微微一嘆，道：「這麼說來，我那弟妹不但豔絕人寰，而且還是位智德兼備的巾幗奇女子了！」

胡柏齡道：「她心地善良，胸無城府，『智、機』二字，雖談不到，但她善美的天性，卻對我有了極深的影響，使我對以往諸般惡行，大感悔悟，立志重新做人……」

忽然想到身外數尺之處，雲集著天下綠林高手，兩人談話聲音雖低，但也難免不爲別人聽去，起忙住口不言。

萬曉光抬頭望去，只見場中群豪，大都已沉醉如泥，伏桌睡去，尙未酒醉之人，仍然在繼續喝酒，不禁一皺眉頭，暗替盟弟擔心，忖道：「這班人大都是桀驁不馴，平日放蕩成習，一旦訂出四大戒律來約束他們，只怕要引起他們反抗之心？他是比武取得盟主，只怕也難使這班人束手就範？」

心正忖思，忽聽胡柏齡低聲說道：「大哥在這『萬月峽』後，可有一處叫做『迷魂谷』的所在處？」

萬曉光道：「那不叫『迷魂谷』，應該叫『迷蹤谷』，因那谷中道路錯綜複雜，人入谷中，立時難辨方向，很多樵夫、獵人誤入谷後，久久不歸，是以被山民視做禁地……」

胡柏齡愁苦的臉上突然泛起一陣喜悅，接道：「那『迷蹤谷』距此有多少路程？」

萬曉光道：「大約有五十里左右，小兄爲此傳言，曾經夜入谷中窺探過兩次，除了發覺谷中道路錯綜，難以辨認之外，似是還留有獅、虎猛獸一類的痕跡……」

胡柏齡急急接道：「大哥去過，那是最好不過，不知可否帶兄弟去看看？」

萬曉光道：「那地方荒僻異常，人蹤絕跡，你現下身膺天下綠林盟主重任……」

忽有所悟的「啊」了一聲，道：「兄弟可是想把『迷蹤谷』建做你行令天下綠林道的總堂麼？」

胡柏齡心中似是十分高興，一掃愁眉苦臉之容，微微一笑，道：「小弟雖有此想，但現下還言之過早。」

他略一停頓，壓低了聲音，接道：「小弟雖已取得了盟主之位，但眼下這班人心中並未全

對小弟敬服，四大戒律，已引起其中不少人的反感，只要有一個人出面挑起群情激忿，勢必要鬧得天翻地覆；那『迷蹤谷』人跡罕至，卻正是我們解決內部紛爭的一處好地方……」

話至此處，忽然一聳雙眉，圓睜環目，神威凜凜，豪氣干雲。

萬曉光看得全身微微一顫，道：「兄弟用心仁俠，足以驚天動地，但你一人之力，如何能抵群雄圍攻？此事不宜過急……」

胡柏齡搖頭一嘆，道：「天下綠林群豪，相聚一堂，談何容易？錯過這次機會，永難再有此日，大哥關懷盛情，兄弟心領就是，趁你那弟妹未歸，我們動身愈快愈好，只要大哥能帶我到谷口之處，餘下之事，我已胸有成竹。」說完，霍然起身，大步直向場中走去。

萬曉光本想出手阻止，但見他臉色神情之間，流現出無比的堅毅，竟自不敢出手阻擋，目注著他的背影，步入場中。

胡柏齡步入場中，環掃了四周大部醉臥的群豪一眼，大喝一聲：「眾位兄弟！」

這一句喝叫之聲，有如春雷驟發一般，震得四外山谷之中回鳴不絕，場中群豪大都被震聾啓聵的喝聲驚醒過來，惺忪睡眼，一齊投注在胡柏齡的身上。

胡柏齡滿臉肅穆地接道：「這『萬月峽』中，非咱們久居之地，借宿幾宵雖可，但終非長久之計，咱們不如早些尋找一處常久安居之處……」

他微微一頓之後，又道：「距此五十里處，有一座『迷蹤谷』，據聞谷中經常有猛獸、毒物出沒，如有膽小之人，不敢去那『迷蹤谷』中，請向前移動十步。」

這班人中大都吃得沉醉如泥，少數未醉之人，也都帶了幾分酒意，吃他拏話一激，雖有極少神智還保持清醒之人，覺著此事太過突然，但也不願自甘後人，全都坐在原位之上不動。

胡柏齡面色凝重，回顧了萬曉光一眼，高聲接道：「諸位既都願去，咱們立時就走！」

「走」字出口，人已大步向前走去。

但聞桌、椅移動之聲「砰砰」一陣亂響，群豪紛紛起身，隨在胡柏齡身後而行。

突然間傳過來一陣嬌脆呼喝之聲，道：「大哥，大哥！你要到哪裡去？爲什不等我呢？」

胡柏齡微微一皺眉頭，停下了腳步。

他一停，群豪紛紛站住。

但覺一陣香風，掠著群豪而過，引得昏昏酒醉之人，都瞪大了雙目注視，只見谷寒香懷抱著孩子，急如離絃弩箭一般，向前奔去，衣裙飄飄，帶起一股拂面香風。一口氣跑到胡柏齡的身前，才停了下來，滿臉淒怨之色地說道：「師父有很多話要對我說，所以找……」

胡柏齡不讓她再說下去，微微一笑，接道：「我已託請大哥留你在『萬月峽』中住上幾天，待我們把那『迷蹤谷』猛獸、毒蟒掃除，建起房屋之後，我再來接你過去。」他對谷寒香愛護無比，從不肯使她稍有傷情之感，縱心有生離死別之痛，仍然裝出一副若無其事的神情，說得十分輕鬆。

谷寒香盈盈一笑，道：「我們結縭以來，幾時離開過了？唉！就是那『迷蹤谷』中再危險些，我也是要和大哥一起去的！」

這幾句聽來平平常常的話，但每字句中，都有著無比的誠摯，無比的情意。

萬曉光輕輕嘆息一聲，道：「兄弟，你再想想看……」

胡柏齡微微一笑，搖頭不讓他再說下去。

這當兒「江北五龍」全都由群豪之中奔了出來，分散在胡柏齡的身側。

原來「出雲龍」姜宏顧及到胡柏齡初膺盟主之位，只怕這班各霸一方的梟雄人物，不肯俯首聽命，暗中通知四位義弟，不讓他們吃酒，隨時戒備，以防不測。

谷寒香秀目轉動，瞧場中群豪人都帶著酒意，有很多連身子也站不穩，左右搖擺，東倒西歪，心中忽然生出害怕之感，低聲說道：「大哥，很多人都喝醉了，明天再去那『迷蹤谷』吧？」

胡柏齡道：「今宵和明天，都是一樣。有勞大哥，替我們帶路了！」說完話後，回頭望著谷寒香歉然一笑。

萬曉光看他執意要去，心知勸也無用，當下說道：「兄弟心志既決，小兄自當竭我所能，助你一臂之力。」大步向前奔去。

胡柏齡率領群豪，緊隨在萬曉光身後而行，夜風迎面吹來，激醒了不少人的酒意。

萬曉光地勢熟悉，率領群豪穿越窄谷而行，他怕帶有醉意的人在登山時摔了下來，引起群豪對義弟反感，是以避免翻越山峰的捷徑，不惜繞道穿越山谷而行，而且走的速度很慢。

胡柏齡機智過人，心知義兄有心相護，但他心中卻有著不同的想法，想趁群豪酒意尚未全

醒之前，趕入「迷蹤谷」中，如若群豪不服自己訂下的四大戒律，群起相抗，那就不惜玉石俱焚，自相殘殺，先把幾個惡名最著的人除去，以稍贖昔年惡行……

他低聲對萬曉光道：「大哥請放快腳步，無論如何，咱們要在天亮之前，趕到『迷蹤谷』中。」

萬曉光回頭一笑，依言加快腳步。

他一加快奔行之勢，群豪相繼加快，但聞步履之聲，此起彼落，響成一片。

四、五十里山路，在這些個個身負武功之人走來，自非什麼難事，大約兩個時辰左右，已然趕到了「迷蹤谷」外。

抬頭看去，群山綿連，一道蜿蜒而去的山谷，曲入群山之中。

入口處聳立著四、五株參天古柏，雜草交錯，封閉了入口，望去一片荒涼。

這時，天色已經快亮，東方天際，泛起一片魚肚白色。

萬曉光停下腳步，望著那荒谷說道：「這亂草封閉的谷口，就是『迷蹤谷』的入口之處了！」

胡柏齡回頭望去，只見群豪一個個肅容而立，目光齊齊地投注在他的身上。

谷寒香只瞧得心頭泛升起一股寒意，低聲說道：「大哥，他們都瞪著眼睛瞧你幹什麼？」

胡柏齡淡淡一笑，道：「他們都希望我帶他們進入這『迷蹤谷』去，瞧瞧什麼樣子？」

他一時之間，想不出適當措詞，隨口胡謅一句。

谷寒香「啊」了一聲，笑道：「原來如比……」

忽然覺出不對，回頭望著胡柏齡，道：「大哥……」

叫得一聲大哥之後，心中突然一動，暗道：「我如再開口追問於他，豈不要讓他傷心我不相信他的話麼？」

趕忙又把欲待出口之言，重又嚥了回去。

胡柏齡心中正在想著對付群豪之策，聽她叫了自己一聲之後，立時別過頭去，也就沒有追問她什麼事情。

萬曉光道：「『迷蹤谷』中人跡罕至，猛獸、毒物之類，勢所難免，兄弟請養息一下精神，準備辦理大事，小兄替你開道。」側身直向谷中走去。

胡柏齡笑道：「怎敢相勞義兄？」急步追了上去。

谷寒香回頭望了望站在尋丈遠近的群豪，便緊隨胡柏齡進了山谷。

群豪一見谷寒香進了山谷，心中忽起好勝之心，忖道：「一個女流之輩都不害怕，我們堂堂男子漢大丈夫，豈能落人之後？」舉步跟了進去。

前面幾人一走，後面之人魚貫跟了上來，分成兩行，並列向谷中走去。

胡柏齡追到萬曉光身後之時，低聲問道：「大哥，這『迷蹤谷』中可有最易據守的險要之地？」

萬曉光突然施出「蜻蜓點水」的輕身功夫，一連三個飛躍，向前奔行了三、四丈遠。

胡柏齡知他是為避別人耳目，故意向前急奔一段路程，當下一提真氣，追了上去。萬曉光剛一停下身子，胡柏齡已到了身後，說道：「兄弟之事，大哥千萬不能插手，如果大哥一助兄弟，事情立時將牽扯擴大，那就不好收拾了，大哥只要把所知此谷形勢，大約對我說明一下，立請返回『萬月峽』去。」

「神鞭飛梭」萬曉光微一沉吟，舉手指著前面一座山壁說道：「前面那座峭壁，就是此谷的必經門戶，轉過那處小彎之後，就算進了『迷蹤谷』中；千道百徑，幽谷縱橫，別說初來之人，就是來過幾次之人，也難辨認清楚道路，只要方向已迷，立時被困其中，小兄昔日來探此谷之時，思慮周密，步步紮營，每一個轉彎之處，都燃起一根燒香，但仍然走入岔徑，被困谷中一夜半日之久，才找到出口。」

胡柏齡道：「這麼說來，只要能守住那山壁門戶所在，就可封死此谷了？」

萬曉光道：「不錯……」

他微一沉忖後，接道：「就我所記，那山壁轉彎之處，有一片十分廣大的草坪，足可容下你們所有的人，但我總望兄弟，不可操之過急，事先必需要思慮周密，謀定而後動，方保萬無一失。」

胡柏齡接道：「大哥相囑之言，小弟自當銘記心中，現下天已不早，大哥也該請回『萬月峽』了。」

萬曉光微微一嘆，道：「兄弟雖然膽略過人，但此事非同小可，尚望多自珍重，小兄這就告別。」

胡柏齡長揖相送，肅然說道：「大哥回到『萬月峽』後，祈能預做戒備，如果小弟此次難以說服群豪，必將引起一場血雨腥風的慘戰，生死難卜，我早已把生死置之度外，但怕餘波累及大哥。」

萬曉光道：「兄弟放心，三日之後，我再來這『迷蹤谷』中看你。」

縱身一躍，人已到一丈四、五尺外，疾向谷外奔去。

胡柏齡望著萬曉光如奔電的背影，心中暗暗忖道：「看也的身法，武功較前又有進境了。但願這次風波，不要連累及他才好……」

瞥眼見嬌妻懷抱著孩子，急急奔來，晨曦下但見她膚白如雪，嫩臉艷紅，只是眉梢間微現出幽怨，那常常泛現在嘴角間醉人笑意，此刻也消失不見……

目睹谷寒香嬌美容色，頓使他豪氣一消，慌忙轉過身子，大步向前奔去。

谷寒香自和胡柏齡相識以來，從未見他今日相對自己這般神情，有如見到毒蛇猛獸一般，神色中似是流現出無比的驚懼和厭惡，不禁大感傷心，忍不住熱淚奪眶而出。

但她天性善良溫柔，雖覺傷心欲絕，但卻毫無抱怨丈夫之心，舉袖拭去臉上淚痕，放慢了腳步，開始用心思索數日來發生的事情，什麼事使丈夫那樣煩惱？

她以往和丈夫相處在一起時，從不肯用心去想事情，凡事不論巨細，她都等待著胡柏齡的安排，從不煩心，她對丈夫有著絕對的信賴……

但她忽然發覺到原對自己愛護無比的丈夫，竟然對自己流現厭惡之色，使她那一顆純潔的

心，受到了重重的一擊，她開始去思想很多事情……從一個天真無邪的人，陡然間成熟起來。

她只管回憶著數日來經過的事，不知不覺間放慢了腳步，眾豪雄行列匆匆地從她身側奔過，每個人都在不自覺中停了一下，被她那醉人的美麗吸引住心神，直待後面的人撞到，才想起了趕路，急急向前走去。

數百道目光，輪番地投注在她的身上，但她卻若無所覺一般，仍然緩步而行，仰臉望天，想著自己的心事。

忽聽一聲低沉的聲音，在她身側響起，道：「夫人……」

谷寒香微微一驚，抑制住奔放的思潮，轉頭望去，只見面垂黑紗的鍾一豪，緩步隨在她身側而行。

只聽鍾一豪低沉的一笑，道：「夫人在想什麼？後面沒有人了。」

原來群豪兩行長長的行列，都已奔行過去，鍾一豪卻和那行列脫節，似是故意留下來陪她？

谷寒香「啊」了一聲，放腿向前跑去。

忽聞衣袂飄風之聲，劃掠身側而過，鍾一豪施出「八步趕蟾」的身法，疾如離絃弩箭一般，迅快無比的由她身側飛躍而過。

待她奔到那山壁之後，群豪都已雲集山壁旁邊的廣闊草坪之中，胡柏齡面對群豪而立，雖然威風凜凜，但卻顯得是那麼孤獨。

谷寒香突然覺著，自己應該過去，和他站在一起。

心念一動，立時奔了過去，站在胡柏齡身後。

胡柏齡目注群豪，臉色異常嚴肅地說道：「這座山谷，人稱『迷蹤谷』，相傳此谷之中，經常有毒蛇、猛獸之類出沒，平常之人，一入此谷，就如沉入大海沙石一般，無一生還，因此人跡罕至。」

群豪不自覺地轉頭向後望去，只見幽谷交錯，千徑迴繞，如一片蛛網一般，都不禁一皺眉頭，不知胡柏齡是何用心？

胡柏齡朗朗一笑，大聲接道：「我聽得此谷之後，忽然想到我們這次聚會，雖然推舉出了綠林盟主之人，但卻尚未有一處根據之地，此谷地理，極為適當，因此我想暫留在這『迷蹤谷』中，群策群力，建立一處根據之地……」

群豪之中，突然起了一陣騷動，不少人交頭接耳，紛紛議論。

胡柏齡心知此時，正是群情浮動之時，他們相互低聲議論，對全局關係極大，立時住口不言，靜觀變化。

只聽群豪之中一人高聲問道：「盟主之意，可是要把我們都留在北嶽，不放我們各返故居之地了麼？」

此言一出，場中立時靜肅下來，數百道目光，一起投注在胡柏齡身上，情勢緊張無比。

胡柏齡微微一笑，緩緩答道：「兄弟既蒙各位抬愛，推為盟主，諸位自是應該聽令兄弟。」

這幾句話，說得十分緩慢，字字用力，音迴山谷，全場群豪，都聽得呆在當地。

要知此時正是群情浮動之時，胡柏齡不但不肯出言相慰，疏化群豪激忿，反而以堅強的命令，約束群豪，大出了全場所有之人的意外。

也正因爲他言出意外，群豪一時之間反而想不出適當之言相詢，都爲之一呆。

胡柏齡目光如電，環掃了群豪一眼，接道：「諸位之中，如不信任兄弟，或不願聽命兄弟之人，請站出來……」

說到最後一句，聲色俱厲，音震耳鼓，山壁迴音，繞谷長鳴不絕。

群豪一陣沉默，但每個人的神情之間，已然流露出忿忿之色，彼此之間，互相瞧望，局勢更形緊張，大有一觸即發之勢。

胡柏齡突然朗朗一笑，道：「我們綠林中人，大都輕賤自己生死，把有限的生命歲月，都用在爭名奪利之上，逞強鬥狠，自相殘殺，才爲一般武林正大門戶中人，視爲黑道，見不得天日，盛名愈著，殺孽愈多，諸位捫心自問，拆散過多少家庭？殺害過多少手無縛雞之力的人？此等行徑該是不該？」

忽聽群豪之中，一人大喝道：「我等參與『寒碧崖』上大會，推舉綠林盟主，旨在統一我綠林道上實力，和那般自命出身正大門戶，以俠客自居的人相抗，想不到盟主卻以佛門慈悲心腸，來度化我們？此等爲善之事，用不到盟主大費唇舌，只怕在場之人，無不知曉。」

胡柏齡微微笑道：「兄弟之意，並非禁止各位殺人，而是要殺可殺之人，如若隨興所至，妄殺無辜，不但爲人所責，且將天理難容。世間盡多不仁之富，不義之財，已夠我等取之不

盡，用之不竭，如若諸位能夠信得兄弟之言，五年之內，綠林道當另是一番面目……」

谷寒香忽然衝前兩步，面對群雄，大聲說道：「我們趕來北嶽之時，在一處荒林之中，救了這個孩子……」

她低頭望了懷中孩子一眼，接道：「此子年方稚齡，但在左肩、右腿之上，各有一道深可見骨的刀傷，他父母的死狀，更是慘不忍睹，男的雙臂被斬之後，又被橫腰一刀截成兩斷，女的身中四刀，三處是人身要穴，悽慘之狀，使人一見鼻酸……」

說到傷情之處，兩行清淚，順腮而下。

她平時拙於言詞，而且爲人羞怯，此時不知何故竟然一反常態？敢面對天下綠林群豪，侃侃而談，而且說來生動婉轉，描繪得入木三分，但聞那嬌如銀鈴般的聲音，響徹空谷之中，裊裊繞入耳際。

這時，天已大亮，東方天際，紅日初升，彩霞絢爛，耀人眼目，峰頂積雪，吃那彩霞一照，泛現出滿山七彩光輝，景物奇麗，耀眼奪目。

晨光之中，只見谷寒香淚痕滿頰，山風吹飄著她的衣袂，像一株搖顫在風雨中的海棠，看的人大生惜憐之情。

忽聽一人，聲如巨雷般地喝道：「盟主夫人說得不錯，咱們綠林中人把殺人看成了心樂事一般，動不動就沾了滿手血腥，不知好多善良人家，夫死父亡，縱然咱們不懼國法，內心也難安穩。」

要知谷寒香天生尤物，美絕人寰，她的一舉一動，一顰一笑，無不如拂面春風，醉人若酒；群豪之中，雖有不少慓悍殘忍之輩，但亦爲谷寒香絕代風華，艷麗容色所醉，心中迷迷糊糊，只覺她這般嬌美之人，所說之言，自是無一不該，個個臉上的憤怒之情，逐漸消去，情勢大見緩和。

胡柏齡想不到平日拙於言詞，見人猶帶三分羞怯的谷寒香，此刻竟然能說出這樣一番大義凜然之言，此言如出諸胡柏齡之口，或是其他之人口中，極易被人誤解，但在谷寒香口中說出，情形又自不同，她絕美容色，加上那婉轉如鶯鳴的嬌脆聲音，侃侃道來，有如催眠魔力一般，竟使這般放蕩成性，殺人不眨眼的綠林豪客，個個心生傾服，反抗之意，隨之消失。

只聽群豪齊聲說道：「盟主既有此等用心，我等極願盡其所能，一新天下耳目。」

胡柏齡眼看谷寒香一席話，使天下群豪傾服，甘爲自己所用，心中暗自嘆道：「原來她的美麗竟有這等驚人的魔力！」忽然想到了昨宵酒席上，天明大師之言，讓她以絕世容顏，介入這江湖恩怨是非之中，實難料是福？是禍？

抬頭望去，只見群豪目光，齊齊投注在嬌妻身上，每個人的臉色上，都泛起微微的笑意，不禁心中大感奇怪？偷眼向嬌妻看去，只見谷寒香艷紅的嫩臉之上，也正泛現著甜媚的微笑。

原來她見群豪被自己一番話說得個個傾服，覺著自己幫丈夫解決了一件大事，心中甚感愉快，也是她有生以來，第一次感覺到自己有能相助丈夫。

胡柏齡也不知是妒？是怕？他在突然的感觸中，覺著讓嬌妻介入自己統治的天下綠林豪雄

的權力之中，似是非福……

但眼下情勢，使胡柏齡無暇去想日後的事，略一沉吟，高聲說道：「諸位既願相助兄弟，兄弟感激不盡，我這裡先向諸位致謝了。」說完，抱拳長揖。

群豪齊齊躬身還禮，說道：「盟主這等待我們，我等如何敢當？」

胡柏齡朗朗笑道：「諸位甘願放棄畢生心血創得基業，相隨兄弟，理應受兄弟一拜之禮。」

他每想到自己半生之中，造了無數罪孽，心中就忡忡難安，立志在餘年之中，盡全力做幾件有益於人間之事，現下既得綠林盟主之位，又得群豪承諾相助，以這遍布天下綠林的雄厚之力，爲惡固是可怕，但爲善亦當有所大成，一旦心願得償，內心中自是歡樂無比。

四 絕谷風雲

且說萬曉光退出「迷蹤谷」後，心中甚是不安，他對義弟興改綠林積弊的豪俠氣概，有著無比的敬佩，但這千百年沿傳而來的習風，一旦想以一人或數人之力，把它扭轉過來，自非容易之事。是故，他對義弟的安危，一直縈繞心頭，如若這般積惡如山，凶悍成性的綠林豪客，一旦不受約束，以義弟倔強的性格，勢必要鬧出流血慘局，胡柏齡武功再高，但也難抵群豪聯手之力。

他恍似聞得那千徑迴繞的幽谷中，響起了一片喊殺之聲，胡柏齡右楞左劍，獨戰群豪聯攻。

他輕輕嘆息一聲，停下了腳步，回首望著谷口，心中惶惶難安，他雖明知自己因關懷義弟安危太過，造成了一種靈境幻覺，但這幻覺卻給了他極大的不安。

正待重返「迷蹤谷」去，一看究竟，忽聞身後響起一陣低沉的笑聲，道：「萬大俠別來無恙……」

萬曉光聽那聲音，異常陌生，卻非「萬月峽」中之人，立時提聚真氣，暗中戒備，霍然轉過身去。

只見一個身著黑色道袍，肩上斜背長劍，胸飄墨髯的中年道人，面含微笑，站在六、七尺外。

此人面目陌生，萬曉光一時之間，竟然想不出來人是誰？但從他儀態神情中看，又似在哪裡見過？不覺怔了一怔，道：「請恕在下眼拙，記不得哪裡見過鶴駕？」

中年道人拂髯一笑道：「貧道白陽，奉了敝派掌門之命，監視聚會北嶽的綠林群匪舉動，已到北嶽旬日之久，本當早日登門拜會，但爲保持行蹤隱秘，故不敢打擾！」

萬曉光一聽對方說出道號，立時想起半年之前，武當派掌門人紫陽道長假武當山三元觀邀宴大江南北武林群豪之事，曾和此人見過，當下抱拳說道：「原來是白陽道兄，失敬，失敬！」

白陽道長微微一笑，道：「不敢，不敢，萬大俠夜臨荒谷，可也是爲了監視這班會聚群匪的舉動麼？」

萬曉光道：「這個……」

白陽笑接道：「這也難怪，他們如把這天下綠林總窟子（大寨）紮在『迷蹤谷』中，和萬兄隱居的『萬月峽』近在咫尺，萬大俠如若對他們太過嚴峻，自難免引他們仇視之心。」

語氣雖甚和婉，但卻含有譏諷之意。

萬曉光心中暗自忖道：「他定是已見天下綠林群豪在我『萬月峽』中飲宴之事，又見我帶著群豪同入這『迷蹤谷』中，自是難免有所誤會。」意念及此，心中忿怒略消，但仍然冷冰冰地說道：「道長可是懷疑我萬某人，也應邀加入了綠林中麼？」

白陽微微一笑，道：「這個貧道不敢妄測，但天下綠林群匪聚會你『萬月峽』中，該當是千真萬確的事了？」

萬曉光道：「這麼說來，道兄對在下相疑甚深了？」

他乃生性孤傲之人，聽得白陽道長連番譏諷，心中怒火大熾，拂髯長笑一聲，接道：「縱然我萬曉光側身綠林之中，也輪不到道兄你來斥責於我，哼！當今之世，難道真還有管得老夫之人麼？」

白陽道長臉色一變，道：「半年之前，貧道師兄邀宴天下英雄之時，萬大俠也是應邀赴會之人，想不到言猶在耳，萬大俠卻已側身綠林了……」

萬曉光生性淡泊，自隱居「萬月峽」後，就很少在江湖上走動，除了友好相訪時，和他談起一些江湖事跡之外，對武林形勢，知道甚少，但他的飛梭絕技，出神入化，早年行道江湖，俠名甚著，雖然他已隱居「萬月峽」中，但武林一提起他，大都對他十分敬重。是以，紫陽道長宴請天下英雄聚會武當山三元觀時，特派專人，奉邀他參加大會。

他雖是不重名利之人，但卻為人孤傲，最不願受人閒氣，此刻連受白陽道長譏諷責備，不覺大怒，冷笑一聲，道：「令師兄紫陽道長，名滿武林，望重一時，但他對人是何等謙恭，道兄年不及老朽，望不及令兄，怎的說話待人，一派老氣橫秋之態？哼哼！要不是看在令師兄的分上，像你這等對待老朽，實該教訓你一番才對！」

白陽道長年紀雖然不大，但他在武當派中輩分甚是尊高，乃上一代武當派掌門人廣松道長最末弟子，甚得師父寵愛，廣松羽化之日，曾把接掌門戶的大弟子紫陽道長，招到榻前，面囑他妥爲照顧這位小師弟。

紫陽拜受遺命，接了武當門戶之後，對這位小師弟，自是另眼看待。

白陽又天資聰慧過人，對武當派內功心法、劍術，均有甚深造詣，因過受師父寵愛，養成一股驕橫之氣，紫陽道長因師父臨終遺命，對他也不免稍爲放縱。

不過紫陽道長乃一代武學宗師之才，對這位師弟雖然放縱，但卻不讓他下山行道，一則因爲年少藝高，驕氣凌人，二則他性喜衝動，易露鋒芒，故始終把他留在武當山上，度過了二十年悠悠歲月。

此次天下綠林聚會北嶽，爭奪盟主之位，紫陽道長忽然想到這位身懷絕技的師弟，二十幾年來一直未曾離開過武當山中一步，特地派他潛來北嶽，暗中窺探綠林大會的情形，在紫陽道長想來，此行貴在行蹤隱秘不露，白陽劍術、輕功，都有極深造詣，自能勝任愉快。

可是天下事情變化，往往難以使人預測，紫陽道長萬沒料到，白陽道長沒有和聚會群匪衝突，卻與望重一方的萬曉光造成一番誤會，這一番誤會，預播了整個武林慘劫種子，千百位武林高手濺血橫死……

且說白陽道長聽得萬曉光一番訓責之言，只覺一股憤怒之氣，直沖上來，大聲喝道：「我們武當派乃武林間堂堂正大的門戶，江湖之上，誰不景仰？綠林中人，無不聞名退避，你敢這般對待於我，難道看貧道的寶劍不快麼？」

萬曉光冷笑一聲，道：「道兄好大的口氣！你就覺著手中寶劍，定能勝過在下麼？」

白陽道長一翻腕，抽出背上長劍，指著萬曉光道：「快亮兵刃，今天讓你見識見識武當派

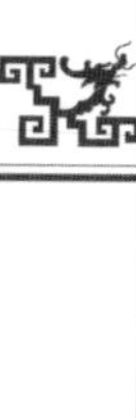

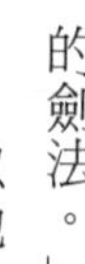
的劍法。」

忽地一躍，直欺到萬曉光身前三、四尺處。

萬曉光究竟是上了年紀之人，生性雖是孤傲，但他做事卻甚持重，一瞧白陽道長真的拔劍衝了過來，反而有些猶豫起來，心中暗暗忖道：「此人這等跋扈，倒是該給他一點教訓受受！但那紫陽道長待我甚厚，我如和他一般氣量，雖是曲在對方，但日後見著紫陽道長之時，甚難交代，不如暫時忍下這口惡氣，抽暇到武當山三元觀一行，當面向紫陽道長提出此事，順便也可暗把胡柏齡興革綠林積弊，手訂四大戒律之事，告訴紫陽道長，被譽爲領袖武林的少林寺，因爲方丈天禪大師，不願過問江湖是非，武當派紫陽道長，隱隱成了領導白道武林人物的領袖，只要紫陽道長知道了此事，以他現在武林的威望，暗中略予示意，即可暫時阻止武林正大門戶以及各地高手，聯合對付義弟的行動，以便胡柏齡有較多的時間，來安排內部之事……」

心念一轉，勉強把一腔忿怒之火，按了下去，冷冷說道：「看在紫陽道長分上，老夫讓你一步，半月之內，老夫當親赴武當山三元觀中一行，和令師兄……」

白陽道長自藝滿離師之後，一直沒有和人動手的機會，萬曉光盛名甚著，心中早已躍躍欲動，一試自己身手，再聽萬曉光抬出師兄紫陽道長壓他，心中更是惱怒，大聲道：「貧道師兄是何等身分之人，憑你也配見他麼？」

這幾句話，可是大傷了萬曉光之心，仰臉長笑一聲，道：「這麼說將起來，是要令師兄找在下了？」

白陽道長一時之間，聽不懂他話中含意？怔了一怔！問道：「什麼？」

萬曉光冷冷說道：「我要把你活捉後囚在『萬月峽』中，派人持函請令師兄來我『萬月峽』中救你。」

白陽道長舉手一劍，直刺過去，口中大聲喝道：「你不要口出狂言，先接我三十招試試再說。」

他武功本已極高，此刻在忿怒之時，刺出的一劍，更是強勁，劍風帶起輕嘯之聲。

萬曉光看他出手劍勢，竟有這等威勢，心中甚感驚駭，暗道：「無怪此人這等狂妄！武功確有過人之處。」

左手疾拂，身軀飄出了六、七尺遠。

白陽道長大喝一聲，如影隨形而上，右腕揮舞之間，手中長劍幻化出三朵劍花，分取萬曉光三處大穴。

萬曉光右手一招「飛鈸撞鐘」，劈出一股強勁絕倫的勁力，迎向白陽道長撞去，左手在腰間一探，鬆開軟鞭活釦一抖，一條「金絲龍頭鞭」應手而出，揮腕一掄，攔腰掃去。

白陽道長雖已是四旬左右的中年人，但他卻是學成武功之後，第一次和人動手，求勝之心，迫切異常，左掌一揮，竟然硬接了萬曉光劈的一記勁強掌力。

萬曉光以「神鞭飛梭」馳譽武林，但他內功造詣本也是有著數十年的修爲，掌力深厚剛猛，這一掌雖然只用六、七成功力，勁道已足驚人。

白陽道長卻一時求勝心切，竟然出掌相接，雙方兩道雄厚的掌力一相接觸，不由各自後退兩步。

萬曉光望了白陽道長一眼，心道：「難怪此人如此高傲，手底果然不弱。」

白陽道長初次出手，在他還是初生之犢不畏虎，自沉浸武當武術這多年，已深窺武當的堂奧，心想這一掌必可奏功，哪知雙方一接，自己竟被震退兩步，輕敵之心，登時消滅不少。

萬曉光望著白陽道長，微微笑道：「道兄功力果然深厚，難怪氣壯志豪。」

白陽道長自幼受師長寵愛，師兄也因受於師命，凡事無不讓他三分，生平從未受過別人言語，萬曉光這兩句話，他哪裡忍受得了？長嘯一聲，長身抖腕，劍光電閃，暴出滿天劍花，直向萬曉光刺去。

盛怒之下，出手自是猛烈，劍挾破空嘯風，暗含武當黏、捲、拏、引，獨有的絕學，真是柔剛並兼，氣勢駭人。

萬曉光眼光何等銳利，一見白陽道長劍勢，就知他已用出本門太極劍，心中冷冷一笑，「金絲龍頭鞭」盤空一旋，嘯如龍吟，一振腕，龍頭連擺，直向白陽道長劍上迎去，但見一片金光銀芒，交織一處。

二十招過後，白陽道長便不由心急，暗自忖道：「我以恩師親傳的本門劍法，竟不能討得一點便宜，以後還怎樣行道江湖？」

他這種意念，乃是初出江湖，未經磨練所致，再一方面也是他毫無對敵經驗，他哪裡知道，萬曉光手中的「金絲龍頭鞭」乃是一極獨門兵器，這項兵刃長處是在軟硬之間，如若對手是外門硬功夫，這條鞭便能貫以自身功力，與對方硬打硬接，如若對手是以內柔功夫見長，這條鞭也就柔如髮絲，處處藉力化力，也絕不使對方佔得便宜。

萬曉光在這龍頭鞭上，下了幾十年的工夫，鑽研出一套精奧無倫的招式，用來神奇莫測，他見白陽道長想以武當本門的黏、捲、內勁，捲震走自己的兵刃，心裡也不由微泛怒意，心中暗罵道：「你也太小覷老夫了，今天如不給你點教訓，以後你更要目空天下了。」

二人心中各存己見，手底招式，也隱隱漸轉凌厲。

陡然白陽道長左手一捏劍訣，右手劍式一緩，一反剛才猛烈急攻之勢，竟慢慢的一劍連一劍地悠悠攻到。

這種劍勢，看似有氣無力，若斷若續，一點也不驚人，但萬曉光心裡明白，他知道白陽道長突然由浮躁中冷靜下來，施出太極劍的精奧之處。

要知這太極劍並不在猛攻狠拚，全在能以先天運行原理，以心使意，以意運力，所謂用意不用力，運勁如抽絲，這才是太極劍的最高境界。

白陽道長劍勢一變，萬曉光「呵呵」笑道：「不錯，不錯，這才不負你是武當傳人，來來來，待老夫好好領教你幾招。」

白陽道長正值神意集中之時，不敢分散精神，對萬曉光之言，理也未理，右臂探處，緩緩一劍刺去。

這一劍去勢飄飄，如風吹柳絮一般，看去毫無勁力，但卻是太極劍精奧之處，去勢之間，含蘊著極多的變化，如是不知其中變化之人，稍一大意，立時將爲劍勢所傷。

萬曉光享譽江湖，盛名早著，見識廣博，一眼已然看出這飄飄無力的來勢，暗含著奇奧的變化，不敢揮鞭封架，運集真氣，目注白陽道長刺來劍勢，以靜應變。

白陽道長見自己緩去的劍勢，相距到萬曉光身前尚有尺許左右光景，仍不見對方閃避，心中暗暗讚道：「此人無怪能久享盛譽，不但武功高強，而且見識、膽氣，無不過人，實是不可輕視的人物。」

當下一吸真氣，緩去的劍勢陡然變快，去如星火，一閃而至。

就在白陽道長劍勢急速地刺出之時，萬曉光亦靈快無比的向一邊閃開。

白陽道長一劍刺空，不容萬曉光還擊出手，長劍立即收回，橫擋前胸蓄勢以待。

萬曉光以迅快絕倫的身法，閃開過一劍之後，並未出手還擊，雙目神光炯炯，凝注在白陽道長臉上。

雙方相峙了大約有一盞熱茶工夫，白陽道長手中長劍又在胸前劃了一個圓圈，緩緩一劍刺去。

這次，萬曉光不再等待他劍勢刺到，右腕一振「金絲龍頭鞭」，矯如遊龍疾翻而起，金光閃閃，翻向白陽道長劍上砸去。

白陽道長突然大喝一聲，手腕振處，幻起朵朵劍花，劍光閃動中，身子忽然一轉，讓開龍頭鞭，疾向萬曉光猛刺過去。

由緩緩刺出的劍勢，剎那間變得快速絕倫，劍風如輪，凌厲無匹。

萬曉光一鞭未封開對方劍勢，已知不對，趕快一吸真氣，身子立時向後疾退五尺。

哪知白陽道長刺出劍勢，如影隨形一般，緊隨而上。

萬曉光一面疾退，一面身軀不停轉動，想把白陽道長劍勢拋開，哪知白陽道長劍勢有如附

骨之蛆一般，緊緊相隨不捨。

這是武林間極罕見的拚鬥場面，兩人都以上乘的輕功，互相追逐，白陽道長的劍尖，始終相距萬曉光前胸尺許距離，難再向前接近一寸。

萬曉光金絲鞭被白陽劍勢封到一側，無法運用克敵，其實當前形勢，危險異常，就算他「金絲龍頭鞭」能夠運用反擊，也沒有時間讓他在收回金鞭後，重行擊出；白陽道長鋒利的劍鋒逼在前胸之處，只要那疾退之勢略一緩慢，即將濺血在對方劍下，是故必須集中全神，不敢有一點大意。

二人在輕功上的造詣，都已近登峰造極的階段，一陣追逐，始終保持這點距離。

萬曉光在疾退之間，心中暗自忖道：「此人與我相比，他是仗著年輕力沛，如我再不速謀應變之策，相持下去，又有何益？」心裡閃動著退敵人之念，眼神卻四下一瞟，見身後不遠之處，便是山根石壁，心中一動，逕向山壁處退去。

白陽道長一見萬曉光竟向石壁之處退去，不由心中暗暗笑道：「萬曉光，萬曉光，你馳譽武林數十年，今天你是棋錯一著，全盤皆輸，這下子你可要吃虧了；不過，這是你咎由自取，可怨不得我了。」臉上泛起冷冷的笑意，猛吸一口真氣，腳下運勁，身似離絃飛矢，疾向萬曉光刺去。

這時萬曉光已退到石壁，後面已無退路，見白陽道長運劍疾刺而來，「嘿嘿」一聲冷笑，陡然貼壁凌空而起，人到二丈高處，長袖一拂，兩足朝身後山壁上一頓，就藉這回震之力，人已藉勢直向前面飛去，這一種速度，快如墜星，疾如鷹隼。

白陽道長長劍猛刺，突見萬曉光施展出「雲龍三現」的身法，沿壁而上，才知他是利用置之死地而後生的應變之策，心中既敬佩又驚駭，但在這千鈞一髮之際，也不容想及其他，猛地抽劍轉身，以防萬曉光從背後施襲。

就在白陽道長轉身之際，萬曉光半空中一挫雙袖，疾飛的身勢猛地一頓，一旋身，人已轉過身來，就在這挫袖旋身之時，「金絲龍頭鞭」已然抽轉過來，落地之後，淺笑著道：「道兄劍術，果然已得精髓，可惜應變機警尚嫌不足……」

萬曉光一言未完，白陽道長一指長劍，喝道：「你不要賣狂，今天少不得要見個真章。」說話聲中，人劍俱到。

「神鞭飛梭」萬曉光知他太極劍已窺堂奧，再度動手，更是大意不得，金絲軟鞭一擺，暗吐內勁，直迎上去。

白陽道長在拚搏之中，已看出萬曉光一支軟鞭，神奇莫測，而且竟能分化自己劍上的黏、捲的暗勁，知道如不出奇兵，絕無法勝得對方。想到此處，雙眉一挑，猛地抽身疾退兩步，劍招一變，二次挺身進步，原來輕緩緩的劍勢，突然凌厲無比，一劍跟一劍地連綿而上。

萬曉光深曉各宗各派的武學，一見白陽道長驟變劍招，不由在舉鞭封架之中，暗中注意，但見那綿綿不絕、滾滾劍影之中，隱約著動人心魄的風雷之聲，但那劍勢外表看來卻又不甚剛猛，心中不由奇道：「武當劍術之中，哪裡來的這種劍法呢？」

他卻不知道白陽道長在武當山一向驕恣已慣，心裡受不了一點些微小疵，萬曉光幾句話，已激起他拚命之心，是以這次出手的劍招，竟將形意劍與天雷劍揉合並施，這才在連綿不絕的劍勢中，夾著風雷之聲。

他這一變化，任萬曉光經驗如何豐富，一時之間，也揣測不透。

白陽劍勢愈攻愈快，打到三十回合後，人劍連成一體，劍氣如波濤洶湧，綿綿攻上，萬曉光軟鞭造詣雖深，已難封架那排山倒海一般的劍勢，心頭大生驚駭，暗自忖道：「武當派以劍術稱絕武林，看來果是不錯，要是這般打下去，勢必傷在他劍下不可，不如趁現下尚有反擊之力，冒險和他硬拚幾招，此人劍術雖臻上乘，但對敵經驗不足，如能施計相誘，當可穩操勝算……」

心念一轉，暗運真力，振腕一掄「金絲龍頭鞭」，突然劃起一片金風，登時金光大盛，震開白陽道長的綿密劍光，借勢反擊，手腕伸縮間，連攻三招，但聞龍頭劃空帶起的銳嘯之聲，幻化出一片鞭影，分取白陽道長前胸三大要穴。

這一招「龍翔鳳舞」乃萬曉光七十二式龍鳳鞭法中三大絕招之一，用將出來威勢非同小可，白陽道長立時被那凌厲的反擊之勢，迫得向後疾退兩步，但他生性高傲，一退之後，立時揮劍強攻，一招「潮泛南海」，長劍劃一片銀虹，猛向鞭影之中衝去。

但聞一陣金鐵交鳴之聲，鞭、劍相觸一起，劍光鞭影，頓然齊消。

白陽道長大喝一聲，運足內力，把手中長劍猛向萬曉光推刺過去。

原來兩方鞭、劍一觸，彼此均運足了內力，使鞭、劍貼在一起，金絲鞭纏在長劍之上。

白陽道長用力一推，連劍帶鞭齊齊向萬曉光撞去。

萬曉光手中「金絲龍頭鞭」乃是極爲柔軟之物，用來和白陽道長長劍相較，自是吃虧甚

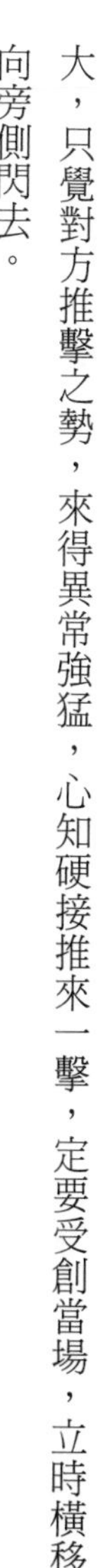

大，只覺對方推擊之勢，來得異常強猛，心知硬接推來一擊，定要受創當場，立時橫移兩步，向旁側閃去。

白陽道長已蓄勢全身真力，一見萬曉光向旁讓去，仰臉一聲長嘯，振腕一抖。

這一抖，乃是他全身功力所聚，力道強大無比，萬曉光只覺手中金鞭被一股強大勁力吸去，再想用力握鞭，時間已是遲了一步，但覺五指一鬆，金鞭被一股強大的勁力吸住，脫手飛去。

白陽道長一劍摔飛去萬曉光手中金鞭，不由哈哈一笑，道：「『神鞭飛梭』也不過爾爾之技。」舉手一劍，直擊過去。

萬曉光盛譽滿江湖，極受武林同道敬仰，生平之中，從未受過此等譏諷，濃眉一聳，面泛殺機，左臂斜出一引白陽劍勢，右手一招「飛鈸撞鐘」，疾向白陽肋間擊去。

白陽道長運用內力，摔飛萬曉光兵刃之後，只道已穩操勝算，卻不料萬曉光突然反擊，一時之間，閃避不及，只好一沉左臂，硬接萬曉光拳勢一擊，只覺一股強猛力道擊在左臂之上，登時覺著劇疼刺心，馬步不穩，連退五步。

萬曉光一擊得手，長嘯一聲，凌空而起，懸空一個鷂子大翻身，橫飛到金鞭落地之處，右手一探，撿起金鞭。金鞭剛一入握，突覺身後響起一陣金風破空之聲，回頭望去，只見白陽道長連人帶劍，飛撞過來，勢道勁急，疾如電閃。

白陽道長在重傷之後，竟然仍能運劍做這等快速的一擊，實出了萬曉光意料之外，再想閃避，已自不及，匆忙之中，奮力一帶金鞭，猛力掃去。

這等匆忙間的相搏，用力自不似平日那般可以控制，力道雖是強猛，但卻無法控制準頭。

但聞一聲金鐵相觸之聲，萬曉光掄出金鞭，被白陽道長急衝過來的劍勢彈震開去，一縷寒光，直向前胸刺來。

原來白陽道長在重傷後的反擊之勢，凝聚全身功力，勁道猛烈絕倫，萬曉光金鞭竟未能封住白陽道長運劍的衝擊之勢，心中一急，全身隨著劍勢仰臥下去，左手一撐實地，疾向旁側翻去。

他應變之勢雖快，但白陽劍勢來得太猛，寒鋒過處，劃破了萬曉光右臂，鮮血泉湧而出，右臂之上被劃開了一道四寸多長的血口。

劍勢餘力不衰，擊在砂石地上，深入半尺。

萬曉光大喝一聲，挺身而起，飛起一腳疾踢過去。

白陽道長左臂重傷之後，忍痛運劍一擊，雖然劃傷了萬曉光的右臂，但他亦累得筋疲力盡，吃萬曉光一腳踢中胯間，身軀隨腳飛起了六、七尺高，摔在地上，手中長劍也同時脫手。

萬曉光忍痛而起，奔到白陽道長身邊，點了白陽兩處穴道，然後才站起身子，包紮好傷臂，撿起「金絲龍頭鞭」盤在腰中，負起白陽道長，奔回「萬月峽」去。

他本想把白陽道長帶回「萬月峽」中，先替他療好傷勢，然後，再親自到武當山三元觀一行，面晤紫陽道長，說明經過情形，順便把胡柏齡與改天下綠林積弊之事，面告紫陽道長，要他轉告各正大門派中人，暫時不可把胡柏齡視做敵人，以便他有從容時間，整肅內部。

但他走近「萬月峽」時，心中突然想到，如果把白陽道長背入峽中，他被生擒之事，必將

落入峽內弟子眼中，他乃極重顏面之人，對於此事，絕難忘懷，這個仇恐將永難解釋……

心念一轉，把負在肩上的白陽道長放了下來，解開他的穴道，說道：「道長武功比在下要高上一籌，鬧成現在之局，全爲對敵經驗不足所致。」

白陽道長冷笑一聲，道：「不管因對敵經驗不足，還是武功不濟，但既然被你擒住，總算我敗在你的手中了！」

萬曉光兩眉一聳，待要發作，心中又突然一動，暗道：「此人雖是橫蠻，但生平從無惡跡，目下江湖之上，武當大有舉足輕重之勢，真如和他結下深仇大恨，不但對己無益，且對義弟有著甚大影響……」

當下忍了胸中之氣，說道：「江湖之上，勝敗乃常見之事，何況今日之事？道長並非真敗……」

白陽道長忽地挺身而起，冷冷說道：「在下有仇必報，今日之辱，暫記賬上，異日結算之時……」

萬曉光大怒接道：「萬某人隨時在『萬月峽』中候教！」

白陽恨聲說道：「三月之內，道爺必報此仇。」

萬曉光聽他口氣愈說愈是難聽，不禁怒火大起，探手入懷，摸出兩支銀梭，一抖腕，破空飛出。

他被人尊稱爲「神鞭飛梭」，在暗器之上造詣甚深，兩支飛梭雖是同時出手，但去勢卻大不相同，左面一支，劃空生嘯，去勢異常勁急，右面一支，卻斜向上升，前進之勢，異常緩

慢。

白陽道長已領教了對方的武功，對飛來銀梭，絲毫不敢存大意之心，當下一咬牙，強忍傷痛，暗提真氣，凝神戒備。

雙梭到了一丈五尺距離時，已相差了四、五尺遠，左面一梭愈來愈快，銀芒電奔，直向白陽前胸打到。

白陽道長看雙梭距離相距漸遠，不自覺地全副精神貫在左面近身一梭上，心想先把前面一梭震落之後，再集中全力，對後面一梭。當下大喝一聲，運足內力，一掌向左面一梭劈去。

他內功深厚，這一掌又是蓄勢而發，威勢非同小可，一股強猛絕倫的內力，隨手而出，迎向銀梭一擊，立時那當先而到的銀梭震得向一側偏去。

哪知右面緩來一梭，就在他出手對付左面一梭之時，閃電奔到，來勢較左面一梭，更是快速，但見銀光一閃，已然奔近身側。

白陽道長劈出右掌尚未收回，銀梭已到前胸，匆忙之間，身子一側，銀梭正擊中左面肩頭之上，只覺肩頭肌膚一涼，深入寸許多深，抬頭望去，只見萬曉光雙眉怒聳，肅容而立，左右雙手之中，各自扣了兩支銀梭，看樣子，如這一擊未中，立時將以四梭齊出打來。

白陽道長長吸一口氣，閉住左肩穴道，右手反握梭柄，拔出銀梭，一股鮮血，隨手噴射而出，遠達四尺開外。

萬曉光高舉雙手銀梭，冷笑一聲喝道：「這不過略施薄懲，再要出口傷人，就要你嚐嚐我連環飛梭的味道！」

白陽道長狂笑一聲，抖腕把手中銀梭反向萬曉光投擲過去，厲聲喝道：「三月之中，必把你『萬月峽』夷為平地……」說完轉身疾奔而去。

萬曉光目注白陽道長疾如電奔的背影，不禁暗暗一嘆，忖道：「此人心胸這等狹小，絕難忍受被擒之辱，回到武當山後，難免藉詞挑撥事非，武當派目下在江湖上的實力，甚是強大，只怕難以忍受派中高手挫敗之辱，萬一為了顏面，大舉報復，以武當派雄厚的實力，自己本領就是再大一點，也難以抵拒得住。」

突然心念一轉，又道：「紫陽道長胸襟何等寬大，絕不會聽信白陽道長一面之詞，就向自己報仇，縱然不滿自己梭傷白陽之事，亦必要先行派人來察明此事真相，如果他知道了白陽道長的狂傲神態，當不至翻臉成仇……」

一時之間，思緒如潮，難以自遣愁懷，長嘆一聲，緩步向「萬月峽」中走去。

他自隱居「萬月峽」後，銳意經營，天然的險要形勢，再加上一番人工布置，雖非處處險阻，但入峽之人要想隱秘身形，卻是極不容易之事。

他昔年行俠江湖之時，結仇甚多，現雖已歸隱，但武功並沒放下，峽中除了一個愛女，一個承受自己衣缽的得意弟子之外，另有十二名健僕，巡守峽谷，四名聽候使喚的婢女。

他半夜離峽，日升三竿還未到家，早已引起愛女和弟子不安，剛一入谷，已見一個二十上下的英俊少年，和身著紫衣的愛女，聯袂疾奔而來。

兩人似是早已在峽中等侯著，一見萬曉光無恙歸來，滿臉歡容地奔上來，那少年神態拘謹，恭恭敬敬的叫了一聲：「師父。」垂首站在一側。

但那紫衣少女卻是一派天真嬌憨，叫了一聲：「爹爹！」直向萬曉光懷中撲了過去。

她似是瞧到萬曉光臂上的血跡，「哎呀」一聲，向後疾退了兩步，滿臉驚慌之色，問道：「爹爹衣袖之上哪來的血跡？」

萬曉光微微一笑，道：「不要緊，只受了一點輕傷！」

紫衣少女突向前走了兩步，輕舉皓腕捧起萬曉光右臂，只見衣袖之上，有一道四寸多寬的口子，不覺大聲叫道：「爹爹和人打過架了？這不是劍鋒的傷痕麼？」

拂開萬曉光衣袖之上的傷口瞧去，只見一片長袍內襟，緊裹臂上，血尚汩汩向外浸出。

她早年喪母，追隨父親身側長大，萬曉光所以在盛名正著之時歸隱這「萬月峽」中，和愛妻身體羸弱有著甚大關係。

他雖然為嬌妻放棄江湖的名位，選擇了「萬月峽」這樣一處風景優美的地方，每日守在愛妻身側，看顧她的病勢，但卻仍然未能挽回愛妻的性命，替她在「萬月峽」中養了一位女兒之後，仍然撒手離開塵寰而去，萬曉光悲痛之餘，把悲思愛妻之情，移在愛女身上，親手把女兒撫養長大。

他一身兼顧嚴父慈母兩職，對膝下這唯一的愛女，自是難免嬌縱一些，養成她一種任情嬌狂之氣，好在這「萬月峽」中，誰都讓她幾分，自是相安無事。

他為紀念逝去的愛妻李雲霞，替女兒取名映霞。

萬映霞雖是任性一點，但卻異常聰明，甚明事理，小處雖不免撒嬌一些，但對大事，卻能

順從父意。

萬曉光眼看愛妻死時病魔纏身的痛苦，決心把自己一身武功，傾囊相授女兒，想把一個嬌弱之軀，培養成鋼鐵之身；是以萬映霞初生不久，萬曉光就用藥水洗滌她的身體，略通人事，就開始傳那內功坐息之法，這等從嬰兒就著手打基礎的授武之法，因其先天元氣不失，後天又得調養，基礎穩固無比，極易步入上乘境界，萬曉光存心培養女兒，除了細心相授之外，又替她調配了很多藥物，再加上萬映霞天賦極佳，聰明絕頂，十五歲那年，已把萬曉光的武功，學去了九成以上。

他眼見女兒武功，大有青出於藍之勢，幾經思慮之下，索性把自己成名江湖的連環飛梭絕技，一併傳授。

萬映霞心思靈巧，覺著父親用的銀梭太過重大，不適宜女孩子家應用，特地自繪藍圖，要巧工名匠依圖打造成極小巧的銀梭，加了兩片銀葉燕翅，易名「燕尾銀梭」。她這暗器體積小巧，久經練習之後，不但打得出神入化，而且一手能同時打出四支「燕尾銀梭」。

萬曉光眼看愛女武功、暗器，都漸有超越自己之勢，心中也不知是歡喜？還是憂愁？既覺愛女聰明過人，嬌麗可愛，又覺著讓她一個女孩子家，學了這樣一身武功，有些不大妥當，終日患得患失，暗自發愁。

且說萬映霞見父親不肯把受傷之事相告，立時一嘟小嘴巴，道：「爹爹就是不說，我也想得到是哪個傷了您老人家！爹爹武功這等高強，別人哪裡能夠傷得了您？定是那個什麼綠林盟主的叔叔了，哼！他再要來咱們『萬月峽』時，我非拏『燕尾銀梭』打他不可！」

萬曉光聽得怔了一怔！暗道：「這丫頭膽大任性，說得出就做得到，她那『燕尾銀梭』手法，甚是精奇，如若她隱在暗處，突然施襲，胡賢弟武功雖高，只怕也難以躲得過去。」心中一急，脫口說道：「霞兒千萬不能亂來，爹爹是傷在武當派白陽道長劍下，與你胡叔叔何干？」

萬映霞展顏一笑，道：「胡叔叔和爹爹有著金蘭之義，自是不會和爹爹打架了，不過，我要不激爹爹一下，爹爹絕是不會告訴女兒了，哼！白陽道長，我以後遇上他，定要刺他兩劍，替爹爹出一口氣！」

萬曉光想不到十七、八歲的女兒，竟然是對自己施起詐來，搖頭嘆息一聲，緩步向前走去。父女閒幾句閒話，但卻在不知不覺中植下了殺機的種子，「白陽道長」四個字，已然深深嵌入了萬映霞芳心之中。她自幼在父親撫養愛惜之下長大，父女之情深重無比，而且她從小到大從未看到過她父親受傷之事，如今聽說白陽道長傷了爹爹，心中極是恨惱此人，她很少在江湖之上走動，也不知白陽道長是誰？但對其人，卻是恨之入骨。

萬曉光回到谷中之後，把愛女和追隨他十幾年的徒弟文天生，以及十二名舊屬健僕，一起召入大廳之中說道：「從今日起，你們須加倍留心，監視峽谷各處要道，如若發現有人進入山中，立刻馳回稟報……」

萬映霞道：「爹爹這等謹慎防範，可是爲了白陽道長麼？哼！一個白陽道長，有什麼好怕的？女兒見著他時，讓他變成紅陽道長。」

萬曉光道：「小孩子家，知道什麼！白陽道長乃武當派當代掌門師弟，武功高強，劍術精深，爲父尚且沒有勝他之能，何況你那一點微末武功？」

他怕愛女日後遇上白陽道長之時，真的出手，特以訓教於她，要她心中有所警惕。

哪知萬映霞從小被他嬌寵長大，對他毫無畏懼，當下盈盈一笑，又道：「武當派在武林中甚具聲威，門人眾多，爹爹可是怕他們大舉來犯麼？」

她常聽父親說起武當派的事情，知那武當派乃江湖中一大派系，看爹爹謹慎之態，知道是怕人大舉侵犯。

萬曉光冷哼一聲，怒道：「小孩子家哪來許多閒話！」

萬映霞嬌聲笑道：「爹爹不必爲此憂慮，胡叔叔現在左近，如若武當派大舉來犯，咱們就去請胡叔叔派人相援。」

她見胡柏齡統率天下綠林的豪概之氣，威風凜凜，心中記憶甚深，不知不覺之中，想到了他。

此言一出，萬曉光臉色突然大變，猛地站了起來，奔了過去，厲聲喝道：「爹爹是何等人物，豈能藉仗綠林盜匪之力……」

左手揚處，霍然一記耳光，打得萬映霞嬌軀亂晃，連退三步，粉頰紅腫，指痕宛然，口角間鮮血汩汩而出。

萬映霞生平之中，從未受過父親一句厲言責罵，此刻突然受此沉重一擊，不覺呆在當地，望了萬曉光一陣，突然雙手蒙面，大哭狂奔而去。

萬曉光落掌之後，心中就有些悔恨，既覺言詞之中，有辱義弟，又覺對愛女責罰過重。見她蒙面狂奔而去，心中甚覺不安。

文天生看師父如此盛怒，嚇得一句話也說不出來，滿臉恭謹，靜靜地站在一側。

萬曉光一揮手，對那十二個健僕舊屬，說道：「如遇侵入峽谷之人，不許擅自出手，即速稟報於我。」

十二個健僕齊齊抱拳躬身而退。

萬曉光回目望了文天生一眼道：「你去解勸你師妹一下，別讓她哭出病來。」說完轉身緩步而去。

文天生望著萬曉光緩步而去的背影，流露出無限的淒涼、寂寞，心中忽然生出不安之感，暗道：「自師娘死後，他老人家一直就沉浸在憂傷之中，雖然在武林中享著極高的隆譽，依然無法塡充他老人家內心的空虛，他老人家含辛茹苦地把師妹撫教成人，眼看著師妹聰穎可人，這才使他老人家心裡有了莫大的安慰，可是想不到此番師父受創於白陽道長，在盛怒之下，怒摑了師妹一記耳光，但看他老人家神情，內心也必定極是難過……」

想到此處，文天生不禁深深一嘆，忽又想到師妹自幼被師父視如掌珠，不用說打罵了，就是大聲也不曾有過一次，這一次被師父責打，在她心靈上，自是一種承受不了的痛苦，他與師妹，自小一起長大，深知她的性情剛烈，怕她會做出驚人之事來……

想到這裡，不由打了個冷顫！心中暗自責道：「師父要我去勸她，我卻怎老是在此地癡想些什麼呢？」於是拔腳往後院奔去。

萬曉光對文天生視如親生，「萬月峽」中大小事務，除了萬曉光之外，文天生便可作一半的主，同時內院除了萬映霞及僕婦之外，別無女眷，是以，文天生逕往內室，也毋須有何忌諱。

文天生只道師妹必定是回到臥房了，哪知到內院一看，才知她並沒有回來？心中不免一急！忖道：「師妹嬌養已慣，做事向來任性，這一來不知她到哪裡去了？」

他心裡雖在想著心事，腳下卻一點不敢耽誤，快速地向宅外奔去。

他一面走，卻一面想著師妹可能的去向，忽地心中一動，便向峽後潭邊奔去，那裡乃是他平日和師妹常去玩耍和研習武功之處。

心中有事，腳下更是輕快，不大工夫，便來到峽尾，遠遠地看見一個紫衣少女，伏倚著潭邊一塊大石上，從那秀肩抽動上看去，仍在傷心哭泣。

文天生一見師妹，心中的石頭便放下了一半，忙趕幾步，跑到萬映霞身後，低低地喚道：「師妹，師妹……」

萬映霞只顧伏著痛哭，連頭也沒有抬一下。

文天生叫了幾聲，見她不應，便也倚石坐下，道：「師妹，難道你還生師父他老人家的氣不成？」

說著，望著萬映霞，見她依然沒有反應，嘆了口氣，接道：「師父他老人家望重武林，幾時受過人的欺辱？想不到今天竟負傷而回，心中自然悲憤，你不該在他氣忿之時，出言頂撞。

師妹，你是聰明人，你想想，看愚兄說的是也不是？」

等了片刻，萬映霞還是嚶嚶啜泣，文天生被弄得無法可施，「唉」了一聲，道：「師妹，你跑出來之後，可憐師父心裡不知怎樣難受呢？我從來就沒有看過他老人家那種神色，師妹，快不要生氣了……」

萬映霞猛地一抬頭，秀髮往後一甩，睜著一雙秀目，道：「我才不氣爹爹他老人家呢，我只恨白陽道長，有一天，我總要刺他兩劍，替他老人家出氣。」

文天生心中只想逗她歡喜，隨口說道：「武當派雖是目下江湖上的一大劍派，但咱們未必就真怕他，師父臂上雖然受傷，但傷勢並不嚴重，以此推想，那白陽道長，定然重傷在師父手中了。」

萬映霞忽然拂拭一下臉上淚痕，說道：「爹爹常談武當派武術高強，領袖當今武林，你這般說，分明是故意騙我！」

他們從小就在一起長大，青梅竹馬，早生情愫，萬映霞因受父親寵愛，養成她一種嬌貴之氣，平時文天生總是讓她幾分，久而久之，成了習慣，當下急急辯道：「我哪裡敢騙師妹？如是師父敗在了白陽道長手中，他豈肯輕易地放過師父……」

話至此處，突然沉思不言，良久之後，才自言自語地說道：「其間有一點使人難解之處，卻使我想它不通？」

萬映霞道：「什麼事想不通？告訴我，我來替你想吧！」

文天生微微一笑，道：「武當派乃當今江湖上的正大劍派，師父也是望重一時的大俠，不

知何故？竟然動起手來。」

萬映霞道：「你呀，平日看去，倒是滿聰明的，哼！一旦遇上事情，就變糊塗了！」

文天生被她頂撞得微微一怔，道：「怎麼？師妹想通了麼？」

萬映霞道：「此事最容易不過，我不用想就知道了！」

文天生道：「師妹聰慧過人，學起武功，比小兄要高明許多，但這等江湖之事，你怎麼會知道呢？」

忽然覺著這幾句話，問得有點唐突，趕忙改口說道：「也許因師妹聰明過人，已想到其中原因，小兄願洗耳恭聽。」

萬映霞舉起衣袖，拂拭一下臉上的淚痕，笑道：「一定是白陽道長看到爹爹和胡叔叔等走在一起，待爹爹單獨出谷之時，攔路責問，引起衝突。」

文天生聽得心頭一震，暗道：「果是如此，只怕事情要鬧大了？」

萬映霞原想他聽得此言之後，定會讚揚自己幾句，哪知文天生仰臉望天，凝目沉思，竟似未曾聽得一般，忍不住問道：「怎麼？我說的不對嗎？」

文天生如夢初醒般，連聲答道：「不錯，不錯，不過真要是因此而起，只怕事情不會就此結束……」

萬映霞一正臉色，長長嘆息一聲，道：「平日之中，你看我歡樂言笑，有如孩子一般，你定然認爲我不懂事了，其實，我比你清楚多了。」

文天生道：「師妹智機卓絕，強勝小兄多了。」

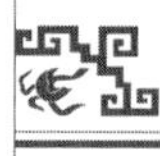

萬映霞道：「我從爹爹那謹慎憂慮神色之中，已然看出……」忽而凝目沉思不言。

文天生暗道：「看她平日跳跳蹦蹦，全無拘束憂苦，一派天真，想不到她竟是這般一個心思縝密之人？」

當下問道：「你看出什麼了？」

萬映霞道：「我看爹爹憂慮的神情，似有甚大的疑難之事，重重地壓在心頭之上，但他老人家十數年來，一直心情平靜，此刻這等憂慮，定是爲著擔心武當派大舉相犯之事……」

文天生道：「師妹果是聰明，說的大有道理。」

萬映霞道：「誰要和你油嘴薄舌的打趣？少講好聽話，人家心裡愁得要死，你倒是滿高興的？」

她微微一嘆，不待文天生開口，又搶先說道：「爹爹打我之時，我確很生氣，但經仔細一想，十幾年來爹爹對我何等寵愛，連一句大聲責斥之言，也未說過，如果他心中不是有無比的煩惱，絕不會出手打我，因此，我想到他心中一定有十分煩惱之事。」

文天生神色凝重，沉思不語，萬映霞幾句話，確實給了他很大的啓示，腦際重又浮現出師父離開大廳的神情，流露出無限的憂鬱淒涼。

萬映霞輕輕嘆息一聲，繼續說道：「爹爹自隱居這『萬月峽』後，十幾年就沒有遇上什麼爲難之事，這次和白陽道長動手之後，突然心情變得十分沉重煩惱，絕非無因而起，以我推想，定是擔憂白陽道長率領武當派大舉來犯，才這般鬱鬱不樂，久聞武當派乃當今江湖之上一大劍派，門人眾多，爹爹一人孤掌難鳴。」

文天生道：「師妹說得不錯，但那武當派乃當今武林正大門戶，絕不會不問青紅皂白地大舉來犯咱們『萬月峽』，縱然師父和白陽道長私人之間，有什麼爭執誤會，也不致引起武當派的大舉報復。」

萬映霞道：「但願師兄說的不錯，萬一事情不幸給我料中，咱們『萬月峽』中這點力量，絕難是武當派的敵手，唯一的辦法，只有去找胡叔叔派人相助……」

文天生吃了一驚，道：「此事萬萬不可，師父乃一代大俠的身分，如何能與綠林道中之人，同流合污，混在一起……」

萬映霞一正臉色道：「除了此法之外，不知還有什麼辦法，能保咱們『萬月峽』安然無事？」

文天生道：「師父深謀遠慮，必有安排，師妹千萬不可擅自行動。」

萬映霞輕輕嘆息一聲，道：「但願我的推斷有錯才好！」緩緩起身而去。

文天生望著師妹的背影，心中暗暗想道：「師父待我恩重如山，我卻未報點滴，現在既然遭遇此等大事，正是文天生相報師恩的機會。」

他雖有此用心，但一時之間，卻想不出該如何著手？呆立了良久，直待日行中天，才緩緩踱回峽中。

時光匆匆，三個月的時間，轉眼已過，「萬月峽」平靜如昔。

但在「萬月峽」外，卻發生了敵訊。

這一夜，夜空寒碧，月明如洗，天上月影倒映山澗之中，蕩漾出千條銀蛇，一波一波，閃閃爍爍，直似水底的天幕，鑲嵌著萬輪明月。

山澗之上，孤峰插雲，峰頂虯松盤錯，下邊，正是「萬月峽」入口之處。

這些峽中要隘，自從萬曉光負創歸來，便命人暗中加強防守。

這一晚這峰頂虯松之上，正是萬曉光的舊屬李茂在此巡防，此人江湖閱歷極深，處事沉著機警，在武功上，也有著很深的修爲，尤其一柄單刀，在江湖上替他出過不少風頭，人稱「快刀」李茂，這峽口既是入峽的咽喉之地，是以便由他輪值在此。

這晚天過三更，月在中天，「快刀」李茂正盤在那虯松之上守望，以他個人經驗，在這月明如畫的晚上，當不致有什麼動靜，心裡就不免減去了幾分戒心。

他在松樹之上，放眼向澗外望去，但見銀光點點，心裡只覺著美景當前，似覺舒暢不少，正在貪看景色間，卻見澗溪水面之上，突然出現兩點黑影，他只道是天上的鳥兒反映下來的影子，但轉念一想，這等夜深之際，哪裡還有鳥兒飛行？

念頭一轉！不由心中一奇？擦了擦眼，凝神望去，卻見那兩點黑影，在金光閃閃中，直向峽口飄來。

「快刀」李茂倒沉著老練，雖知這黑影出現得古怪，但卻一點也不慌張，還是坐在枝椏之上，用心盯牢。

眨眼工夫，那兩點黑影，向右邊一閃，被一塊突出水面的岩石一擋，便自不見了。

「快刀」李茂在江湖上也非泛泛之輩，怎能相信是自己失神，看錯了東西，心裡暗叫了一

聲：「怪！」便藉著樹枝上一點彈力，身子向前一探，已穿到另一棵樹上，又一施勁，越過一樹，不消片刻，已被他連越十數棵大樹，向下一看，那塊岩石，就在眼前，但卻瞧不出一點痕跡，更不要說人影了。

「快刀」李茂心中不禁一急，暗道：「難道真有什麼高手來我們這『萬月峽』麼？」心裡這麼猜算，人已躍落地上，就附近形勢，查勘了一陣，依然找不出一點跡象。

這一折騰，便已天色大亮，他心中有事，回到「萬月峽」也不向旁人說起這事，暗道：「今天晚上，我『快刀』李茂倒要再來碰碰運氣呢！」

天剛黃昏，李茂便攜了單刀，又添了兩樣稱手的小暗器，來到峽口，又在附近轉了一陣，抬頭一看，月已升高，便又隱身樹上，全神貫注地看著那塊突出水面的大石，睜大了一雙眼睛，直近二更，還是不見任何動靜，他不由得笑了一笑，暗自責道：「李茂、李茂，想當年刀裡、劍裡，經過多少風險，哪裡這等擔心過？如今爲了主人的安危，竟這樣小心起來了？」

他心念未完，陡覺澗水「嘩喇」的一響，他暗哼一聲道：「算你有種，果然來了！」當下一緊身，躍落實地，便向峰下撲去。

這「萬月峽」中四面山壁之上，垂有萬道山泉，日夜都有泉水奔流之聲，如果不留心，很難聽得出來其他異響。

李茂存心而來，特別留神，但奔下山壁之後，但見溪水淙淙，哪有一點人影，不禁心頭大奇？暗道：「難道我聽錯了不成？」

他乃久走江湖之人，四下瞧了兩眼，故作若無其事一般，向山壁間一處大突岩上走去，心中暗自盤算道：「山上已有幾處暗樁監視，我不如隱在那大岩之後……」

忖思之間，人已到了那大岩旁邊，正待閃入岩後，突覺身後風聲颯然，心知有異，急忙一個箭步，向前躍去。

他應變之勢雖快，但來人身手奇高，竟然比他還快，李茂雙足剛一著地，連頭還未來得及回轉，突然肩後「風俯穴」上一麻，已被人點了穴道。

只覺衣領被人緊緊抓著，提了起來，直向那大岩之後走去。

這塊突岩，足足有兩間房子大小，但岩石相距山壁，還有三、四尺遠近。

李茂穴道雖然被點，但他神志尚清，只見那巨岩和山壁之間，站了兩個背插寶劍的道人，只因穴道被點，無法叫出聲來，空自心中焦急。

但覺衣領一鬆，被人摔在地上。

抬頭看去，只見點中自己穴道之人，也是位中年道士，身著黑袍，胸垂墨髯，目中神光如電，一望而知此人內功十分精深。

但聽他冷笑一聲，說道：「萬曉光可在谷中麼？」

忽然想到他穴道被點，難以開口說話，當下接道：「現在拍活你被點穴道，但如妄圖逃走，可別怪貧道不教而誅。」

說完，果然抓起李茂，施展推宮過穴的手法，拍活了李茂穴道，此人不知是沒有江湖經驗？還是自恃武功高強？拍活李茂穴道之後，緩步退到後面山口一站，說道：「你現在可以答

覆我的話了。」

李茂轉頭望去，只見剛才站在岩後的兩個道人，已然拔出寶劍，擋在前面出口，前後出路，已被人封擋，當下說道：「你問我什麼話了？」

藉機微一抬頭，向上望去，只見兩旁峭壁，高有數丈，絕非自己輕功，能夠一躍而上。

那中年道人，冷冷地說道：「我問你萬曉光是否在家？」

李茂隨口應道：「你是什麼人？怎地問話毫無禮貌？」

心中卻在暗暗盤算，如何設法脫身？或是招呼同伴？

那中年道人怒道：「我是問你的話，你倒敢反問起我來了？」

李茂道：「你如不說明身分，在下自不便說出谷主行蹤……」言中故賣關子，叫對方猜想不透。

那中年道人仰臉冷笑一聲，道：「貧道白陽，特來找萬曉光，清結一本舊賬。」

李茂凝目沉思了片刻，自言自語地說道：「白陽道長？幾位可都是武當派的門下吧？」

白陽道長武功雖高，但從不涉足江湖，是以知他名頭之人不多，當下臉色微微一變，道：「不錯，萬曉光如若不在谷中，貧道也不便和爾等爲難，不過你要轉告於他，三日之後，貧道重來相訪！」

他見李茂竟然不知他的名頭，忽然覺著堂堂的武當派四老之一，在江湖之上這等藉藉無聞，一氣之下，忽然改變了主意，側身讓開了一條去路。

李茂微微一笑道：「武當派乃江湖上堂堂正正的劍派，做事正該光明磊落，在下定當遵守道長吩咐之言，轉稟谷主，三日之後恭候大駕。」

白陽道長被他搴話一扣，只好冷然說道：「既是如此，三日後貧道再來，屆時不管他在與不在，貧道一樣深入你們『萬月峽』中，凡有阻攔，一律格殺！」

李茂大步走了出去，大約離那突岩一丈餘遠，回身抱拳說道：「道長但請放心，三日之後，在下準在峽口恭候大駕。」

白陽道長冷哼一聲，轉身疾奔而去。

另兩個身背寶劍的道人，一見白陽道長急奔而去，立時相隨奔走。

李茂望著幾人背影去遠，急急向谷中奔去，只見萬曉光一人端坐大廳之上，獨自品茗，當下奔了進去，拜伏地上說道：「李茂有事稟告主人。」

萬曉光揮手笑道：「你起來。」

李茂道：「武當派白陽道長……」

萬曉光道：「我已經知道了，你立刻通知他們，各自準備，第三天一早撤退各處暗樁，齊集門前草坪之上等候。」

李茂怔了一怔！站起身子，奔出大廳。

萬曉光緩緩站起身子，在廳中走來走去，滿臉憂慮之色，忽聽廳外傳入萬映霞嬌脆的聲音叫道：「爹爹！」大步奔了進來。

萬曉光故作歡愉之容，回頭笑道：「你們到哪裡去了？」

萬映霞神色緊張地說道：「剛才我和師兄看到了幾個佩劍的道人，不知是不是武當派中之人？」

萬曉光道：「你們和他們動了手麼？」

萬映霞回頭望了望相隨身後的師兄一眼，說道：「以我之意，要追他們問個明白，但師兄卻極力攔阻，不要我出手，叫我早些回來告訴爹爹！」

萬曉光兩道眼神凝注在愛女和弟子臉上，神情十分凝重地說道：「你們兩人過來！」

他緩步走到桌案之旁，在一張太師椅上坐下，聲音十分低沉地說道：「爹爹有幾句話，要告訴你們，不知你會不會聽？」

萬映霞呆了一呆，流下來兩行清淚，說道：「爹爹可是要女兒和師兄離開此地，避仇遠去麼？」

萬曉光輕輕嘆息一聲，道：「孩子！你很聰明，猜得不錯……」

萬映霞道：「爹爹武功絕世，爲什麼要這般害怕白陽道長尋仇？」

萬曉光道：「武當派乃當今武林中一大劍派，門下弟子眾多，咱們『萬月峽』這點實力豈能抵拒得住？爹爹已年過花甲，生死之事，早已不放在心上，近兩月來，每日愁苦難遣，全都是擔憂你們兩個……」

文天生急上前兩步，拜伏地上說道：「弟子身受師父一十五年教養之恩……」

萬曉光臉色一整，冷冷接道：「武當派的劍術，素有領袖武林之稱，連我都未有勝人之能，你們縱然留在此地，也是於事無補，快些準備一下，立刻隨我出谷。」

萬映霞突然展顏笑道：「爹爹可要和我們一道走麼？」

萬曉光微微一嘆，道：「自你母親死後，我一直對你寵愛有加，縱有錯誤之處，也不忍責罰於你……」

話至此處，緩緩抬起頭來，凝注壁面一幅山水畫上，接道：「這幅山水圖畫，就是你媽媽手筆，你母親幼年本有才女之稱，除了武功之外，琴、棋、書、畫無所不精。」

萬映霞、文天生一齊轉頭看去，只見一片濛濛雲霧之中，隱現出幾座山峰，峰下翠竹環生，小溪迴繞，一座宏大的宅院，突起於溪、竹環繞之中。

萬曉光站起身來，指著壁畫說道：「乍看之下，這畫中景物，和我們『萬月峽』頗多相似之處，其實，這畫中顯示的景物，卻是你母親的故鄉；你母親從小在這等山明水秀之處長大，性愛山水，我費了數年苦心，經營這『萬月峽』，原想把峽中景物，建築成和你母親故鄉一般，使她歡歡樂樂的生活其中，哪知天不假年！我費盡苦心，找遍天下名醫，仍然無法使她沉重的痛勢好轉……」淚水滾滾奪眶而出。

萬映霞大叫一聲：「爹爹。」直向萬曉光懷中撲去。

萬曉光輕拂愛女秀髮，繼續說道：「我為你母親放棄名位，退出江湖，雖然無法挽回她的性命，但爹爹已是盡了最大的心力，凡是我能力所及之事，都已做到……」

但聞嬌啼婉轉，萬映霞伏在爹爹懷中，大哭起來。

文天生垂首靜靜站在一側，眼中淚水也自滾滾而下。

萬曉光黯然嘆息一聲，接道：「如不是為了看顧你這孩子，爹爹早已追隨你媽媽於九泉之下了……」

大廳之中，瀰漫著悲愴氣氛，個個淚水如泉，萬映霞嬌啼之聲，更是遠傳廳外，誰說丈夫不垂淚？只爲未到傷心處……

忽聽一個洪亮的聲音，起自大廳門口，道：「什麼事害大哥這等傷神？」

萬曉光推開愛女，拭去淚痕望去，只見虯髯繞頰的雄偉大漢，和一個絕世無倫的美女，並肩站在大廳門口。

來人正是領袖天下綠林的「冷面閻羅」胡柏齡，和他的愛妻谷寒香。

萬曉光急急迎了上去，強作歡顏，抱拳笑道：「不知賢弟夫婦駕到！未曾遠迎，尙望恕罪。」

胡柏齡緩步入廳，躬身作禮，答道：「大哥怎地對待小弟也這等客氣起來？」

他目光緩緩掃掠過萬映霞和文天生兩人臉上，又道：「大哥這等感傷，定然有什麼憂苦之事，不知可否相告？小弟或可爲大哥一解憂慮。」

萬曉光目睹壁上山水圖笑道：「今日是你大嫂逝世忌日，我們談起此事，不自覺的悲從中來，倒叫賢弟見笑了。」

胡柏齡微微一笑，也不再問，搬轉話題說道：「兄弟近數月中，一直忙碌著內部瑣事，未能前來拜望大哥……」

他微微一頓，臉上泛出歡愉之容，笑道：「總算這數月時間沒有白費，『迷蹤谷』已爲兄弟整理得粗具規模，後日中午，兄弟準備盛宴屬下，特來奉邀大哥……」

萬曉光一皺眉頭，說道：「賢弟一代霸才，竟能在短短數月時間之中，有此大成；『迷蹤谷』人跡難至，賢弟卻把它改做天下綠林盟主的總寨，天然形勢，再加上賢弟一番苦心布署，想來定當如銅牆鐵壁了……」

他微一沉吟，又道：「不過，近日之中，正值你大嫂忌辰，小兄心緒不寧，赴會之約歉難應邀了。」

谷寒香正待開口勸說，胡柏齡已搶先起身說道：「大哥既是心情不佳，小弟怎敢相強，兄弟這就告辭！」

站起身來，深深一揖，拉著谷寒香向外走去。

萬曉光緩步送到大廳門外，高聲說道：「賢弟慢走，小兄不遠送了。」

胡柏齡回身說道：「大哥心緒不寧，怎敢有勞相送！」

萬曉光站在大廳門口，直待兩人背影完全消失不見，才緩緩轉回廳中，說道：「你們即刻收拾點應用之物，咱們馬上動身。」

萬映霞櫻唇啓動，話還未說出口，萬曉光突然一沉臉色，接道：「你如是有著些微孝心之人，就不該再傷老父之心……」

萬映霞呆了一呆，道：「女兒怎敢……」

萬曉光道：「快去收拾行李去吧！」

萬映霞舉起衣袖，拂拭一下頰上淚水，慢慢地轉過身子，緩步向後走去。

萬曉光目光轉動，瞧了文天生一眼，看他仍然站著不動，微怒叱道：「你還不快去收拾行

李！站在這裡等什麼呢？」

文天生垂淚說道：「師父請帶著師妹離此，這峽中之事，由弟子出面……」

萬曉光冷笑一聲說道：「好啊！你的武功已經比師父強了麼？」

文天生撲身拜倒地上，道：「弟子怎敢存這等狂妄之心……」

萬曉光道：「那你還不快去收拾衣物！當真要惹我生氣，教訓你一頓麼？」

文天生仍然跪在地上，垂首不言。

萬曉光心中正當心緒欠佳之時，看他不言不語，心中怒火更大，飛起一腳，踢了過去。

文天生既不敢縱身躍避，也不敢運氣相抗，吃萬曉光一腳踢得全身飛了起來，撞得廳中大桌之上。

但聞一陣砰砰亂響，撞得桌上茶杯橫飛，文天生也被撞得皮破血流，但他卻仍然跪在地上不動。

萬曉光踢中文天生後，已覺出他沒有運氣抗拒，心中甚感反悔，但一時之間，又無法收住去勢，百忙中一吸真氣，力道雖然被收住許多，但去勢仍極凌厲。

抬頭看去，只見萬映霞眼含淚光，濡濡欲滴，站在樓梯口處。

原來她聽到了茶壺、茶碗的撞擊之聲，轉回身來。

萬曉光緩步走到文天生身邊，揮手對站在樓梯口處的萬映霞道：「快去收拾衣物！」

十幾年來萬映霞一直未見過父親發過這樣大的脾氣，瞧了被打的師兄一眼，轉過身子緩步向樓上走去。

萬曉光輕輕嘆息一聲，望著文天生說道：「白陽道長志在找我，我如不在谷中，事情就不能算完；你認爲留在谷中，就可以代替我了？孩子，你用心雖然可貴，但江湖險詐，卻不是你能想得到的！」

文天生慢慢地抬起頭來，挺身站起，滿臉堅毅之色說道：「師娘早逝，師妹一直追隨在師父身側長大，武當派人多勢眾，如若真的大舉尋仇，絕非咱們『萬月峽』能夠抵拒得住，師父留此，和弟子留此，實無什麼不同之處……」

他微微一頓之後，又道：「師妹毫無江湖閱歷，弟子年幼無知，對江湖上的事情，也是毫無經驗，一旦遇上什麼凶險，弟子實難相護師妹安全，不知師父以爲弟子之言，是否有些道理？」

萬曉光被他說得怔了一怔！沉吟半晌，道：「話是不錯，不過你看的只是過於短見，別說我還未必真的會傷在武當派道人手中，縱然傷亡在武當派群攻劍陣之下，他們也將付出代價……」

他黯然嘆息一聲，又道：「孩子，我已活了六十多歲，早已把生死之事看穿，你師妹和你，都還是十幾、二十歲的人，來日方長；你們青梅竹馬，從小在一起長大，兩小無猜，情愫早植，這些事早就看在了我的眼中，我送你們離開『萬月峽』，你們可一直奔她外公之處，那裡山明水秀，風景絕佳，霞兒的外公和幾位舅父，都是飽學之士，和他們相處一起，對你們都有甚大益處，唉！如果你們能夠常留那青山綠水之中，做一對深山隱士，閒暇之時，遊玩於山水之間，怡情養性，真真正正地度一生快樂時光，我縱然死在『萬月峽』中，也將含笑九泉

了！快去收拾衣物，立刻隨我出谷。」

這一番話，無疑已把萬映霞終身之事，託付於他，只聽得文天生滿臉緊張之色，呆在當地，半晌才拜伏地上說道：「弟子、弟子……」

他心中實在早已對師妹傾心，但又覺保護師妹安全事大，非自己能力足以勝任，心中情緒矛盾，使他不知該說些什麼？弟子了半天，仍然是說不出所以然來。

萬曉光道：「你們能否逃出武當派道人之事，還難預料，此事一半天成，一半人謀，還不快去收拾攜帶之物？再要延誤時間，想走也走不了啦！」

文天生見師父心意堅決，知道再說無用，當下站起身子，轉身回房，收拾好應用之物，帶上兵刃、暗器，重回到大廳之時，萬映霞已經在廳中等候。

兩人攜帶的行囊，都很簡單，除了幾件隨身的衣服之外，就是兵刃、暗器。

兩個人似都有千言萬語要說，但卻又似覺無從說起，互相瞧了一眼，垂下頭去。

忽聽大廳外傳來了萬曉光的聲音，道：「你們都只帶這一點衣物，夠用嗎？」原來他早已到大廳外面相候。

萬映霞當先奔出大廳，但見萬曉光背負雙手，身揹著一個藍色包裹，站立大廳外台階之上，臉上微現憂忿之色。

他回頭望了女兒一眼，緩步向前走去。

萬映霞一看爹爹神情，已知他不願多延時刻，緊隨爹爹身後而行。

萬曉光腳步逐漸地加快了速度，行約百丈，已是步履如飛，萬映霞、文天生不得不施展輕身功夫疾追，不大工夫，已然翻越過兩座山峰。

萬映霞忽然想到，此次離開「萬月峽」，不知道何時才能回來？該到母親墳上拜別再走，當下高聲叫道：「爹爹請慢走一步，女兒要到媽媽墳上祭拜一番再走。」

萬曉光停了腳步，回頭道：「此刻寸陰如金，不拜也罷！」

萬映霞幽幽說道：「女兒這次一走，不知要哪年哪月才能重返『萬月峽』中，祭拜母親之墓？」兩行清淚，順腮而下。

萬曉光仰望著無際藍天，沉聲說道：「可以，但卻不許久留。」

萬映霞道：「女兒拜過就走！」

萬曉光不再多說，轉身向丈許寬窄的峽谷之中走去。

原來萬曉光心痛嬌妻之死，不忍把她屍體埋去，異想天開，開鑿一個巨大的石棺，把愛妻屍體放在石棺之中，然後灌滿清水，讓它結成堅冰，棺蓋是用一塊白色透明水晶石做成，把這具石棺存放在十分陰寒之處，不使棺內結冰溶化，只需到那石棺之前，即可瞻仰愛妻遺容。

這條峽谷，十分陰寒，山峰倒掩，非到午夜時分，難見峽月，但谷底兩側，都是堅硬的石壁，看去雖是陰森，但卻十分乾燥。

深入約五丈之後，地勢逐向上升，萬曉光領先帶路，向上奔行。

這道峽谷，除了萬映霞隨父親來過兩次之外，平日甚難得父親允准來此；文天生在「萬月

峽」中居住了十幾年，卻一直沒有來過，他幼年之時，曾受過萬夫人撫育之恩，對那多病嬌弱的美麗師娘，懷念甚深，但卻一直無法找到師娘的墳墓祭拜一下，他也曾暗中問過師妹，探詢師娘遺體下葬之處，萬映霞雖是對他無話不說，但獨獨對此事，不肯告訴於他，文天生問了幾次之後，得不到答覆，也不再問。

但見地勢愈來愈高，直向一處崖壁所在走去。

萬曉光似是十分小心，不時回頭張望。

走完那崖壁傾斜的坡度，到了一處突岩下面，抬頭看去，立壁如削，已無去路。

萬曉光又四下望了一陣，才回身在突岩下的光滑石壁上，用力一推，但聞一陣經微軋軋之聲，石壁突然裂開了一座石門。

一陣涼風吹出，使人猶生寒意。

這是一座兩丈深淺的石洞，四面石壁，光滑如鏡，靠後壁處，橫放著一具石棺，萬映霞目睹石棺，早已忍不住悲傷之情，嬌喊一聲：「媽媽。」仆在地上，大哭起來。

萬曉光舉起手來，輕輕揮彈一下臉上的淚痕，緩步走近石棺，低頭凝視，默然無語，一顆顆淚珠，滴在石地上，發出輕微的聲響。

文天生緩步隨在師父身後，探頭望去，但見那石棺之中，一片晶瑩冰層裡，仰臥著一個美麗的中年婦人，她嘴角間，仍然流現著微微的笑意，神態十分安詳。

翠綠羅衣，在瑩瑩透明的堅冰層中，仍然光彩耀目……兒時的回憶，一幕幕展現腦際，他想到這美麗慈祥的婦人，對他諸般的愛護，殷殷親情，視若己出……他想到她輾轉病榻的痛苦

呻吟，聲聲如訴，但當她清醒時，她仍然拉著他問長問短……

只覺胸中熱血沸騰，淚水奪眶而出，終於難再抑制住滿腔悲苦，大叫一聲，撲到那石棺之下，放聲大哭。

萬曉光默然長嘆一聲，強忍著滿腔痛苦，說道：「時間已然不早，咱們要上路啦！」

文天生長長吸一口氣，緩緩站起身子，拭去臉上淚痕說道：「師父，弟子……」

萬曉光搖搖頭不讓他再說下去，接道：「我決定之事，永不更改，快些拏著東西走吧！」

萬映霞經過一陣痛哭之後，心情似是平靜了不少，拏起放在地上的衣物，站起嬌軀，當先退出石洞。

萬曉光關好石洞密門，正待急步下山，忽見四個佩劍道人，並肩站在十丈外峽谷之中。四個道人都在三旬以上，一色的青布道袍，滿頰黑髯。

文天生回頭望著師父問道：「這四個道人之中，可有白陽道長麼？」

萬曉光一旦臨敵，激動情緒反而平復下來，搖頭笑道：「沒有。」大步直向山下闖去。

文天生、萬映霞緊隨身後，疾撲而下，驟見敵蹤，三人都爲之精神大振，下山的奔行之勢，快速了不少。

頃刻之間，已然到了那四個道人身前一丈左右之處。

萬曉光停下腳來，抬頭打量了四個道人一眼，冷然問道：「四位可是來自武當山中麼？」

左邊一個佩劍道人，答道：「不錯！閣下想必是萬大俠了？」

萬曉光道：「不敢，不敢，在下萬曉光，幾位深入我『萬月峽』來，不知有何見教？」

那左邊的道人，似是幾人之中的首領，合掌笑道：「貧道等是奉白陽師叔的遺派，不讓『萬月峽』的人隨便他往；至於敝派白陽師叔和萬大俠有些什麼約會，晚輩等則不敢多問。」

這幾句話答得十分得體，婉轉之中，和緩地說出了自己的心意。

萬曉光仰臉大笑了一陣，道：「這『萬月峽』乃是萬某人費盡了千辛萬苦開闢的地方，萬某人要出就出，要入就入，幾位既然想阻攔我們，不知憑藉些什麼？」

那左邊道人微微一笑，道：「大俠譽滿江湖，貧道已久慕大名，怎會妄生狂想？但白陽師叔之命，貧道又不敢違抗，只好請萬大俠原諒一二；好在我等只是奉命，監視一方，待白陽師叔和萬大俠見面之後，我等立即撤守……」

他微微一頓之後，續道：「不敢相瞞萬大俠，這『萬月峽』四面八方，都早已有人守望，而且彼此之間，早已約定互通聲息之法。」話至此處，倏而住口不言。

萬曉光微微一皺眉頭，心中暗自忖道：「聽他之言，武當派早已在這『萬月峽』四周滿布暗樁，這兩個孩子，毫無經驗閱歷，不知隱祕行蹤，縱然闖過攔截，也難擺脫人家追蹤鐵騎……」心念及比，忽想到了胡柏齡來，如若把這兩個孩子交他帶走，護送出去，縱有武當派層層攔劫，也是不懼。

正在為難之際，耳際又響起那道人的聲音，說道：「萬大俠名重一時，又和敝派掌門相識，縱和白陽師叔有些誤會地方，也不難解釋清楚，貧道等卻不敢無故相犯。」

左手一揮，四個道人一齊向後退去。

萬曉光聽他說得甚是有理，暗道：「這話確也不錯，白陽道長這等勞師動眾，絕難瞞得紫

陽道長，只要紫陽道長親身趕來，此事就不難圓滿解決；如其讓這兩個毫無江湖經驗的孩子冒險遠去，倒不如留在峽中靜待變化。」

他原是有著豐富閱歷、處事果決之人，但對這等重大之事，也非一時之間，所能決定；因這一決定的後果，將直接影響到他唯一女兒的生死。

抬頭看去，只見四個佩劍的道長，早已退過山彎不見。

萬映霞聰明絕倫，看父親猶豫神色，知他心中正在爲自己之事愁苦，她不願避仇遠走，離開年邁的老父，當下說道：「那老道士說得不錯，師兄和我都是毫無江湖經驗之人，與其避仇遠走，倒不如和爹爹守在一起好些……」

萬曉光輕輕的「哼」了一聲，緩步向前走去。

出得峽谷，只見八個佩劍道人，遠遠站在一處山壁之下，剛好把出峽之路擋住。

原來武當派中之人，早已把這「萬月峽」進出之路，摸得清清楚楚。

忽聽兩聲長嘯，接連響起，對面山峰之下，流星瀉飛般奔下兩人。

來人身法奇快，片刻工夫，已到八個佩劍道人身前。

只見那八個佩劍道人，疾向旁側一閃，讓開了一條路，那兩人也同時放緩腳步，昂頭挺胸而過，神態之間，甚是倨傲。

萬曉光微微一皺眉頭，暗道：「這兩人是哪裡來的？」

但見來人重又加快腳步，疾行如飛，眨眼之間，已到了萬曉光等身前。

當先一人黑紗蒙面，一身勁裝，腰中微微隆起，也不知佩帶的什麼兵刃？

隨後一人，一身落魄的文士裝扮，腰掛銅鑼，肩插鐵筆。

奔到萬曉光身前三、四尺處，陡然停了下來，那面蒙黑紗之人，抱拳說道：「在下等奉了盟主之命而來，萬大俠有什麼事？儘管吩咐。」

萬曉光明知故問地說道：「在下和兩位素不相識，不知是哪位盟主派遣而來？」

那當先之人，因有黑紗蒙面，無法看出他臉色神情，那較後文士裝扮之人，臉色微微一變，似要發作，但終於忍了下去，仰天打個哈哈道：「萬大俠雖和我們素不相識，但總該知道當今天下綠林盟主胡柏齡了。」

萬曉光冷冷接道：「胡柏齡雖和我萬某人有著金蘭之義，但我萬某之事，從來不喜別人插手，敬請兩位上覆盟主，就說我萬曉光心領盛情就是。」

那蒙面之人突然插嘴說道：「武當派在這『萬月峽』外，早已設下天羅地網，萬大俠武功再高，也難以寡抵眾，我們奉命而來，只是聽候差遣，一切悉遵吩咐，絕不擅自出手，萬大俠尚請三思！」

萬曉光將手一揮，道：「盛情只好心領，兩位還是早些請回。」

說著話，緩緩轉過身向前走去，頭也不回地叫道：「生兒、霞兒，咱們走啦！」

那面垂黑紗之人，冷笑一聲，罵道：「好大的架子……」

中年文士低聲接道：「他不願咱們插手相助，那也是無可奈何之事，咱們回去請命盟主，看他怎麼處理？」

那面蒙黑紗之人，重重的「哼」了一聲，說道：「這老兒如此狂傲，如非他和盟主有過結

盟之義，就憑這副神情，也得出手教訓他一頓！」

那文士裝扮之人，微微一笑，道：「鍾兄也不必把此事放在心上，咱們既是受命而來，只要能夠覆命就行，此人外形雖是狂傲，但他心中何嘗不知『萬月峽』這點實力，絕非武當派中之敵，他所以這般惡言相加咱們，只不過怕失去他俠客身分而已。」

那蒙面怪人仰臉呵呵一陣大笑，道：「想不到我鍾一豪竟然會甘心受人之命！」

那中年文士裝扮微微一笑，道：「士爲知己死，女爲悅己容，鍾兄和盟主，都是當今豪俠之士，自然一見相惜。」

這一番話，說得甚是牽強，但鍾一豪卻默然無言，輕輕嘆息一聲，轉身向前奔去。

且說萬曉光帶著弟子、愛女，緩步直向谷中走去，他心中一直在想著是否該讓弟子、愛女離開「萬月峽」？心有所思，不知不覺間，重又走回到莊院前面。

萬映霞幾度啓動櫻唇，想和父親說話，但見他一直皺著眉頭，幾度又忍了下去。

只待到了莊院前面，萬曉光才似有了決定，突然長嘆一聲，道：「好吧！你們避仇遠走，既然未必能逃得武當派追蹤鐵蹄，倒不如留在『萬月峽』中。」

文天生聽得萬曉光允准他和師妹留在峽中，才算放下心中一塊石頭。

萬曉光心中似是甚爲沉重，回頭對兩人說道：「你們先回去吧！我要到外面去查看一下。」也不待兩人回答，放下肩上包裹，逕自走去。

原來他突然變了決定，想單人匹馬去找白陽道長，尋一處幽靜的山坳之中，單打獨鬥，硬

拚一場。

萬映霞望著父親背影，心中忽然生出一種不祥的預感，大叫一聲：「爹爹！」追了上去。

萬曉光突然加快了腳步，但見人影一閃，已穿入翠竹層中不見。

萬映霞追過翠竹圍牆之時，早已不見了父親的蹤影。

不知何故，她心中泛起一種莫名的淒涼，只覺父親此去，難再相見，連聲大叫：「爹爹！爹爹！」但聞滿山迴音，盡是呼喚爹爹之聲。她愈叫愈覺淒涼，叫了十幾聲後，忽然放聲大哭起來。

她在這數日之中，有如度過了漫長的數年時間，由一個天真的少女，陡然間老成了很多，她開始嚐試到生命旅程上的痛苦，生離死別，萬千愁慮，割碎了她一寸芳心，只覺滿腹委屈，無處發洩，這一哭，哀情大慟，愈哭愈覺傷心，一時之間，竟難遏止，熱淚泉湧，奪眶而出。

不知道過去了多少時間，忽聽一聲沉重淒涼的嘆息，起自身後，道：「霞師妹！別哭啦！眼下大事正多，你如哭壞了身體，那就更不值得了。」

轉臉望去，只見文天生劍眉愁鎖，靜靜地站在一側，他雖然在勸師妹不要哭，但自己卻是熱淚滾滾，直落下來。

萬映霞揮袖拭去淚痕，道：「走！咱們找爹爹去！」

文天生道：「師父不要我們隨同前去，縱然找到了，也將招惹他老人家生氣，還是先回去吧！」

萬映霞嬌聲叱道：「那你一個人回去好啦！我要找爹爹去！」轉身向左面山層之中奔去。

五　初生之犢

文天生只得隨她身後奔行，轉過幾個山彎，到一處峽谷出口。

但見四個身佩寶劍的道人，一排攔在谷口。

萬映霞略一停頓腳步，疾衝過去。

四個佩劍道人忽然分散開來，中間兩個向後疾退五步，拔出寶劍，當先兩人卻齊齊合掌當胸，垂首說道：「女英雄請留玉趾。」

萬映霞「哼」了一聲，收住腳步，問道：「我爹爹到哪裡去了？」

左首道人被她問得微微一怔！說：「貧道等奉命守此谷口，已有一日時間之久，並未見到令尊。」

萬映霞心中滿是怨憤之火，怒聲說道：「我瞧著我爹爹到這裡來啦！你們為什麼沒有見到？哼！牛鼻子老道士，就是不肯說實話。」

四個佩劍道人被她罵得個個臉色大變，互相瞧了一眼，右首道人答道：「姑娘不可出口傷人，貧道等素來不說謊言，確實未曾見到令尊。」

萬映霞道：「這『萬月峽』是我們居住之處，你們未得我們允准，跑到這裡來做什麼？」

左首道人答道：「這個貧道很難解說，師長之命，我等不敢不遵。」

萬映霞身子一側，直向谷口衝去，口中嬌聲叱道：「閃開！讓我們過去。」

當先兩個道人同時向中間移動身形，推出一掌。

萬映霞只覺對方推擊過來的掌力，十分強猛，被逼後退了一步，道：「好啊！你們還敢出手打人？」

右首道人合掌答道：「我等奉命守此谷口，任何人也不許擅自通過，只要姑娘不從此谷經過，貧道絕不敢出手相攔。」

萬映霞怒氣愈大，大聲喝道：「這『萬月峽』是我住家之地，我高興往哪裡走，你們還能管得了麼？我非要從此谷經過一次試試。」

翻腕拔出寶劍，硬向谷中闖去。

當先兩個道人，一見萬映霞拔劍攻來，突然向後退去，五步外兩個手橫寶劍的道人，卻猛向前衝來，一退一進，迅快如電，彼此之勢，剛剛錯過，兩個仗劍道人手中寶劍已自探臂擊出，雙劍交錯，阻住去路。

萬映霞長劍急出，一招「野火燒天」玉腕翻揮，手中劍由底向上一抬，竟把兩個道人手中寶劍一齊挑開，嬌軀側進，劍鋒左右掃擊，分向兩個道人攻去。

兩個道人似是未曾料到她竟然施展這等險招，出手兩劍，又狠又辣，被她迫得各自後退了一步。

萬映霞一擊得手，搶了先機，藉勢猛攻，玉腕揮動，連攻八劍。

兩個仗劍道人還真被她這一掄猛攻急襲，迫得連向後退了三步。

陣勢一穩，展開反擊，但聞兩聲大喝，雙劍分由左右兩個方向攻來。

萬映霞初次和人真正動手，心中又急於尋找父親，戰志激昂，銳不可當，出手劍勢，常走險招，一見對方雙劍合擊過來，突然一提丹田真氣，嬌軀凌空而起，右手寶劍，疾向左面一個道人頭上點去。

忽聽左面道人長嘯一聲，喝道：「小姑娘未免欺人太甚，當真就這等藐視我們麼?」振臂躍起，懸空出劍，一招「穿雲射月」，連人帶劍，疾向萬映霞猛衝過去。

原來萬映霞挺險出劍，幾招猛攻，激起兩個道人的怒火。

萬映霞一見二人出劍凶猛，嬌軀側讓，一聲嬌叱，道：「你們身爲清修之人，竟然找上我們這裡來欺人，要是不給你們一點教訓，你們還要恥笑我『萬月峽』中無人呢。」

右面那道人「哈哈」一聲狂笑，道：「丫頭，你要是乖巧一點，還可以饒你一遭；想不到你小小年紀，口齒卻如此之兇?這是你自討苦吃，可怨不得道爺心狠了……」

一語甫畢，與左面那道人，施了一個眼色，但見二人同時躍起，兩柄長劍，宛如兩條出雲神龍，直向萬映霞攻到。

萬映霞滿臉憤怒，銀牙輕咬，正待舉劍封架，突然眼前人影一閃，同時暴出一圈劍幕，已將道人兩道攻來的劍勢架開。

那兩個道人但覺來人劍氣如虹，趕忙抽回劍勢，舉目一看，來人正是萬曉光的愛徒文天生。

文天生躍落場中，橫劍當胸，側臉向萬映霞微微笑道：「師妹乃是千金小姐之體，犯不著跟這種人生氣，這牛鼻子讓小兄來對付就是了。」

左面那瘦長道人，一見眼前這少年，英氣勃發，靜如山岳，一時倒也不敢貿然出手，打量了文天生一眼，問道：「你是何人？何必硬要淌這次混水，與我等作對？」

文天生朗朗一笑，高聲說道：「你們是來者不善，我可不買你這假人情。」

萬映霞道：「你退開去，誰要你來幫我了？」

當著四個道人之面，文天生受她這樣一頓申斥，不覺憋得滿臉通紅，半晌說不出話。

萬映霞似是自覺說得重了一點，歉然一笑道：「文哥哥，你在旁邊替我掠陣，等我打不過時，再上來接替我。」

他們雖然從小在一起長大，青梅竹馬兩小無猜，但像這般親熱的稱呼，還是第一次，萬映霞叫過之後，不自覺粉頰上泛起兩朵紅暈，振劍猛向左面一個道人刺去。

文天生口中「啊」了兩聲，向後退了幾步。

萬映霞寶劍刺向左面道人，左手也同時一掌向右面一個道人劈去。

她似乎存心要對方兩人一起出手，左一劍、右一劍地同時分襲兩人。

兩個道人都被她逼得心頭火起，雙劍齊振，展開反擊，武當派被尊為江湖第一大劍派，門下弟子在劍術上，大都有極深的造詣，兩支劍施展開來，攻勢凌厲絕倫，剎那間兩道劍光，結成了一片劍幕，但見寒光飛繞，片刻間已把萬映霞困入了劍光之中。

萬映霞和人動手幾招，攻得十分銳利，但待對方劍法展開，反擊過來，才知道逢上勁敵，

當下暗咬銀牙，拚出全力，一支劍盡展所學，力鬥兩個道人。

她自小在萬曉光細心調教之下，可以說一出娘胎，就開始練習武功，不但劍術上造詣甚深，內功上也有了十幾年的火候，耐戰之力甚強，在兩個道人凌厲劍勢夾擊之下，仍然能抽暇反擊。

文天生看師妹被兩個道人的劍光所困，心中十分擔心，暗中提聚真氣，凝神觀戰，只要一發現萬映霞難再獨支，立時躍入場中搶救。

哪知瞧了一陣，萬映霞竟然支持不敗，十幾回合之後，更見沉著，反擊之勢，逐漸增多，心中暗暗忖道：「平常之時，看她一派天真少女之態，想不到武功，竟然有這等造詣，這兩個道人劍法，我也未必能勝得了。」

正在忖思之間，忽聽萬映霞一聲嬌叱，手中寶劍奇學突出，一招「鳴鴻離葦」猛向左面一個道人刺去，嬌軀隨著一轉，避開了右面道人一劍，全力向左面一人攻去。

這一招攻勢異常猛惡，那道人竟然被迫向後疾退三步，才算把一劍避開。

萬映霞一招得手，第二招立時緊接著攻了上去，寶劍一偏，「金絲纏腕」連綿而上。

原來她見兩個道人劍術高強，一時之間想勝兩人，甚是不易，心念一轉，立時專指向其中一人猛攻。

右面道人見她劍勢只攻同伴一人，反而向後退了五步。

文天生看得十分奇怪，暗自忖道：「如果聯手，雖然未必能勝得師妹，但最低限度可以多支持一些時間不敗；如是一人和師妹單打獨鬥，二十招內，定將傷在師妹劍下。」

正在忖思之間，忽聽那退到一側的道人長嘯一聲，振劍而上。

右面道人這次出手，攻勢凌厲至極，劍若驚虹，灑出滿天寒星，迫得萬映霞不得不回身接架。

左面道人一見同伴施出武當派中攻勢最爲凌厲的八仙劍法，立時揮劍相應，劍勢一變，也施展出八仙劍法，剎那間，寒光若水，精芒電射，層層劍影，有如怒潮澎湃而來，萬映霞登時被困入一片劍影之中。

兩個武當弟子的全力合攻，場中局勢立時大變，萬映霞不再像初次被困劍影之中那般從容，只覺對方劍勢，有如長江大河一般，綿綿不絕而上，單是招架，已覺十分吃力，根本就無法抽暇還擊，勉強支撐過十回合，已是險象環生。

文天生愈看愈覺不對，右手一鬆腰中扣把，抖出龍頭軟鞭，左手一翻，抽出背上長劍，大喝一聲，直衝過去。

他本和師父萬曉光施用的一樣兵刃「金絲龍頭鞭」，因爲萬映霞不喜用鞭，改用寶劍，好在萬曉光精通各種各類兵刃的武功，遂把鞭法易化爲劍招，傳授萬映霞。

文天生看師妹習劍，不禁見獵心喜，也拏了一支來，跟著學習，他乃好學有恆之人，每日除了練習鞭法之外，又練習劍法，兩種兵刃，居然都被他學得十分純熟。

劍法學好之後，又開始自行摸索著混合應用，常常在夜深人靜之時，起床自行練習，居然被悟出鞭、劍合用的對敵之法。

但他爲人拘謹，因師父沒有正式傳授他的劍法，平日不肯帶劍，今日要和師妹避仇遠走，

故而把寶劍也帶上同行。

他這裡剛向場中躍去，準備解救師妹之危，那守候在一側的另外兩個道人，也一齊飛身撲來，雙劍齊出「力屏天南」擋住了去路。

文天生猛一沉丹田真氣，身子疾落實地，右手「金絲龍頭鞭」一抖，疾向左面點去，身隨鞭進，左手長劍忽化一招「神龍出雲」，刺向右面一個道人。

他手中兩般兵刃，同在一剎那間擊出，搶了先機。

左面道人身子一側，避開龍頭鞭點擊之勢，右面道人，卻一揮手中長劍，硬把一劍封開。

但聞一陣金鐵交鳴之聲，雙劍交觸，文天生立時收劍暴退出六、七尺遠近，略一停息，重又揮劍舞鞭而上。

兩個道人目睹萬映霞和另外兩個道人動手情形，對文天生已不敢存輕視之心，一動上手，立時施展開八仙劍法，分由兩個方向搶攻，寒鋒疾轉，劍風似輪。

文天生左劍、右鞭交互運用，分抗兩個道人的攻勢。

他自學成武功之後，第一次和這等勁敵過招，不但全神凝注應戰，而且求勝之念甚切，在兩個道人全力的猛攻之下，仍然強行反擊，不時響起金鐵交鳴之聲。

白陽道長帶來之人，都是由門下弟子中挑選出來的高手，個個劍術都有著甚深的造詣，而且久習合搏之術，雙劍聯手，威力更是增大不少，武當派的劍術，又講求以靜制動，耐戰之力甚大，萬映霞、文天生又都是毫無江湖經驗閱歷之人，動手之初，攻得十分凌厲，但經過一陣搏鬥之後，氣力消耗過多，攻勢也漸轉遲緩，四個道人，卻是愈打劍勢愈快，攻勢愈猛。

萬映霞生性靈巧，打到五十回合後，已覺出不對，再這般打下去，只是自討苦吃，趁現在尚有餘力，早些衝出圍困，施展暗器求勝。

心念一轉，暗中運集真力，忽然揮劍反擊「唰、唰、唰」一連三劍，果然把兩個道人聯手的綿密劍光衝開，脫出圍困。

兩個道人也不追趕，忽地分向兩邊一躍，橫劍而立。

萬映霞衝破劍光向後躍退的剎那間，已探手從懷中摸出一支燕尾銀梭，但見兩人橫劍不追，倒不好立時打出，微微一怔後，說道：「你們兩人合力出手，我也要施放暗器了。」

兩個道人齊聲說道：「姑娘但請出手。」

萬映霞冷笑一聲，道：「要是你們傷在我暗器之下，可別怪我暗箭傷人！」

玉腕一揚，一道銀光，破空向左面一個道人襲去。

那兩個道人見她出手暗器，夾帶著強勁的尖風嘯聲，心中暗暗忖道：「此女手勁好大！」

心念初動，尖嘯之聲又起，又一道白光劃空飛來，指向右面一個道人襲去。

兩個道人都是武當弟子中挑選出來的高手，不但劍術上有著甚深的造詣，內功、暗器之學，亦都有甚好基礎，一見那萬映霞暗器來勢強勁，立時各自一吸真氣，揮動手中長劍拍出。

但聞一陣金鐵猛擊之聲，兩人同時覺著手中長劍，受了甚強的震動，不禁微生驚駭，暗道：「一個女孩子家，手勁這等驚人，倒是少見！」

萬映霞目睹暗器被兩個道人擊落，立時嬌叱一聲，玉腕連揮，燕尾銀梭連續飛出，但見白光閃動，直向兩個道人飛去，此等連珠手法不難，難在勁道均勻，支支夾帶著破空嘯風之聲。

兩個道人登時被迫得手忙腳亂，只見連珠飛梭有如一道綿連不絕的銀線，接續飛來，儘管兩人不停地揮動寶劍擊打，移動停身的位置，但那連綿的銀梭，卻如長了眼睛一般，緊緊地追著兩人。

眼看兩個道人即將傷在那連環飛梭之下，萬映霞卻突然停下手來，道：「你們兩人之中，有誰認識白陽道長？」

兩個道人被她這等突然的一問，一時之間，真還想不出適當措詞回答？怔了半晌，那左面的道人才冷冷地回答一句，道：「白陽道長乃貧道等師叔，自然是都認識了。」

右面道人指了指萬映霞道：「『白陽道長』四字也是你叫得的麼？哼！沒有規矩。」

萬映霞道：「一個老道士，有什麼了不起？偏要叫他，白陽道長、白陽道長……」她一連叫了十幾聲，才停下口來。

兩個道人氣得臉色鐵青，拏她沒有辦法。

要知武當派門規素嚴，門下弟子平時言行均甚謹慎，不便惡言相加，兩個道人互相瞧了一眼，誰也想不出該說什麼？

萬映霞看兩人氣急之態，不禁嫣然一笑，道：「你們兩人，絕無法躲過我『滿天花雨』和『三元聯第』的燕尾銀梭手法，如想活命，只有一個辦法，那就帶我去見那白陽道長。」

她初次試用暗器手法，眼看把兩個道人迫得慌亂無措，而自己最爲厲害的三種手法，尚未施用，不禁心中一動，暗道：「父親和武當派中結仇，全是白陽道長惹出的麻煩，只要把白陽道長打敗，或是把他打傷，事情就好辦了，我何不先找白陽道長打上一場？如能勝得了他，也

可替爹爹出一口氣。」

她雖聰慧絕倫，但對江湖上的規矩，卻是一點不懂，想到之事，就說出口來。

右面道人冷笑一聲，道：「我等白陽師叔，是何等身分之人？豈肯和你一個後生晚輩的女孩子家動手？」

萬映霞怒道：「你們不帶我去見他？哼！當心傷在我燕尾銀梭之下。」

兩個道人雖已領教了她暗器的厲害，但也不能示弱，彼此互相望了一眼，齊聲說道：「女英雄還有什麼本領？儘管施展就是……」

萬映霞道：「施展容易不過，但咱們要得賭點什麼才行。」

右面一個道人道：「不知如何一個賭法？還請姑娘說明！」

萬映霞道：「我在三種手法之內，如果傷不了你們，立時退出此谷，如果傷了你們，那就請兩位帶我去見你們的白陽師叔。」

兩個道人被她拏言語一激，未做考慮的就答應下來。

萬映霞道：「好吧！咱們就此一言為定了。」

探手入懷中，摸出一把燕尾銀梭，說道：「這一招叫『滿天花雨』手法。」玉腕一揮，七支銀梭一起飛去。

兩個道人的目光，一起投注於那破空而來的燕尾銀梭之上，凝神橫劍，蓄勢戒備。

因那七支破空飛去的銀梭，並不指向兩人，而直向高空飛去，兩個道人雖然覺著奇怪，但卻絲毫不敢大意。

但見那銀梭飛到二人頭頂之後，突然一起向下落來，四支襲向右面道人，三支向左面道人襲去。

這等手法，極是少見，兩個道人心中先爲之大生震驚，舉劍盤頂疾旋，劃起一片劍光。

但聞一陣金鐵交鳴，緊接著響起兩聲悶哼！劍光忽地斂去，兩個道人步履踉蹌地向後退了幾步。

萬映霞初試這等手法，能否傷得兩人，心中亦無把握，定神看去，只見兩個道人左肩頭上，各中了一枚銀梭，不禁微微一怔！暗暗忖道：「這兩個道人，同時被打中左肩，倒是十分奇怪之事？」

原來兩人功力相若，運氣施劍，劍勢到左肩上時，勁力減弱，速度亦爲之緩慢了很多，那盤空疾落而下的銀梭，藉勢而下，是以，兩人同時被打中了左肩。

武當派乃領袖武林的一大劍派，門規極是森嚴，兩個道人對承諾之言，極是認真，中了銀梭之後，果然不再揮劍反擊，同時把手中兵刃，投到地上。

萬映霞本想出言調激兩個道人幾句，但見人家正大磊落的風度，哪裡還能說得出口？緩步走了過去，伏身撿起地上的燕尾銀梭，收入鏢袋之中，說道：「兩位既然輸了，就請帶我去見白陽道長吧！」

兩個道人相互瞧了一眼，一語不發，轉身向前走去。

萬映霞見兩個道人，左肩之上的銀梭，也不拔下，心中暗暗忖道：「我那銀梭之上，都製有倒鬚，兩個道人不知，用力一拔，定然要帶出一片肉來。」

心中忽生慈悲，高聲說道：「我那銀梭尖端，製有倒鬚，如不知起梭之法，定然十分痛苦，兩位請等上一等，待我替兩位起下銀梭，再去找你們白陽師叔。」

兩個道人同時停下腳步，轉過身來，左面一人冷冷說道：「別說區區一枚銀梭，就是斷去一條臂膀，又有何妨？姑娘盛情，我們歉難接受。」

萬映霞暗暗罵道：「哼！不知好歹的老道，不吃一點苦頭，也不知我這燕尾銀梭的厲害。」

回頭望去，只見文天生和另外兩個道人，打得難分難解，不禁心中一動，暗道：「眼下幾個道人，個個武技高強，單憑真實本領，絕難打得過人，我如去找白陽道長，留得師兄一人在此，如果抵不住兩人聯攻之勢，連個救應之人，也沒有了。」

萬映霞自小與文天生在一起長大，萬曉光對二人一般鍾愛，兩人真是情同手足，這時乍逢變故，彼此之間，自是極爲關懷，尤其在這等緊要關頭，更是生死與共，是以萬映霞原想去找白陽道長，但一見文天生獨鬥二人，一時之間，又放心不下，不知是去？是留？難以自決，呆呆地立在那裡出神。

那兩個道人似是抱著速戰速決的心意，施展出八仙劍，這八仙劍若是單打獨鬥，尚顯不出什麼奇奧妙處，如是有人聯手呼應，那就多一個人有多一個人的威力，要是八人聯劍出手，按八卦方位，分布劍陣，那威力便如風雨齊發，雷電共鳴一般，這原是武當絕藝，極少使用。

今天這兩個道人施展出八仙劍，幸好只是兩人配合，尚未把八仙劍的威力完全發揮出來，文天生一人拚鬥二人，一時還不至落敗。

武當道士兩柄長劍，勢如游龍，前後左右，互相策應，交織成一面極大的劍幕，把文天生圍在當中。

文天生初生之犢，又抱著敵愾之心，右手「金絲龍頭鞭」，左手長劍，左封右擋，前衝後擊，這一鞭一劍被他使運得得心應手，熟練已極，竟宛如兩人聯合出手一般。

轉眼間過了三十餘招，武當道士一看鬥了半天，連一個尚未出道江湖的後生都不能取勝，縱然師門不見責，一旦傳揚開去，那實是有傷武當的盛名。

兩個道人互相遞了個眼色，左手也暗中打了個暗號，那左邊年長的道人，猛的抽回長劍，倏地向後退了兩步。

文天生右鞭正迎拒另一道人的劍勢，及見左邊道人忽然後躍，心中還怕他要乘隙施放暗器，哪裡能容他得逞？一個滑旋，身子也左閃二尺，長劍疾吐，直逼那年長的道人。

年長道人既被選派來此，自非弱手，同時他已是成竹在胸，早有打算，一見文天生劍到，卻不舉劍封架，微一冷笑，雙肩略一點晃，人已拔空而起。

文天生一見那年長道人凌空飛起，不由得就提高警覺，本能地左腿斜跨一步，一個旋身，身子一挫，同時右腕微抬，「金絲龍頭鞭」舞起了一圈鞭影，以拒上面的擊襲。

就在文天生挫腰矮身，收鞭揮鞭之時，那中年道人已暴喝一聲，長劍一招「撥草尋蛇」，直向文天生下盤刺到。

文天生邊側受敵，這時自己身矮腿屈，要想躍避，已是無法施爲，同時，那年長道人凌厲的劍勢又自半空壓下，這一來上下受敵，要想化解，乃是大爲不易，而且對敵經驗又少，一時

間，竟不免慌亂起來。

眼看下面長劍就要刺中文天生大腿之際，陡然銀光一閃，其速無比，接著一聲脆響，同時間響起一聲嬌叱，道：「真不要臉，兩個人打人家一個，還用這等歹毒的打法！真不知武當派怎麼好意思在武林立足現世的？」

發話之人，正是萬映霞。

原來萬映霞在一旁，難以決定行止，但是一雙秀目依然凝神注視著場中的變化，她一看師兄竟然鞭劍同時出手，而且使運得奇招迭出，一時童心大發，覺得師兄這等打法，很是好玩，所以就全神的在一旁觀戰。

等到那兩個道人，倏然分開，上下分襲文天生之時，她已料到師兄處境危險，自己要想出手相助，已實是來不及，同時那兩個道人一上一下，配合得勢如迅雷，任誰也無法躍前解救，她情急之下，只得一抖手，發出一枚燕尾銀梭，砸開那直逼文天生下盤的劍勢。

那中年道人長劍吃那銀梭斜地裡一擊，但覺虎口一震，劍勢被逼得偏開去七、八寸遠，心頭一凜，轉臉一看，冷哼了一聲，道：「小姑娘，你好厚的腕力……」說著便緩緩向萬映霞立身之處走來。

在萬映霞銀梭震開那道人長劍之時，那年長道人也已腳落實地，他橫劍當胸，護戒著文天生以防突襲，一面口中說道：「小姑娘，你口不擇言，辱及我武當清譽，如不是看你年幼無知，定然……」

那道人一言未完，萬映霞圓睜秀目「呸」了一聲，道：「你少自命清高，你們這班牛鼻

子，率眾侵犯我『萬月峽』，誰知你們所存何心？依我看……哼！你們是自標清高，其實以你們這等作爲，連黑道上那些幹下五門的勾當都不如……」

這「萬月峽」原本是一片樂土，如今卻因他們的尋仇，弄得愁雲慘霧，甚至骨肉分離，萬映霞自是氣惱萬分，愈罵愈氣，罵到後來，氣得一句話也罵不出來，一掄手中長劍，憤憤地罵道：「你們這班鬼牛鼻子，不要如此欺人！姑娘今天非拏點顏色給你們看看不可。」一躍身，就往前撲。

那中年道士心中正恨萬映霞發梭解圍，見萬映霞撲來，立時揮劍相迎。

二人心中各懷怒恨，更不答話，劍光飛閃，便已鬥在一起。

文天生一見師妹已出手，自然沒有袖手旁觀的道理，右手「金絲龍頭鞭」往腰間一圈，劍交右手，對那道人微微一笑，道：「武當以劍馳名天下，領袖武林，今天我要在劍上領教幾招武當絕學。」

腳下微移，左手一引，劍如長虹，便向那年長道人刺去。

二人這一交手，各出絕學，但見劍影似幕，劍勢綿綿，鬥在一起。

那邊萬映霞滿腔怨怒，再加上方才力鬥另外兩個武當道人，是以在交手二十招過後，便感到有點心氣浮動，後力不繼，心中不免一動！暗道：「我何苦與他這等長拚下去？何不用燕尾銀梭攻他！」心念微動，手中不覺間就慢了下來，待她取出銀梭，那道人已暴喝一聲，長劍挾著萬鈞之勢襲來。

萬映霞手下一慢，先機頓失，要想扳回劣勢，已是不易，只得硬著頭皮，一抖手，打出兩

枚燕尾銀梭，但淩厲的劍勢，也已襲到。

就在這千鈞一髮之際，猛然響起一聲：「霞兒不要慌亂……」

隨著話音，一股強猛絕倫的內勁，嘯空而至，但聽一聲悶哼，那道人被震得踉蹌跌出一丈多遠。

定神看去，只見七、八尺左右之處，站著面色鐵青的萬曉光。

萬映霞一見父親，立時大叫一聲：「爹爹！」撲了過去。

萬曉光目光流動，瞧了女兒一眼，輕伸右手，把萬映霞撲來的嬌軀，撥在一邊，仍然一語不發。

這時，全場的搏鬥，都停了下來，那個被萬曉光劈空掌震傷的道人，似是受傷不輕，嘴角間鮮血汩汩而出，但卻圓睜著雙目，靜靜地躺在地上，不出一句呻吟之聲。

萬映霞發覺了父親臉色有異，心中甚是惶恐，只覺千言萬語，齊湧喉間，一時間也不知說些什麼才好？

文天生倒提「金絲龍頭鞭」，緩步返到師父身側，雙方面形成了對峙的局面。

萬曉光眉宇幾度泛上殺機，緩緩地舉起手來，但又幾度放了下來。

忽聽那被萬曉光掌力震傷的道人，大叫一聲，噴出一大口紫血，雙腿一伸，閉目而逝。

萬映霞生平未遇過此等之事，嚇得「哎喲」一聲驚叫。

仔細看去，只見那一灘紫血之中，不少團團的血塊，敢情這道人已被萬曉光強勁的劈空掌力，震得內腑碎裂。

三個武當道人的眼中，緩緩地流出淚水，但卻無一人去扶那躺在地上的屍體。

萬曉光臉色逐漸恢復了正常，低聲對文天生和萬映霞道：「咱們走啦！」當先轉過身子，緩步而去。

萬映霞、文天生緊隨在師父身後，走約五、六丈遠，突見一道橫過峽谷之中，急奔而出十幾個道人，個個手捧長劍，一字排開。

萬曉光冷哼一聲，停下腳步，但見一股黑氣，泛現臉上，片刻間，滿臉盡成了鐵青之色，雙目圓睜，眉宇間殺機重重。

萬映霞從未見過父親這等臉色，芳心中大為震駭，低喚了一聲：「爹爹，您是怎麼……」

文天生輕輕地扯了萬映霞衣角，說道：「師父已默運神功，準備克敵，你別分散了他老人家的心神。」

只見那一十二個捧劍道人，一齊停下腳步，個個臉上一片肅穆。

萬曉光只道幾人要布置什麼劍陣，右手一抬，平胸推出一掌。

一股強厲絕倫的暗勁，直撞過去，左首一個三十多歲的道人首當其衝，悶哼一聲，身軀飛了起來，摔出去七、八尺遠，跌在地上，口中噴出一口紫血，抱劍而逝。

餘下的十一個道人，臉色同時為之大變，但也只回目瞧了那傷亡在地上的道人一眼，仍然靜站在原地未動。

萬曉光右手連揮，強勁的劈空掌力，連續擊出，但聞悶哼之聲，不絕於耳，眨眼之間，被

他連傷五人，每人都摔出七、八尺外，口噴紫血而死。

奇怪的是活著的道人，仍然一動不動的站在原地，捧劍而立，毫無出手之意？

萬曉光突然心頭一凜，暗道：「一個人生死之事，是何等重大？但這十幾個道人何以竟會把生死看得這等輕賤？縱有視死如歸的豪氣，也不致這樣的束手待斃？」他緩緩放下舉起的掌勢，心中疑竇重重，不知這些道人們，用心何在？

只見餘下的七個道人，仍然原姿不變的捧劍而立。

這等藐視生死的豪氣，不但是文天生、萬映霞看得心寒膽顫，就是久走江湖的萬曉光，也看得暗生敬仰之心，當下閉目而立，散去凝集的功力，正待開口相詢，忽見那山谷之中，又緩緩走出來四個眉目清秀的年輕道童。

四人一般打扮，髮挽道髻，身著青色道袍，背上斜插寶劍，手中拏著拂塵，年紀都在十八、九歲左右。

萬曉光只覺這四個道童，面目形貌甚熟，但一時之間，卻想不起在哪裡見過？

四個道童一見那五具屍體，嫩臉上立時泛現出一股殺機。

當先那道童，望了萬曉光一眼，冷冷地問道：「我這五位師兄，可都是萬大俠殺的麼？」

萬曉光聽得那道童聲音，忽然想到這四個道童正是武當派門人紫陽道長的隨侍護法，不禁大吃一驚！暗道：「難道紫陽道長也來了不成？」

一面緩緩點頭，答道：「不錯，他們五人都是傷在我的手中。」

那當先道童冷笑一聲，道：「萬大俠好辣的手段！無怪被人尊爲『神鞭飛梭』……」

萬曉光接道：「他們雖是傷在我的手中，但我並無存有傷害他們之心，事出誤會，一時間收手不及。」

那道童又冷笑一聲，道：「連傷五人，個個被震碎內腑，還說是事出誤會？如果萬大俠有了殺人之心，只怕我這十二位師兄，盡要送命在萬大俠的手下了？」

五屍橫陳，鐵證如山，萬曉光縱有蘇秦的辯才，也無法解說得清楚。

正自沉吟的當兒，忽聽一聲朗朗大笑，道：「萬大俠別來無恙，還識得貧道紫陽麼？」

抬頭看去，只見一個五綹長髯垂胸，身著藏青道袍，身軀修偉的道人，出現在谷口之處。此人一派仙風道骨，望去飄飄出塵。

萬曉光抱拳說道：「不知道長鶴駕光臨，萬某未能遠迎。」

紫陽道長目光一掠橫臥在地上的五具屍體說道：「貧道因事他往，師弟白陽擅傳令諭，派遣門下弟子相犯『萬月峽』，貧道返山之後，驚悉此訊，連夜趕到此地……」

他輕輕嘆息一聲，望望橫陳在地上的五具屍體，倏而住口不言。

這位譽滿武林的大宗師，雖然目睹五個弟子的慘死之情，仍然能保持著鎮靜神態。

萬曉光忽然向前欺進兩步，抱拳說道：「道長晚到一步，萬某已鑄成大錯，連傷了貴派中六名弟子。」

紫陽道長單掌當胸，還了一禮，笑道：「不知萬大俠施用的什麼武功？竟能在片刻之間，連傷了本派中五個弟子。」

萬曉光沉吟一陣，道：「萬某施展的武功難登大雅之堂，對連傷貴派門下六個弟子之事，願憑道長裁決。」

紫陽道長微微一笑，還未來得及說話，忽聽身後傳過來一個冷冷的聲言，說道：「殺人償命、欠債還錢，萬大俠連傷了我們武當派六個弟子，償還三條人命，不算苛求吧？」

萬映霞抬頭望去，只見兩個身佩寶劍的中年道人，並肩而立，站在紫陽道長身後四、五尺處。

萬曉光拱手笑道：「青陽道兄說得不錯，萬某人既然殺了人，自是應該償命，不過，諸位無緣無故地侵入我『萬月峽』中，只怕也非武林公道？」

剛才說話的道人，轉臉對身旁的道人說道：「師弟，掌門師兄既已親自趕來，你還有什麼隱瞞的必要？還不快把經過之情，告訴掌門，聽候裁奪。」

紫陽道長突然回過頭去，冷冷地說道：「兩位師弟，過來一步，愚兄有話要問你們。」

原來在他身邊這兩個道人，都是紫陽道長的師弟，和紫陽道長並稱武當四陽的青陽、白陽，還有一位金陽道長，因修習上乘內功，閉關十年，限屆未滿，沒有同來。

青陽、白陽急急奔到師兄身前，躬身說道：「師兄有何教誨？」

紫陽道長冷冷說道：「哪個擅傳令諭，調遣門下弟子來此的？」

白陽道長急道：「小弟擅自作主，私傳令諭，願受門規裁制……」

青陽道長截住了白陽道長未完之言，接道：「師兄神目如雷，豈能容得師弟欺蒙……」

他回頭望了橫陳在地上的五具屍體一眼，接道：「白陽師弟有心要代我受過，其實擅傳令諭，調遣弟子來此之事，全是小弟所爲。」

紫陽道長冷笑一聲，道：「你們可記得派中規忌條律麼？」

青陽道：「小弟記得，願領責罰。」

紫陽道：「那很好，你們兩人雖然輕重有別，但卻已犯了本門戒律，雖然輩分尊長，但也得一樣受罰……」

他略一停頓，突然聲色俱厲地喝道：「給我拏下。」

四個眉目清秀的道童，立時奔了過去，從懷中取出兩條金索，把兩人綑了起來，推到一邊。

萬曉光一陣羞紅，泛上臉來，疾向後面退了五步。

紫陽道長高聲說道：「萬大俠但請說出重創本派弟子的武功手法，貧道也有解救辦法。」

萬曉光嘆息一聲，道：「道長雖有靈丹妙藥，只怕也無法救得幾人性命了，他們已被極歹毒黑煞掌力，震碎了內腑。」

紫陽道長臉色忽然一變，道：「萬大俠練有黑煞掌力，倒是大出了貧道意外？」

萬曉光苦笑一下道：「在下雖練有這等歹毒的功力，但生平之中，很少用過……」

他本想開口認錯，但是話到口邊之時，竟又難以說出來，倏然而住。

紫陽道長面色漸轉緩和，但聲音仍冷峻地問道：「萬大俠這黑煞掌力，不知是何人傳授？」

這等口氣問話，本極難使人忍受，但萬曉光目睹紫陽道長下令綑綁了兩位師弟之舉，心中甚感愧疚，對紫陽道長這等咄咄逼人的口氣，也不放在心上，長嘆一聲，答道：「此事說來

話長，在四十年前，無意之中救得一位身受重傷的黑道高人，曾在一所荒涼的廟宇之中陪他養息傷勢，俟他傷勢稍好之時，就開始傳我這黑煞掌力，當時在下年紀尚幼，不知這功夫歹毒無比，他傷勢在一月之後已然好轉，但卻故意拖延時間，留在那座破廟之中，過了三月之久，直待我黑煞掌奠了基礎，他才飄然而去，臨走之際，曾經再三叮嚀我，要我日夜苦練，三年可望小成，五年中成，十年大成……」

紫陽道長接口問道：「那個授你武功之人叫什麼名字？」

萬曉光搖頭說道：「他一直未告訴過他的姓名。」

紫陽道長道：「他的形貌，萬大俠總該記得吧？」

萬曉光點頭答道：「那人長相怪異，任何人只要見上一面就不易忘去，雖已相隔了四十多年，但我至今想來，仍可清晰的記得他的形貌。」

紫陽道長仍然異常冷漠地說道：「萬大俠記得那人形貌，最好不過，快……」言未盡意，但卻倏而住口。

萬曉光雖覺著紫陽問話神情不對，但他心中愧於連傷人家六個弟子之事，仍然忍了下去，仰臉思索片刻說道：「那人五短身材，瘦骨嶙峋，手臂特長，直垂膝下，其他面形如何，恕我已記不得了。」

紫陽道長冷然說道：「他和你相處三月，當真就沒有告訴你他的姓名麼？」

萬曉光聽他口氣，愈來愈是不對，不禁一皺眉頭，答道：「在下生平之中，從未說過謊言，道長不信，那也是無法之事。」

紫陽道長一拂長髯，笑道：「萬大俠如若真的不知道那人姓名，貧道倒可奉告。」

萬曉光道：「道長請說，萬某人洗耳恭聽。」

紫陽道：「他就是黑白雙魔中的『黑魔』時佛。」

萬曉光怔了一怔！嘆道：「在下練成這黑煞掌力之後，生平之中，甚少應用，故而知道此事之人不多，還是聽人談起黑煞掌力之時，才知我練的武功是黑煞掌。」

紫陽道長冷然一笑，道：「萬大俠雖然深藏不露，數十年江湖行蹤，竟無人知道你懷此絕技？不過，十年之前，開封城發生的一樁震駭武林的慘案，十四位武林高手，被殺在黃河渡口的事，萬大俠總該記得吧？」

萬曉光道：「那樁慘案轟傳江湖數年之久，在下雖然已封刀歸隱，但對此驚天動地的大事，也曾聽人說過。」

紫陽道長仰首望著天上悠悠白雲，道：「萬大俠可知那十四位武林高手是何等人物麼？」

萬曉光道：「這個，在下倒不清楚？」

紫陽道長道：「貧道可以詳盡奉告。」

萬曉光道：「在下洗耳恭聽。」

紫陽道長略一沉思，道：「十四個人中，有五個是敝派門下，四個是少林寺中的僧侶，其他崑崙門下兩人，和三個中原武林中的名鏢頭，貧道得到凶訊之後，曾親自趕到現場勘查，十四人中，六人是中黑煞掌力而死……」

萬曉光冷笑一聲，接道：「怎麼？道長懷疑是我萬某人所為麼？」

紫陽道長不理萬曉光的打岔，繼續接著說道：「百年以來，練有這等黑煞掌力，而有大成者，遍天下只有『黑魔』時佛一人，但黑白雙魔四十年前被本派上一代掌門人，率領崑崙、峨眉等三大劍派高手圍剿，雖然被他們衝了出去，但二魔都已身負重傷，此後數十年間，從未再在江湖露面，天下武林同道，都認爲兩人受傷甚重，絕難逃得性命，想不到今日從萬大俠口中得到了『黑魔』時佛未死之訊……」

萬曉光道：「如果道長懷疑那開封郊外黃河渡口，連殺一十四位武林正大門派高手的兇嫌中有我萬某……」

紫陽道長拂髯長笑，打斷了萬曉光未完之言，接道：「在貧道未搜得證據之前，不敢妄自猜想，但當今江湖之上，除了『黑魔』時佛練有這等功力之外，萬大俠可算是繼承他衣缽之人，只怕『黑魔』時佛之外，再也沒有萬大俠這般成就之人了？」

萬曉光被他連番激刺，不禁怒火大起，高聲說道：「道長這般撩撥兄弟，不知是何用心？」

紫陽道長道：「那件兇殺慘案發生之後，在下亦曾和幾位少林寺中高手，帶領著兩派門下弟子，四出追尋敵蹤，查訪了三月之久，沒有一點消息，貧道雖不敢妄言萬大俠參與此事，但萬大俠身負絕毒的黑煞掌功，卻是千真萬確之事。」

萬曉光微微一聲冷笑，道：「道長心意萬某知道了，敢是道長自開封那樁血案之後，就一直暗中注意練有黑煞掌功之人？但是多年以來，一直沒有發現，今天一見萬某具有此等掌法，便認爲當年黃河渡口之事，必是我萬某所爲，你說是也不是？」

紫陽道長依然不動聲色，緩緩說道：「萬大俠你會錯了貧道之意了！貧道自接掌武當以來，處理事務，從不敢妄憑想像，在未得確實證據之前，也不敢妄加他人莫須有之罪名。」

萬曉光略現不耐之色，道：「既然如此，那麼道長不厭其煩地與我提這舊事爲何？道長身爲武當掌門之人，領袖武林，有話又何不直言？何苦效那忸怩之態？」

紫陽道長笑道：「萬大俠快人快語，令人敬佩，貧道現在也別無他圖，只想在萬大俠的黑煞掌下，討教兩招絕學……」

萬曉光未待話完，便道：「別的萬某可以考慮，如若道長要試試黑煞掌，恕萬某歉難應命。」

紫陽道長道：「這黑煞掌百年以來能有成就的不過一、二人而已，尤其近數十年來，江湖間更難得一見，這等罕見的武功、曠世的絕學，既被貧道有幸會到，如不討教一二，那可是終身憾事，所以貧道才不自量力，要想萬大俠賞臉，賜教一二，那真感謝不盡。」

萬曉光皺了皺眉頭道：「萬某雖然學得此種武藝，卻極少使用，道長雖然是有興，但萬某卻不能胡亂出手。」

說到此處，頓了頓又道：「今天萬某傷了貴派門下弟子，殺人償命、欠債還錢，乃是天下最公道不過之事，只要你道長說得公道，在下無不遵從。」

紫陽道長道：「貧道身受武當、少林以及幾家武林宗師之託，要我查訪擅長黑煞掌的人物，今天萬大俠既然坦白承認，而又不肯向貧道一試，將來一旦傳揚出去，貧道必受各方責難，爲了表示貧道處事公允，只有望萬大俠露一手，讓貧道接接試試，如若萬大俠過於固執，貧道……」底下的話，倏然而住。
萬曉光環視了一眼，沉然不言。
紫陽道長倏然哈哈大笑。
萬曉光驚訝地問道：「道長爲何發笑？」
紫陽道長嘆道：「人言萬大俠光明磊落，今日一見之下卻不過爾爾，叫貧道好生失望。」
萬曉光一捋長髯道：「道長此語指何而言？」
紫陽道長笑道：「貧道再三要求萬大俠施展一、兩招黑煞掌的絕學，以開貧道的眼界，也可以證明黃河案究竟是否萬大俠所爲？想不到萬大俠卻畏首畏尾……」
萬曉光一聲朗嘯，道：「非是我萬某畏首畏尾，我只覺得傷了貴派門下，心中甚覺歉疚，願受道長裁制，已不存與道長動手過招之心，料不到道長卻一再相逼，如若萬某再不依從，那也實在有違雅意，不過……」
紫陽道長接道：「不過什麼？」
萬曉光道：「萬某願意獻醜，但那只是萬某個人之事，尙祈道長下令，放任小女及小徒離開此地，否則，恕萬某難以答應。」
紫陽道長點頭微笑道：「好，你請放心就是。」
萬曉光微一調息，猛然喝道：「如此，道長請接我一掌試試。」
紫陽道長對這一種綠林道上素負盛名的絕學，絲毫不敢大意，當下暗中提聚真氣，低聲對身側四個相隨道童說道：「你們帶著兩位師叔，退後一點。」

四個道童應了一聲，扶著白陽、青陽退後九尺。

萬曉光凝神而立，暗中提聚真氣，只見一股黑氣，泛上臉來，片刻之間，滿臉盡成了鐵青之色。

紫陽道長圓睜雙目，怔怔地瞪在萬曉光的身上，看他臉上變成鐵青之色，心中方不禁暗自驚駭，忖道：「此人功力能變血色，實是不可輕視。」暗中提足了全身真氣，護住要穴，蓄勢待敵。

萬曉光緩緩舉起右掌，向前走了兩步，手掌輕輕搖揮了幾下，示意紫陽道長準備。原來他這黑煞掌功，提足到十成功力之後，全身血脈都爲之賁張，一開口，功力即將散去一成，是以，不能開口說話，以手示意紫陽道長準備。

紫陽道長略一沉思，笑道：「萬大俠但請出手，貧道已經準備妥當了。」

萬曉光微一點頭，舉手一掌推了過去。

紫陽道長知這黑煞掌力，乃黑道中極負盛譽的絕技，除了掌勢雄渾勁猛之外，還挾有異常強烈的毒氣，一被擊中，縱然不被震死，亦將爲掌毒所傷，除了運集真氣，護住要穴之外，亦運起武當派至柔的綿掌功力，揮手一接。

萬曉光掌勢出手，立時有一股極強極猛潛力，急湧過去，撞向紫陽道長。

紫陽道長腳下凝步如樁，綿掌迎勢拍出，正迎在萬曉光推過來的強猛掌力之上。

一股綿綿的陰柔之力，和那極強、極寒的黑煞掌力一接，紫陽道長身子微微向後一仰，萬曉光的身子卻不自主向前一栽。

紫陽道長微微一笑，道：「萬大俠黑煞掌力果然不錯，但貧道興猶未盡，甚願再接一掌試試。」

萬曉光突然向前躍進兩步，欺入紫陽道長身側，舉手又是一掌劈下。

紫陽道長足踏子午樁，施展綿掌功夫，又硬接了一擊。

這一次兩人手掌接實，萬曉光只覺掌勢如同擊在一團棉花之上，對方掌力迅捷的向後收縮而去。

紫陽道長一觸在萬曉光手掌之上，只覺如觸冰鐵之上一般，甚是寒涼，不禁心頭大感驚駭，暗道：「這黑煞掌功，不但門徑別走，而且其強猛之徑，亦甚強烈，單是這等雄渾的掌力，就不易接下來。」

心念轉動之間，萬曉光又是一掌劈了下來，這一掌是他全身修為所聚，威勢非同小可，強猛勁道直劈過來。

紫陽道長大喝一聲，又硬接了一掌。

這一聲之下，兩人都用了全身功力，紫陽道長吃萬曉光強猛絕倫的掌力，震得向後退了三步，萬曉光也被那強猛的掌力震得向後退了一步。

紫陽道長退了三步之後，微閉雙目，略一調息，人已復元，萬曉光卻一直靜靜地站著不動。

只見他臉上的黑氣，逐漸散去，閉目靜站了一盞熱茶工夫之久，才睜開眼睛，笑道：「道長功力深厚，在下不是敵手，我已身受重傷了！」說話之間，緩緩舉起右手。

天香飆

紫陽道長凝目望去，只見萬曉光，右手之上一片紅腫，五指都已浮腫起來，比平時粗了一倍。

萬映霞嬌喝一聲，奔了過來，玉腕一伸，直向萬曉光右手之上抓去。

萬曉光右手一縮，低聲說道：「快些回去，我右手已被紫陽道長震傷，黑煞掌力的劇毒，已侵入了右臂之上。」

萬映霞怔了一怔，道：「中了黑煞掌毒，難道就沒有救了麼？」

萬曉光笑道：「能否有救？還很難說……」

他微微一頓之後，臉色突然轉變得十分嚴肅，接道：「霞兒，紫陽道長已答應放你們兩人，還不快些過去，謝過紫陽道長。」

萬映霞秀目轉動，兩道奇異的目光，緩緩移注到紫陽道長的臉上，蓮步輕移，緩緩地走了過去。

萬曉光心中暗自欣慰，忖道：「這孩子平日之中，總是不肯聽話，想不到遇上重大之事時，倒能辨分輕重。」

心中正在高興，忽見萬映霞柳腰一挫，迅快無比地向紫陽道長衝去，背上寶劍同時出鞘，連人帶劍猛向紫陽道長撞去。

紫陽道長冷哼一聲，袍袖一拂，迅快絕倫的向後讓開了三尺。

只聽兩聲清叱，兩支劍分由左右兩個方向襲來，來勢奇快，一閃而至，雙劍交錯，擋住了萬映霞的去路。

原來那四個清秀道童，一見萬映霞揮劍攻擊紫陽道長，立時有兩個仗劍躍奔過來。

萬曉光大喝一聲：「霞兒住手！」

語音未畢，忽見萬映霞玉腕連揮，七支燕尾銀梭連番出手，齊向紫陽道長襲去。

紫陽道長似對萬映霞這等暗施突擊的舉動，甚感不滿，臉色微變，揮掌拍出。

一股強厲絕倫的掌風，連撞在萬映霞擊來的銀梭之上，七支燕尾銀梭，盡被掌力震飛。

兩個道童同時大喝一聲，各自刺出一劍，把萬映霞迫得向後退了一步。

紫陽道長微微冷笑，道：「小娃兒太不知天多高？地多厚？」兩道炯炯眼光，直盯著萬映霞。

萬映霞因老父受傷，芳心憂急，假意上前道謝，暗中早已存了與紫陽道長相拚之心，遽然出劍，原打算給他一個猝不及防，哪知紫陽道長機識過人，已然暗中戒備，那四個道童，雖年紀輕輕，但朝夕伺候著紫陽道長，耳提面命，對武當技藝，已是浸淫有素，是以出劍封架，迅如電閃。

萬映霞一擊未中，心中更爲悲憤，一怒之下，又施出全身功力，連環打出七支燕尾銀梭，在她想，老道士定然無法避閃。

哪知紫陽道長功力深厚，一揮之下，銀梭失效，同時又被兩個道童連劍相逼，萬映霞心中那份憤怒，可以說到了極點。

萬映霞被逼得退站一旁，紫陽道長厲聲相責，忍不住一蹙秀肩，橫劍當胸，嬌聲怒道：「你們這些鬼牛鼻子道士，一再犯擾我們『萬月峽』，逼傷我爹爹，哼！要是我爹有什麼好

歹？我非跟你拚了不可……」

他們父女相依爲命，骨肉情深，萬映霞更是乍遭驚變，心裡說不出是一種什麼難以忍耐的滋味！說到傷心之處，不禁鼻子一酸，滾下幾顆熱淚來。

萬曉光先是以爲她順從自己心意，向紫陽道長行禮致謝，好讓他們早點離開「萬月峽」，哪知她依然倔強任性，猝然間發動暗襲，心中大急，喊了一聲：「霞兒住手……」就陡覺舌頭一僵，眼前一花，底下出聲不得。

文天生一見師父神情不對，急忙雙手相扶，就地坐下。

萬曉光坐下後，甚不放心，勉力睜開雙眼，一看萬映霞橫劍站在那裡流淚，心中不由一酸，要想呼喊，卻又無力，只得把眼睛向文天生望了一眼。

文天生道：「您老人家是要我把師妹叫回來麼？」

萬曉光微微點了點頭。

文天生叫了一聲：「師妹……」

萬映霞回頭一看，見老父頹然坐在地上，再看師兄臉色凝重，不由心中一凜，轉身一躍，落到萬曉光身側，嚶了一聲，就想伏到老父身上。

萬曉光使勁一閃身軀，急道：「不要碰我。」

聲音說得雖大，咬字已是沉濁不清。

萬映霞移向前一步，含淚道：「爹爹，您心裡覺著怎麼樣？身上可難過麼？」

萬曉光苦笑了一下，道：「你們都不要碰我的肌膚，以免染及毒氣。」

說著又深深嘆了口氣道：「霞兒你怎地不聽我的話呢？唉！你這孩子，也太頑強了！連我都不是他人對手，你能有多大能爲？你平日倒是聰明可喜，怎麼臨到這等重要大事，反而糊塗起來了呢？」

他說了一陣話，不由得喘息起來，顯然是內氣不繼。

萬映霞怔怔地望著她爹，道：「那麼我們背負著爹爹，一同離開這裡，好不好？」

萬曉光緩緩地搖了搖頭，苦笑道：「我身負傷毒，你能把我帶到哪裡去？」

萬映霞憂急地道：「那總不能讓爹爹一個人留在此地！」

萬曉光望了愛女和愛徒一眼道：「我又何嘗肯讓你們這毫無江湖經驗的人，跋涉遠走！只是事到如今，也只有這樣辦了。」

文天生擦了擦眼淚，道：「武當派也算得是江湖上正大門派，師父既然身受重傷，拚去弟子的性命，我也要背負著你老人家離開此地，難道他們真能趕盡殺絕的阻攔我們不成？」

萬映霞朝文天生看了一眼，道：「對了！讓師兄背起您老人家，我在一旁護衛，咱們出去之後，再設法到外公那裡去，或是到胡叔叔那裡。」

萬曉光看著這一對心愛女兒和門下的情深意真，心中更是難過，忍不住淌下兩行老淚，再俯首一看右手，原先的紅腫之色，已漸呈紫黑，他轉臉對文天生道：「生兒，你去撿一根樹枝來。」

文天生依言撿來一根樹枝，他不知師父此時要此物有何用處？心中也不便多問，只好怔怔地送上。

萬曉光左手接過樹枝，輕輕地舉手向右手上敲去。

文天生和萬映霞二人看得呆在一旁，不知如何是好？

萬曉光敲打了兩、三下，忽地又使勁擊打，打了三數下，臉色驟然一冷，揮起樹枝猛力狂抽自己的右臂。

文天生和萬映霞從未見過他這等失常的狂態，他這一陣狂打猛抽，只嚇得二人臉色大變。

萬映霞急得一聲驚叫，使力抱住萬曉光的左手，哭道：「爹爹，您這是幹什麼？爲什麼這樣忍心嘛……」

文天生也淚痕滿面地道：「師父，您老人家不要憂急，這樣豈不是太苦了自己了麼？您還是要保重自己……」

萬曉光老淚縱橫地抬頭望著愛女、愛徒，長長地嘆了一口氣，嘆道：「唉！爲父心裡的苦楚你們怎麼知道？」

原來萬曉光低頭一看自己右手，色澤已呈紫黑，他自然知道這是傷毒轉劇所致，儘管萬曉光是武林頂尖的高手人物，但對人生總有點留戀，何況面前的愛女、愛徒，在癡癡地想背負他突圍出去。

他望著這兩個人，心中更是難過！自從愛妻去世，自己既爲嚴父，又兼慈母，含辛茹苦把她撫教成人，而又竟是這等伶俐可人；愛徒天生，也是自己一手撫教長大，自己心中早就打算成全這對小兒女，如此一來，自己晚景也就足堪自娛了。

想不到現在自己毒發身傷，望著這對小兒女，求生的意念陡增，所以要文天生撿取樹枝，

自己敲著試試，如若右手還知疼痛，便還有生機，那就依他倆的請求，暫離「萬月峽」。

他雖然意念已改，但是接過樹枝輕輕一敲，右手已然全無感覺，心裡不由暗暗著急，便使勁重擊了幾下，哪知還是一無所感！

萬曉光見右手依然沒有疼痛的感覺，心裡就涼了一大半，再看萬映霞、文天生二人怔怔地望著自己發楞，心中一酸，泛上了一種說不出的生離死別的滋味。

在憂急痛苦之下，有如萬把利刃刺在心上，一種難以描述的怨恨、悲憤、哀慟，使得他要發狂，所以舉起樹枝，一陣猛抽，恨不得把一切痛苦，藉此發洩出去。

這時左手被萬映霞拚命地抱住，一陣哭叫，心中一陣茫惘的空虛，頹然的一鬆左手，樹枝便墜落地上。

萬曉光噙淚說道：「霞兒、生兒，不是我忍心不走，實對你們說了吧，就是大羅神仙下凡，華陀重生，也無能救得我的性命；爲父的右手已完全麻木，傷毒就快發作，縱然爲父肯跟你們同去你外公家，又有何益……」

萬映霞、文天生聽得在一旁嗚咽而泣。

萬曉光苦苦一笑，道：「人生百年，依然難免此一大關，不過時間早遲而已；爲父自從你母去世之後，如若不是爲了你，我又何嘗肯偷生人間！現在事已如此，也是大數難逃，爲父倒可以見你娘於泉下，但撇下你們二個不懂世故的孩子，要你們遠走天涯，真叫我放心不下……」說著老淚如雨下。

三人對泣一陣，萬曉光臉上忽然顯露堅毅之色，道：「霞兒、生兒，爲父已年過花甲，

只要你們能和愛廝守，爲父就放心了，你二人還是依我之言，速去外公家，不要再以爲父爲念。」

頓了一下，一皺眉頭，道：「爲父手斃武當門下多人，他們自不會放過於我，而我殺人償命，也是應該的；只是你胡叔叔性情暴烈，絕不肯就此罷休，就怕此事將會被他掀起滔天的風浪……」

文天生擦淚說道：「師父果真有什麼三長兩短，自應是找他們武當派算帳的。」

萬曉光嘆道：「這些身後之事，我也管不了，現在只望你們平安地離開就好了。」

說到此處，轉臉望了那邊紫陽道長等人一眼。

紫陽道長身爲領袖武林的武當掌門人，做事氣派自是不同，他一見萬曉光傷毒返攻內腑，也深悔自己過於孟浪，但事已如此，悔已無益，及見他們骨肉黯然相談，自己自無一走了之、抽身不管的道理，是以仍然立在原地，靜待事情的發展。

萬曉光朝紫陽道長一望，紫陽道長眼光何等銳利，就知他定有話說，緩緩地向萬曉光這邊走來。

萬映霞、文天生一見紫陽道長走來，都不由得立起身來，怒目相視。

萬曉光忙道：「你們不可亂來，爲父有話要與他說。」

紫陽道長看了看萬曉光，道：「不知萬大俠有何見教？」

萬曉光道：「道長爲一派掌門之人，但不知適才之言，現在還作數不作數？」

紫陽道長道：「貧道乃三清弟子，何能與萬大俠亂打誑語？」

萬曉光點頭道：「好，如此請受我一禮。」強自挺身雙手一揖。

紫陽道長忙側身讓向一旁，道：「萬大俠何必如此……」

萬曉光奮起精神，哈哈一笑，道：「兄弟這一拜不是因爲你是武當掌門的紫陽道長，而是尊敬你一諾千金，還有全武林道義的風標。」

轉臉喚道：「霞兒、生兒過來。」

萬映霞、文天生不知有什麼事，臉色茫然地走了過去。

萬曉光倏然面色一整，莊穆凝重地道：「你們一個是我的女兒，一個是我的愛徒，但我對你們都是一樣的喜愛，從未分過厚薄，不知你們是否真的肯聽我的話？」

文天生望了萬映霞一眼，道：「師妹與弟子皆是你老人家一手教養成人，師父的訓諭，自然是要遵從的。」

萬曉光把眼睛盯在萬映霞的臉上，萬映霞也默默地點了點頭。

文天生道：「師父有事，但請吩咐……」

萬曉光轉臉對紫陽道長，道：「方才蒙道長親口答應，今日之事只是我萬某個人之事，與小女、小徒，毫無牽連，現在就請道長遵守前諾，放任小女、小徒離此。」

說著又轉臉道：「霞兒、生兒，快向前謝過道長。」

萬映霞、文天生因父、師正是傷在紫陽之手，心中自是極爲不願，步履趑趄。

萬曉光嘆道：「唉！你二人怎地如此不聽爲父之言呢？」

二人一見萬曉光精神痛苦，只得遲遲上前謝過紫陽道長。

萬曉光一聲長嘆道：「紫陽道長，我萬某殺人償命，只望你守信諾，放我二個孩子一條生路，萬某就感激不盡了！」

轉臉滿面淚痕地叫道：「霞兒、生兒，但望你們相親相勉，毋負爲父對你們一片苦心，我已萬無生理，你們也不要難過，快走……」

說到這裡，目光陡然朝前方瞧去，口中大喝道：「你是何人？」

幾人被他這一聲大喝，都不由一驚！同時轉頭望去。

就在幾人轉頭回望的一刹那，萬曉光咬牙運功，疾舉左手，猛向自己「天靈穴」上劈去，但見血光蹦迸，轟然一聲，萬曉光屍體已臥地上。

當幾人回望之時，哪裡有什麼人？連人影也未見一個，就知受騙，等他們念轉回首之際，一代大俠，早已腦碎氣絕，離開人寰了。

萬映霞一見老父自碎天靈蓋而亡，心如萬把刀剮，但這時她一點也沒有哭泣，一聲慘笑，哀如猿啼，怒叱一聲，道：「牛鼻子，姑娘與你拚了。」

銀光一閃，連人帶劍，猛向紫陽道長撲去。

文天生也叫了一聲：「師父陰靈保佑，弟子與你報此血仇。」掄起「金絲龍頭鞭」欺身攻上。

紫陽道長見萬曉光自決，心中也正感一陣惘然，同時自己曾應過放任他二人離去，所以連連避讓，絕不還手。

就在這時，山峰上傳來一聲高喝道：「霞兒住手！」

這一聲來得大是奇突，萬映霞、文天生都不禁收勢停身，轉頭望去。但見那山峰半腰之上，兩條人影，疾如丸瀉星墜地趕來。頭前一人，一身深藍勁裝，手提鐵枴，背插長劍，老遠的就看到大紅劍穗在半空飄飛，後面一人，面罩黑紗。

來人正是天下綠林盟主「冷面閻羅」胡柏齡，緊跟在他身後，乃是鍾一豪。

萬映霞一見胡柏齡，竟如見了親人一般，朝前一撲，抱住胡柏齡大腿，說了一聲：「望叔叔替爹爹報仇……」

話音未落，已「哇」的一聲，哀哀慟哭起來。

胡柏齡躍落當場，虎目環掃，點頭「哼」了一聲，道：「霞兒你且不要哭，愚叔既來了，此事自是由愚叔作主。」

說著慈祥地撫摸著她零亂的秀髮，轉臉對文天生道：「天生，你來照應你師妹。」說著緩緩向萬曉光屍體處走去。

面垂黑紗的鍾一豪，見盟主胡柏齡向前走去，也一跨步，緊隨身後跟去。「冷面閻羅」俯身一看萬曉光死狀之慘，真是不忍卒睹，一時心緒撩亂，諸般往事，一齊襲上心頭，心想：「大哥安居『萬月峽』，已與江湖紛爭全無關係，在那裡靜享人間清福，安樂天年，如不是自己率眾到他『萬月峽』，他也絕不致牽入這江湖是非之場。」

想到此處，不由得歉然叫了一聲：「大哥，這全是我這不肖的兄弟害了你……」

他仰起頭來．看著天上藍天白雲，再想到大哥對他那種至情至理的愛護關切，可是如今

「萬月峽」景物依舊，而自己唯一敬愛的大哥，卻已人天兩隔，永無晤期……想到這裡，心中一酸，忍不住淌下幾滴英雄淚。

抬眼一望，紫陽道長及武當門人，還站在一側，一拭眼淚，起身向紫陽道長走去。

他知武當派在武林地位，與少林宛如泰山北斗，而自己今天身為天下綠林盟主，心中雖然悲慟萬分，也不能孟浪從事，當下抱拳問道：「請問道長，武當派乃天下武林正大門派，不知何故興此無名之師，侵及我大哥『萬月峽』？」

紫陽道長稽首還禮道：「此事實出於誤會，萬大俠身遭此劫，貧道正自追悔……」

胡柏齡冷冷一笑，道：「道長也不用推諉，你武當派大舉侵犯『萬月峽』之事，胡某早就獲知，只是我大哥尊重武當乃武林正大門派，凡事定能按照武林規矩行事，所以不允兄弟參與此事，哪知你們武當門人，竟不顧江湖武林道義，仗著人多勢眾，做此違背武林公道之事，此時道長卻口稱事出誤會，不知何以自解？」

「冷面閻羅」胡柏齡詞嚴義正，侃侃反駁紫陽道長之言，只問得紫陽道長一時間無詞以對，怔了半晌，才道：「尊駕所問，實在使貧道慚愧，事已如此，不得不對尊駕實說，只為萬大俠與貧道師弟，略有嫌隙，師弟無知，竟趁貧道因事他往之時，擅傳本派令諭，率眾前來『萬月峽』，待貧道事畢返歸，方知此事，就怕事態擴大，所以星夜趕來此處，不料萬大俠已連傷我武當門徒多人，誤會既成，要想解說，自是不易……」

紫陽道長話還未完，胡柏齡哈哈大笑，道：「如此說來，胡某已知道長之心了；想是道長來到『萬月峽』，一見門下已有傷亡，也就不問青紅皂白，但知偏袒門下，終於老羞成怒，全力出手，以命相搏……」

胡柏齡說到此處，紫陽道長忙的截道：「尊駕言詞休要過於偏激，想貧道蒙祖師慈悲，接掌武當門戶以來，自問待人處事，還不敢逾越『情、理』二字，萬大俠名重武林，貧道處理此事，哪敢魯莽？對自己門人更是毫無偏袒之心。」

胡柏齡道：「既是如此，道長處理就不能算公道。」

紫陽道長笑道：「但不知尊駕憑什麼指責我不公道？以你高見，要如何做法才算公道？」

胡柏齡冷哼一聲，道：「道長既知門人擅傳貴派令諭，來到此處，就應與我大哥先謝驚擾之罪，然後按照門規，處罰私傳令諭之人，之後再與我大哥當面解決兩下紛爭，如此既可一顯你武當正大門派的氣度，也可令天下武林英雄敬服。」

紫陽道長聽得肅然動容，道：「難怪尊駕被擁爲綠林盟主，適才高見，貧道極是佩服，但是貧道雖屬樗揆之材，但蒙先師耳提面命，朝夕教導，自然懂得做人做事之理，貧道如何處置此事，尊駕可問萬大俠門人。」

「冷面閻羅」胡柏齡向文天生查問究竟，文天生便將紫陽道長來的經過情形，一一敘出。

胡柏齡聽得連連點頭，讚道：「道長處事，在下雖然拜服，不過此錯依然是道長一手所鑄。」

紫陽道長問道：「但不知貧道又錯在何處？」

胡柏齡道：「我大哥行道江湖，譽滿武林，道長不是不知；何況我大哥自喪妻之後，更是淡泊名利，退隱山林，從未過問江湖之事，此事天下皆知，道長領袖武林，對此事怎麼不明察

事理，一意孤行起來了呢？」

紫陽道長被問得臉色微變，但隨即又平靜下來，道：「萬大俠清操風標，我等自是尊敬，但十年前一十四條人命也不得不問……」

胡柏齡哼哼冷笑，道：「道長此話，說得更是欺人之談！縱然我大哥身負奇學，難道道長就認定黃河岸十四條命案，就定是我大哥所爲麼？請問道長，武當以劍術名播天下，那麼凡爲劍刃所傷之人，能否一律歸罪於武當門下呢？」

紫陽道長定力深厚，但被胡柏齡一陣駁斥，也不免微泛怒意，冷冷一笑，道：「尊駕與貧道如此說話，難道是以你綠林盟主的地位，來教訓貧道的麼？」

胡柏齡也冷笑道：「不敢，不敢，在下只是與道長共爭真理……」

紫陽道長一捋長髯，道：「我們拋下黃河岸之事不談，我武當門下五條人命難道就該白白犧牲的麼？」

胡柏齡面色陡變，道：「道長對門下依然如此義重，能爲他們報仇，難道大哥待我情逾手足，愛如父兄，我胡某人就能忍下這筆血仇、抽身不管麼？今天你身爲正大門派掌門之人，能強詞奪理，不顧道義，我這『冷面閻羅』還有什麼顧忌不成？」

雙方舌劍唇槍，一陣激辯，都不禁有了怒意，大有一觸即發之勢。

那侍立紫陽道長身後的武當門人，一見胡柏齡聲嚴厲色地指斥掌門師尊，也都一個個怒形於色，互遞了一個眼色，各踏方位，跨前兩步。

那面蒙黑紗的鍾一豪早把武當門人的行動看在眼內，心裡暗暗竊笑，隨手取下摺扇，搧搧

搖搖的，也向前邁了幾步，與胡柏齡成了犄角之勢，以防武當門人猝然出手。

文天生也把這種情勢看得非常清楚，他擔心師妹在過度的憂傷之下，貿然出手，或是受到武當門人的驚擾，所以強按下心頭的悲傷，站在萬映霞身側，以待應變。

這時紫陽道長捋鬚長笑，道：「貧道對此事，自問無愧，雖經這等一再解說，無如尊駕不信，那也是無可如何之事，但不知依你要如何了斷？」

鍾一豪冷冷一笑道：「殺人償命，欠債還錢，這道理難道你道長還不明白麼？」

紫陽道長臉色一變，眼睛不看鍾一豪，卻盯著胡柏齡瞧著。

胡柏齡凝神沉思，自言自語似地道：「大哥待我恩義如山，如若我不報此仇，不但不能上慰死者，對自己亦難交代！」轉臉看著正在啜泣中的萬映霞，心中不由一動，臉上掠過一道疑慮之色，道：「不過……」

就在此時由峽中奔來一人。胡柏齡一見是萬曉光的屬下，心中又是一動，暗道：「大哥已遭不幸，此仇定是必報，但是此番武當派高手來得不少，並非我胡某心存怯懼，但是如若動起手來，死傷定然不少，而且映霞、天生兩個孩子憂慟過甚，峽中家人未做妥善安排，一旦動起手來，自己只有鍾一豪一人，如何能分身兼顧？」想到此處，心中十分難決。

紫陽道長這時心中也正打量，他苦思了一陣，毅然朗聲說道：「此番我武當門下偷傳令諭，私自尋仇之事，在我武當派來說，實在是件極爲重大之事，必須從速回山清理；至於萬大俠之事，事已如此，悔亦無益，貧道不願一錯再錯，雖然我武當乃三清弟子，也講的是武林公道，事既是貧道所爲，自無抵賴之理，此事必有了斷之日……」

胡柏齡一聽紫陽道長之言，已知他言外之意，同時自己心中也另有打算，當即點頭答道：「道長不愧為一代掌門之人，處事當機立斷，此事正如道長適才所言，自必應有了斷；今日之事，到此為止，道長可請回山，胡某人絕無留難之意，好在武當乃正大門派，道長亦不是畏首畏尾之人，咱們套一句江湖話，正是『青山不改，綠水長流』。『萬月峽』之事，又豈在一朝一日，改日我胡柏齡必親赴武當三元觀面謁道長，以了斷此事。」說著轉頭對萬映霞道：「霞兒，你不會怪愚叔如此處理吧？」

萬映霞心中對胡柏齡原就極是崇敬，知他必有作用，便含淚點頭道：「全憑叔叔作主就是。」

胡柏齡淒涼一笑，轉臉對紫陽道長擺手道：「恕不相留，道長你請便吧。」

紫陽道長稽首一禮，道：「恭敬不如從命，貧道僅領盛情，尊駕果若有興，肯駕臨我武當山，貧道當在山門恭候大駕。」

胡柏齡道：「好說，好說，他日定當前來請教，今天恕胡某人不送了。」

紫陽道長後退一步，招呼門下一聲，率眾退出「萬月峽」，逕回武當而去。

胡柏齡見紫陽道長一走，轉臉對萬映霞道：「霞兒，你父親遺體，依你如何處理？」

萬映霞仰起臉來，用手理了理散亂的秀髮，想了片刻，道：「爹爹遺體，自不能暴露，依姪女看，倒不如送到我娘停棺的石洞之中，那地方既隱僻又好，不知叔叔以為如何？」

胡柏齡點點頭，道：「好，既是你知道你娘停柩之處，那是再好沒有，這樣一來，也好讓大哥安心多了。」

文天生道：「既是如此，待我背負他老人家走吧……」

胡柏齡道：「且慢！」又轉臉對萬映霞，道：「你爹對你們可有什麼遺言？」

萬映霞聽了不禁由心底泛上一股羞紅，眼角微微斜望了文天生一眼，低頭不語。

胡柏齡已看出她這種小女兒情態，也不再說什麼，只道：「難道大哥對你們何去何從，卻沒有囑咐麼？」

萬映霞這才低聲應道：「依爹爹意思，是要我們去外公那裡……」

胡柏齡一皺眉頭，道：「那等路途遙遠，任你們兩個毫無出門經驗的孩子走，我可不大放心。」

萬映霞自知胡柏齡折服了天下英雄，榮膺綠林盟主，又聽他諸種興革的事蹟，早就對這位義叔敬佩得五體投地，只是爹爹過於拘泥，不然，她真想親到「迷蹤谷」去一瞻那裡風光氣象。

這時間她心中一動，應道：「叔叔，我也想到這一層，千里迢迢，實多不便，我想不如到叔叔那裡且住些時日，再另作打算，一方面也可以跟叔叔學點武功……」

胡柏齡道：「好，就這樣決定，時間不早，咱們趕緊把這裡的事處理一番。」

頓了頓，又道：「我與霞兒同去埋殮大哥，天生可陪鍾兄前去峽內，告訴諸人，就說老主人不幸身故，現在小姐隨我暫移住『迷蹤谷』去了，他們如願同去，收拾收拾，馬上同去；如若另有高就，你們可作主，分點貴重之物給他們，讓他們自己謀生，少時我們仍在此地會齊。」

文天生應了一聲，陪了鍾一豪，帶著適才來人同回「萬月峽」。
胡柏齡俯身抱起萬曉光遺體，道：「霞兒你在前帶路。」
待胡柏齡陪萬映霞殮罷萬曉光回來，文天生、鍾一豪亦已將那邊之事處理完畢，萬曉光的舊屬，一個也不肯離開「萬月峽」，都願株守峽內，看守田廬。
胡柏齡點點頭道：「倒難得他們這一片苦心。」
當下四人，也不停留，便向「迷蹤谷」奔去。

六　江湖驚變

萬映霞、文天生來到「迷蹤谷」，一眨眼便是兩個月，這兩個月來，由於谷寒香愛慰有加，所以生活也就平靜下來。

這一日晚飯過後，幾人正在內宅談心，忽然有人來報，說「多爪龍」李傑、「入雲龍」錢炳求見。

胡柏齡道：「請他們進來。」

那人出去不久，「江北五龍」中老二「入雲龍」錢炳、老四「多爪龍」李傑便進了房來。

二人一見胡柏齡、谷寒香，躬身施禮，道：「小弟向大哥及大嫂請安。」

胡柏齡笑道：「二位兄弟遠去河南，一路辛苦，不知外間對我綠林有什麼看法？」

「入雲龍」錢炳、「多爪龍」李傑二人對萬映霞、文天生望了一眼，又互遞了個眼色。

胡柏齡笑道：「這二人想必你們也見過，當日聚盟大會，便是在他們『萬月峽』舉行，我與他父親是金蘭之好，二位兄弟有什麼話，但說無妨。」

「入雲龍」錢炳道：「自從大哥榮任綠林盟主，親頒四大戒律，白道人物對咱們確曾另眼相看，而各處道上朋友，也都能遵奉不逾，哪知此次河南道上，不知哪條路上的朋友，卻又做

出爲非作歹之事，使人對咱們又生誤會……」

胡柏齡聽得眉頭一皺，「嗯」了一聲，道：「但不知他們又做出什麼敗德之事？」

「多爪龍」李傑道：「我兄弟奉了盟主大哥之命，前往豫、魯二地，暗中查訪綠林人的作爲，山東尚未有何發現，但河南卻出了一件大事……」

谷寒香正哄著孩子，聽得不由悚然一驚，向前移動了一下，睜著一雙秀目，道：「大哥，難道外間的事，也與我們有關係麼？」

胡柏齡點頭應道：「我今天身爲綠林盟主，道上朋友之事，我哪一件能置身事外？」轉臉對李傑道：「出了什麼大事？你說與我聽聽看。」

「多爪龍」李傑道：「當年洛陽有位老鏢頭，人稱布衣善士鄧壽峰，不知大哥可知此人？」

萬映霞眨了眨眼睛，問道：「怎麼要叫『布衣善士』呢？這名字多奇怪？」

胡柏齡道：「這位鄧老鏢頭爲人疏財仗義，濟困扶危，但自己卻是極爲儉樸，終年到頭，都是布衣一襲，從沒有穿過錦衣綢裳，雖然家產富有，但大把銀子全用在濟人上面，所以江湖上對他萬分景仰，只要提起是布衣善士鄧家鏢局的鏢，不管哪處卡寨，必無阻攔。」說著問李傑道：「怎麼？你突然提起此人，難道此事就出在他身上麼？」

李傑道：「大哥明見……」

胡柏齡道：「鄧老鏢頭的鏢局早在十二年前就收歇了，何況他又未樹仇敵，難道還有什麼風險不成？」

「入雲龍」錢炳道：「大哥說得正是！鄧老鏢頭他老人家有自知之明，知道自已偌大個鏢局，所以能在江湖走得動，並不是憑能耐壓眾，而是全憑他一點善名，所以在六十大慶那年，邀宴天下英雄，宣布收歇鏢局，從此息隱林下，自己兒孫，也沒有一個習武的，只在洛陽棄武就商，安安分分地做生意，誰知這一次竟找到他頭上呢？」

谷寒香忍不住問道：「老鏢頭既是這等好人，爲什麼還有人要對付他呢？真是該死，但不知他們怎麼找老鏢頭的？」

錢炳望了谷寒香一眼，沒有開口。

胡柏齡知道他是有話礙著谷寒香，不便出口，當下說道：「賢弟有話但說不妨，你大嫂和霞姪女都不是外人。」

錢炳咳了一聲，道：「鄧老鏢頭息隱林下，兒子也無意功名，便開設了一家藥材鋪，謝絕江湖，一家人生活得安安樂樂，沒想到上個月，一個黑夜，突然來了三個蒙面人，大哥知道老鏢頭手下原本平常得很，不用說三人，憑來人的身手，一個他也罩不住。」說到此處「哼」了一聲，又道：「來人解決了鄧老鏢頭，刀傷鄧家公子，最後，還犯下四大戒律的第一條……」

胡柏齡氣得直點頭，道：「好惡賊……嗯，兄弟，你說。」

錢炳又道：「三人姦了鄧家大媳婦，又洗劫了珍貴之物……」

胡柏齡冷哼一聲，道：「我知道了，我問你，洛陽地面既發生這等之事，地方上不能不問；而洛陽道上有體面的人物，也不能不出面，你可曾聽到一點眉目沒有？」

錢炳道：「這事發生的第四天，我兄弟倆正巧趕到洛陽，地方官員知道鄧老鏢頭是極得人

望之人，所以搜查得很嚴，怎奈洛陽地面平靜得太久，這事突如其來，誰也措手不及，雖然搜查甚緊，但一點消息也沒有。」

「多爪龍」李傑道：「我有一相識，現在關洛三劍的『飛虹劍』徐慕白家裡當護院教習，聽他說起『飛虹劍』對此事極是重視，必須把此事查個水落石出。」

胡柏齡「嗯」了一聲，道：「由他出面，倒也真是得人。」說著又沉吟了半晌，道：「你們在洛陽住了幾天，難道一點線索都沒有發覺？」

錢炳皺著眉頭道：「只聽鄧家說，來人一律黑衣履，全是用的鋼刀，進來之後，也沒有開過口，說過什麼話，所以留下的印象萬分模糊。」

胡柏齡道：「好，辛苦二位賢弟，你們休息去吧。」

要在往時，胡柏齡可以不管，但如今身爲天下綠林盟主，對各地這些大事，便不能不問，何況自己正在決心革興綠林，所以聽後，便一直在托腮沉思。

原來胡柏齡自以「迷蹤谷」爲根據之地，爲了自己一番雄心，爲了替江湖綠林發拓一條新的生路，是以略略弄定之後，就派出「江北五龍」分赴湘、贛、豫、吳、越等地，查探各綠林道上人物的事跡，就便聽取路人以及各地方人物，對自己的毀譽，以作他日革興的借鏡。他雖是虛懷若谷，無如事實如此，使他頗爲痛忿。

谷寒香很久未曾見過他有這種煩惱，當下上前安慰道：「大哥你今天身分不同，一身皆關乎今後江湖的命運，實在不應太過煩惱，此事只有再派人出去查訪，總可弄清楚的。」

胡柏齡嘆了口氣道：「香妹有所不知！事情不在以後，而是難在現在，今天我爲盟主之

初，一切威信尚未建立，如若聽任宵小在外胡作非爲，那我四大戒律，還能約束何人？所以正爲此煩惱……」

谷寒香原是聰慧絕倫之人，聽胡柏齡這一解說，滿心佩服，無限深情地對他望著，輕「嗯」了一聲，道：「大哥雄才大略，所見甚是，不過還希望大哥能把心靜下來，也好妥善地處置此事。」二人談話間，見萬映霞、文天生臉上也滿是焦慮之色，胡柏齡怕他們心裡憂急，淡淡笑了笑，道：「諒來也無甚大事，自不難解決，你們也休息去吧。」

二人走後，胡柏齡又和谷寒香說了兩句話，看了看孩子，見他氣色已比以前好轉，望了谷寒香一眼，心中也覺甚是欣慰。這時胡柏齡心中有事，坐在那裡信手翻著一本書，腦海裡卻正想著洛陽鄧老鏢頭之事。

谷寒香照應孩子睡妥，也靜靜坐在一旁相陪。

這時大地沉沉，一片靜寂，忽然間，室外一聲細弱的聲音，這聲音輕微的宛如飛絮落地。胡柏齡是何種身手？何況又值這等萬籟俱寂的深夜，他聞聲警覺，身子不動，神態不變，把眼睛朝著谷寒香望了一下，示意她不要動彈，同時自己目光掃了室內一眼，暗暗略聚功力，以待應變。

窗外響起了一聲輕輕的朗笑，笑聲雖然不高，在夜晚，卻是清朗無此。

谷寒香臉色一動，望著胡柏齡。胡柏齡真是藝高人膽大，此時依然有恃無恐，不動聲色。

窗外笑聲停歇，一個極是和祥的聲音，低宣了一聲佛號，道：「阿彌陀佛，這般時分，老衲還要來打擾，不知胡施主見責否……」

谷寒香一聽此話，連忙起身，叫了聲：「師父……」

胡柏齡也在同時，起身離座，肅容道：「原來是老禪師法駕光臨，快請室裡上座。」說著跨移兩步，開門迎候。

一聲：「深夜造訪，多有驚擾……」門口灰衣飄動，進來的正是天明大師。

谷寒香上前見禮，道：「師父，您老人家怎會這般時候到這裡來……」

胡柏齡道：「老禪師深夜光臨荒山，定有賜教。」

天明大師點頭垂目道：「老衲連夜來此，自是有事。」

胡柏齡道：「胡柏齡恭聽教訓。」

天明大師笑道：「胡施主，老衲佩服你一番作爲，今後快不要如此客套……」

谷寒香知道這位武林前輩，如若不是緊要之事，絕不會深夜來此，她一心皆繫在胡柏齡身上，此時不由得十分焦急，趕忙在旁問道：「師父，您老人家有什麼事？還要勞動您老人家跑到『迷蹤谷』來？」

天明大師搖頭嘆道：「胡施主，心存善念，胸羅雄才，有心替江湖成就一番大事，無如人心險惡，良莠不齊，雖說武林人物多重信義，但是不肖之徒依然不少，這等頑劣之徒，是成事不足敗事有餘，所以胡施主的一番抱負，正是非常艱困，前途仍須奮力，勿餒勿棄，方能功德圓滿。」

胡柏齡一聽天明大師之言，心中不由一震！當下接道：「老師父，語含禪機，胡柏齡冥頑不敏，敢問老禪師，莫非聽到什麼風聲不成麼？」

天明大師合掌道：「江湖風雲，驚險多變，老衲為了體念胡施主一片善心，特地前來你們這『迷蹤谷』，一方面看看你的布署安排，一方面並告訴你江湖上最近發生的一件事情。」

胡柏齡恭恭敬敬地應道：「但請大師不吝指我明途。」

天明大師道：「我此次乃是因我佛門中發生一件驚人變故，奉少林綠玉佛杖召返嵩山，以謀對策，事態雖突然，但老衲對胡施主還是懷念殷殷，所以特地前來這『迷蹤谷』接連看了兩晚，感於你言行一致，一心向上，故而甘冒忌諱，現身相見……」

少林一派在武林地位與武當被公認為泰山北斗，門規之嚴，尤較武當為甚，天明大師乃少林大高僧之一，平時任意雲遊，無拘無束，真箇是閒雲野鶴，而寺中之事也絕不會驚擾到這幾位前輩高人。但天明大師此時竟說出被綠玉佛杖召回嵩山，這在少林乃是件百年難得一有之事；要知道這綠玉佛杖乃是少林至尊無上的符令，像天明大師乃當今掌門方丈師兄，除非請出綠玉佛令，方能召調。

天明大師此言一出，胡柏齡就知少林寺必定發生極為嚴重之事，而天明大師奉召之際，不趕回嵩山，卻先來到「迷蹤谷」，推想此事也必與自己多多少少有著干係，此時不由臉上微現汗意，問道：「寶寺綠玉佛杖從不輕現，如今既是請出綠玉佛杖，定是發生了大事？」

天明大師嘆道：「正是出了大事，江蘇武進天靈寺，乃是少林當今掌門人首座弟子主持，此人老成可靠，與江湖間絕無恩怨，而且平日對門下弟子管束也極嚴謹，所以門下弟子也不致在外生事，但不知為何，上月，寺中竟然遇盜……」

谷寒香見天明大師臉色慈祥中含著一種凝重、莊嚴的神色，所以插口問道：「敢問師父，

天靈寺失竊之物，定必是異常珍貴之物了？」

天明大師點頭道：「何止珍貴？此是天靈寺開寺之寶……」

胡柏齡急問道：「但不知此寶竟係何種珍品？」

天明大師道：「天靈寺奉旨敕建之時，適天竺國進貢一尊白玉如來古佛，蒙朝廷欽賜為開寺鎮寺之寶，玉佛一直珍供在藏經樓，迄今數百年來，從無人敢偷窺此佛，不知上月，竟有人敢夜入天靈寺，竊走白玉古佛！此事在我少林門中，實是空前之事，也是少林門中的奇恥大辱……」

胡柏齡驚道：「此人敢夜入天靈寺，深入藏經樓，劫走白玉古佛，看來此人身手定是不弱……」

天明大師慈目微睜，道：「此人不但身手不弱，而且驕狂逼人，我少林開宗以來，從未蒙受此羞……」

谷寒香未待天明大師說完，便搶著問道：「師父，你老人家說他驕狂逼人又是什麼意思？難道還傷了人麼？」

天明大師道：「如若能明地傷人，那只怪受傷的學藝不精，縱然受傷致死，還算是見了真章，也算不得什麼凌辱之事；但此賊卻在我藏經樓粉壁之上留下兩行大字，那不獨辱及我少林一派，更且上瀆聖地，這等罪過，真使人不可恕饒。」

胡柏齡道：「但不知留下了什麼字句？」他話一出口，才猛然察覺問得過於冒失，適才天明大師明明說這兩行字不但辱及少林，而且瀆及佛門聖地，自己這一問，豈不是徒使老和尚為

難？所以話才出口，便倏然而住。

天明大師呵呵一笑，道：「施主處處存心，留人餘地，足見心念至真，但老衲卻佩服施主這份氣概；他那兩句話，雖有辱及本門之處，老衲也願擔代罪過，告訴施主。」

胡柏齡肅容道：「承蒙老禪師謬愛。」

天明大師低宣了一聲佛號，然後朗朗唸道：「他留下兩行大字，寫的是：『當今武林道，少林自稱尊，劫走古玉佛，以驚狂妄人。』胡施主，你說少林一派，何曾受過這等羞辱？」

胡柏齡道：「那就難怪掌門大師不能忍受了。」

天明大師道：「出家人雖有心體念上蒼好生之德，以慈悲憫愛為懷，但此事亦是無法可忍，所以天靈寺的住持師姪，星夜趕赴嵩山，面呈經過，掌門師弟以此事關係本門榮辱，召集三代各支首座弟子齊集少林，以商對策，老衲乃先師入室弟子，掌門師弟為慎重起見，才請出綠玉佛杖，動員本門僧俗弟子，以千里不歇的傳遞方法，召老衲回寺。」說到此處，又深深一嘆，道：「只怕江湖間從此又不得寧靜了……」語氣之中，似覺十分惋痛。

胡柏齡起身離座，道：「晚輩愚頑，但蒙老禪師不以綠林人物相待，胡柏齡萬分感激，今天晚輩又身為綠林盟主，此事不能說毫無干係，如若老禪師用得著晚輩時，但請召喚，胡柏齡雖死不辭。」

天明大師道：「阿彌陀佛！憑施主一句話，我少林一門也感盛意了，但願此事不要勞師動眾，不然天下武林，勢又將掀起一場浩劫，這又豈是我佛心意呢？」

胡柏齡道：「老禪師心意，晚輩理會得的。」

谷寒香也道：「師父真是菩薩心腸。」

天明大師轉臉對谷寒香注視了一陣，道：「佛家因果，人天變幻，冥冥之中，皆有定數，人雖有奪天之巧，卻依然無法挽回天數……」

話至此處，微微一嘆，道：「凡事也只能盡人力，聽天命了……」說著，似不勝唏噓。

胡柏齡悚然，道：「聽老禪師之言，難道武林要遭一場劫運麼？」

天明大師卻望著谷寒香道：「厚德載福，廣種善因，或可挽回；夜深了，老衲也不打擾，我走了。」

谷寒香道：「師父……」

天明大師伸手阻止，道：「你們也不必送，但願緊記老衲之言，方寸之內，長存善念，自能造福蒼生。」說著，人已走出門外。夜色深沉，天上數點星星；天明大師回首說了句：「胡施主，我們改日再見，老衲走了。」話音未完，夜空中一聲颯然風動，天明大師已失了所在。

洛陽鄧鏢頭之死，與武進天靈寺的玉古佛被竊，使得胡柏齡內心大為不安，兩、三天來，精神也甚是不寧，但此事目前不便與眾人商談，只得一人悶在心裡。

他這種神情，別人自是容易察覺出來，不過只是無法進言而已。

這一日鍾一豪忍無可忍，毅然入內對胡柏齡道：「看盟主這兩日愁眉緊鎖，心中似有難決之事……」

胡柏齡對鍾一豪望了一眼，沒有答話。

鍾一豪又道：「盟主身為綠林之主，許多事皆賴盟主策劃裁奪，有事不妨說出來？讓大家共同思謀對策，又何能勞盟主一人獨自苦思呢？」

胡柏齡點點頭道：「承蒙你如此關懷於我，只是此事來得太過突然，使人意料不到，說將出來，也於事無補，如若此事果真要勞動大家之時，我自會提出，如今我們是榮辱與共，做事又何庸客套呢？」

鍾一豪也點頭道：「盟主話雖如此，不過我是以盟主為念，既是盟主心中另有打算，自以盟主卓見處理為是。」說著頓了頓道：「日來前山紅葉正艷，盟主又何不前去瀏覽一番，略略消散胸中煩悶呢？」

谷寒香在旁道：「這倒是真的，大哥何不依鍾爺的話，去到前山玩玩？」

胡柏齡轉臉問道：「那麼香妹你去不去看看呢？」

谷寒香情意款款地瞧著胡柏齡，道：「如果大哥有興，小妹自是奉陪……」說著又略略沉吟了片刻，道：「也叫霞兒和天生一道散散心吧。」

於是胡柏齡、鍾一豪、谷寒香、萬映霞、文天生一行五人，漫步谷中，向前山走去。

走了一段路程，但見前面出口之處，有三條岔路，均隱在樹叢之中，立身之處，兩谷楓葉如丹，既艷麗又雄偉，看得人心中，確然感到一種坦蕩的舒暢。

幾人正眺望間，突然前面右首一條岔道上，揚起一點塵煙。

鍾一豪道：「盟主，像是有人來了？」

胡柏齡卻淡淡點頭道：「不錯，有人來了。」

塵土揚處，又響起馬匹疾奔之聲，「得得得得」跑得快速異常。

幾人跨步上前，走上一道小山崗上，朝前一看，那樹隙之中的山徑上，正有二匹健馬，疾馳而來。不一會兒，兩匹馬已走近山崗。

胡柏齡也覺事情有異？隨即也一長身，躍落下去。

鍾一豪道：「是姜老大……」說著人已躍下山崗。

原來胡柏齡派出「江北五龍」分赴各地以一月爲限，查探外間反應，昨日「入雲龍」錢炳、「多爪龍」李傑已由洛陽返回「迷蹤谷」。

這時返歸的正是啣命前往江南一帶的「出雲龍」姜宏和老五「噴火龍」劉震二人。

胡柏齡一見姜宏回來，再一看老五劉震，人卻萎靡不堪地伏身鞍上，似是受了內傷一般？

胡柏齡走向前一步，一手托著「噴火龍」的下巴，朝上一抬，但見他兩眼無神，臉色青白，當即問道：「他遭人點了穴道，怎麼你不予他解開？難道在外面跟人家動過手了麼？」

「出雲龍」姜宏一臉歉然之色，道：「此事還請大哥原諒，老五的穴道乃是我姜宏點的。」他這話答的大是出了幾人的意外，他們「江北五龍」情同手足，親愛逾常，他如何肯遽而下手封點他五弟的穴道呢？所以他此言一出，只聽得幾人不約而同地轉面對他望去。

「出雲龍」姜宏赧然地道：「老五爲人太渾，我封點他穴道，實在是無可奈何之事，這……」

鍾一豪道：「難道路上出事了麼？」

姜宏道：「事倒不出在路上，卻出在江西。」

胡柏齡當時就心中一驚！心裡暗道：「怎麼天下竟有這等巧事？早不出事、晚不出事，怎麼會在這時間一起發作呢？」他心裡雖然驚急，但他乃綠林盟主，自是不能憂形於色，以免影響全局，當下寬慰姜宏道：「你一路多辛苦，不如到山崗上休息片刻再談此事吧。」

說著走到劉震身前，瞧了一瞧，伸手一拍他左肩，劉震如大睡初醒一般，一見胡柏齡，便指著「出雲龍」姜宏道：「大哥，老大太欺人了，如若不是爲了大哥，我『噴火龍』可真的要噴火了……」

胡柏齡知他是個直性子的渾人，只得拍拍他肩膀，安慰他道：「五弟，你先坐下歇歇，你們兄弟，情同手足，有什麼事還有說不開的麼？」

「噴火龍」劉震還氣憤憤的，在比手畫腳嚷著，彷彿一個受了委屈的孩子在訴理一般。

谷寒香笑著，盈盈地走過來，道：「五弟，你不要太難過，你大哥是不會欺侮你的，他也許是有不得已的苦衷？」

「噴火龍」睜著一對虎目望著谷寒香，徐徐地道：「他怎麼不會欺侮我？他反而幫外人，不讓我打他們的嘴巴子，聽他們胡說八道，反點了我一下，叫我一頓好睏……」他本是渾人，說得幾人都笑了，但原本暴跳亂嚷的「噴火龍」，這時卻安靜地坐在一塊山石上休息。

胡柏齡對谷寒香笑了笑，然後向「出雲龍」姜宏問道：「你們此去江西，難道遇上什麼事情了麼？」

「出雲龍」姜宏咳了一聲，道：「大哥辛辛苦苦想有一番作爲，但是江西最近出了一事，

卻對我們大為不利，據小弟所知，就因這件事，使許多走鏢的鏢客對咱們起了誤會。」

胡柏齡搖頭嘆息了一聲，道：「你且說說，到底出了什麼事？」

「出雲龍」姜宏舉手擦了擦額上汗水，嘆口氣道：「我兄弟奉了大哥之命，過鄱陽湖到南昌，一路也都平安，也沒有聽說有什麼事？可是我們到了撫州府卻出了一件意外之事，大哥一定知道『七星神彈』彭靖這個人……」

胡柏齡沒有說話，在那裡靜神聽。

鍾一豪卻答道：「不錯，江湖上有這樣一個人物，此人全仗七星連珠神彈出名，在南昌開了一家鏢局，就叫『七星鏢局』，聽說近年來很是發達，已成了贛省第一家鏢局。」

「出雲龍」姜宏接道：「鍾大哥說得是，他這『七星鏢局』不但是江西境內第一等鏢局，就是百粵八閩等地，都爭相聘託，這次福建苦遭乾旱，江西全省士紳籌募了紋銀二十萬兩前去賑濟，但怕歲凶年荒，路上出事，所以延請『七星鏢局』負責解送；『七星神彈』到底不愧是高人一等，他也覺著責任非輕，所以把這二十萬兩的紅貨，分成兩起，第一起由他的兩個兒子解送，第二起則打算親自出馬……按說這江西通往福建的這條路，原是平安不過，不用說還由他兩個兒子親自押鏢，就是憑一面七星旗，也不致有什麼大風險，哪知這次卻出了漏子？當『七星鏢局』的鏢車來到廣晶血禾巖下，竟吃人家三個人便把鏢車劫了……」

谷寒香在一旁氣忿忿地怨道：「這銀子乃是賑災救人用的，是什麼人這等狠心？不顧成千成萬的災民，把這筆賑款劫走呢？真是該死。」說著恨恨不已。

胡柏齡望著「出雲龍」姜宏，道：「想必你們到達撫州之時，此事才發生，可是麼？」

姜宏道：「大哥說得是，當我和老五到了撫州之後，只見街上插劍背刀、身攜兵刃的人實在不少，當時也沒有料到會生出這樣變故！我們也跟著人群在街上逛了逛街市，後來我們進了一家酒館，對面卻坐的四個大漢，看打扮就知道是吃鏢行飯的，我們坐定下來，便聽其中一個瘦長子的人說：『咱們老闆之事，你們三位看，會不會是有人挑眼，硬下老闆的招牌？』另一個中年人搖頭，道：『不會的，咱們東家也不是沒名沒號的人物，而且近來他從來沒有得罪過人……』那瘦長子又說：『近來江湖綠林，新近爭奪盟主，此事我懷疑可能是綠林盟主動的手腳？向咱們來個下馬威……』另一個中年人又道：『依小弟看，不致於是他們所爲，前次有人來咱們局裡，還談起這次綠林改主，倒是武林之福，並說此人頗有作爲，一上來就手訂了四大戒律，那四條戒律，訂得光明正大，似不會做出這等之事？』那個瘦長子『哼』了一聲，罵道：『真是見你的鬼，你看到有幾個婊子豎貞節牌坊？有幾個強盜生善心的？』當時我心裡就另有打算，想從這四人嘴上探聽出一些線索，可是老五這個渾東西，他一聽這瘦長子嘴裡不乾不淨的，眼睛一翻，就想動手……」

谷寒香朝「噴火龍」劉震望了一眼，道：「五弟真是直性子。」

說得幾個人全把眼光看了看老五「噴火龍」劉震。

「噴火龍」劉震急得青筋暴漲地站了起來，翻著眼辯道：「我渾？你聽他們嘴裡罵大哥，卻不准我打落他們幾隻牙齒，難道你就不渾？」

他轉眼望了望谷寒香，憨然笑道：「大哥說得可真對，我老五就是直性子，就不能叫大哥讓人罵；有人敢罵，我『噴火龍』就敢噴火，就敢打他嘴巴子……」

胡柏齡深知「江北五龍」的性情，當下對「出雲龍」姜宏假意責道：「五弟說得有道理，你當時如有什麼用心，就應當先跟他商量，你難道還不知老五是個直性子的人麼？」頓了一下又道：「以後事情，又是怎樣了？」

「冷面閻羅」這幾句話說得劉震大爲受用，咧著嘴，傻笑了幾聲。

「出雲龍」自然知盟主的用心，也朝劉震微微一笑，繼續說道：「只因事情來得意外，所以未曾與老五商議，從那四個當中，又另一個道：『事情未分出皂白以前，咱們不用暗地指責別人，要知道外面人多耳多，聽了傳出去，反多不便，現下一波未平，咱們可不要再替東家樹敵。』那瘦長之人挺了挺身子笑道：『不是咱們老弟兄說句難聽的話，就憑你二位這份膽子，這碗飯可趁早別吃了，咱們吃這行飯，還不是刀尖上舐血，有幾個打算跟黑道交朋友？咱們可不管他什麼綠林盟主、黑林強盜，劫鏢就是強盜，好在明、後天東家就要趕來，到時候，你們就相信兄弟的話不假了。』他們說到這裡，我一看老五的臉色變得像塊大豬肝，知道再不走開，他定要沉不住氣了，所以我一把將他拖了出來。」

「噴火龍」劉震又想站起來，姜宏未容他出聲，便又接道：「我當時心裡想，既是『七星神彈』彭靖要來，咱就不妨在撫州多留兩天，看他來了之後，到底是怎麼個處置？」

「出雲龍」說到這裡，那一旁呆著的劉震搶著嚷道：「他處置個屁？說來更叫我老五噴火……」

鍾一豪道：「姜老大，那『七星神彈』是怎樣說法？」

「出雲龍」姜宏道：「第二天中午撫州城果然來了十二騎快馬，這自然是彭靖等人，『七

星鏢局』留在撫州的人，就把他們迎上一家名叫高賓樓的酒館，我也帶了老五在旁擇了張座位，以便聽聽他們說些什麼？但這次我可提醒了老五，要他不准胡嚷亂來。」

頓了頓又道：「『七星神彈』處事倒真有見地，他自己卻不說話，只靜聽押鏢的趟子手，一個一個的報告……」

萬映霞在旁問道：「他兩個兒子呢？」

「噴火龍」搶著道：「早就叫人家揍傷了。」

姜宏略停了停，道：「這些趟子手說的也不過多是些無關緊要之事，說了一大陣『七星神彈』彭靖才開口，他什麼也不追查，只問趟子手可看清來人的面貌、衣著，和用的兵刃？據說三人之中，有兩個是使劍，一個年紀很輕，一個卻是銀髯老者，另一個卻是……卻是……」他一時竟無法說清。

鍾一豪追問道：「卻是什麼？」

姜宏訥訥地道：「那人卻竟跟大哥使的兵刃一樣。」

谷寒香「哎呀」了一聲，道：「怎麼？他怎地也跟大哥使的一樣兵器呢？」

鍾一豪問道：「那麼他的形貌、衣著，可有人看清沒有？」

「出雲龍」姜宏「嗯」了一聲，道：「說起了更是令人納悶，此人以黑紗蒙面，所以誰也沒有看清他的面貌，不過據說身材很是魁偉……」

胡柏齡在旁「哦？」了一聲。

姜宏又接道：「但奪鏢之時，此人卻只是站在一邊，未曾出手，僅僅後來略略動了動而已，似乎是這三人中的首領一般。」

胡柏齡轉臉對鍾一豪道：「近年我已不大在外走動，江湖間之事，你自當比我清楚，你想，可有什麼人跟我使的兵刃一樣麼？」

鍾一豪皺眉思索了一盞茶工夫之久，搖搖頭道：「不是小弟自誇，近年我會過的人物真不算少，除了盟主之外，還不曾遇到過如此之人，而且憑他三人就能把『七星神彈』兩個兒子打傷，武功定已不弱，不像是平常泛泛之人，但是，我就卻沒有聽說過……」

胡柏齡也沉思了一陣，也是毫無線索可尋，當下又問姜宏道：「此事依『七星神彈』是如何說法呢？」

「出雲龍」姜宏道：「他們那一干人也是同樣在推測是哪路人物所為？商討了許久，也是一無結果，但是其中有一個紫臉膛的大胖子卻說：『依我所知，當今武林道上，使用枴、劍的只有『冷面閻羅』，而胡柏齡新近膺任綠林盟主，此事實令人可疑？』但另外一人卻道：『胡柏齡爭奪這綠林盟主的本意，乃是為了規劃江湖道義，為綠林開拓一個新天地，聽說還弄得有聲有色，依小弟看，他尚不致如此。』那『七星神彈』這時卻道：『我彭靖自信並沒有得罪過什麼道上朋友，就是在座諸位，也沒有替我彭某人在江湖上樹敵結仇，這事實在令人無所適從，但卻不能不迅予追查，要知此銀乃是關係著八閩多少萬人的性命？如若此銀追索不回，我不但不能再在江湖立足，而且也無顏對這些成千累萬的災民，現在只有兩條路可走，第一、倘幸紅貨多，不易隱藏，只要我們多派人手，不難探查出來；第二、既是來人未曾留下任何形跡，但是咱們既知他們三人概略情形，不妨多立暗樁，或可尋出一點蛛絲馬跡出來……』

「這時早幾天見到的那個瘦長之人，在旁說道：『回鏢主的話，依小的看，這事八成是什麼綠林盟主所爲。』那『七星神彈』問道：『你怎可斷定是他們所爲呢？』那瘦長之人又道：『鏢主可曾想到，這『冷面閻羅』一度隱跡江湖，此次復出，又奪得綠林盟主，他定要有兩種做法，一、他對內要樹立威信，才足以服人，不能不表現一、兩下；二、對外更擴張聲勢，自然要做兩件不平常之事，好使人知道這綠林盟主的威風；再說他也不能赤手空拳地稱主爲王，沒本錢總幹不了事，由這三層原因，所以小的斷定八成是他們搞的花樣……』那『七星神彈』聽此人這一說，當時就哈哈大笑地道：『好一個『冷面閻羅』，我彭某人與你井水不犯河水，往日無怨，近日無仇，怎麼你卻偏偏要找我的晦氣？難道要我『七星神彈』向你臣服不成麼……哼哼，你可打錯主意了。』……」

胡柏齡聽得「嘿嘿」一聲冷笑，道：「此人如此不明事理，看來倒很難和他解說得清了？」

鍾一豪望著胡柏齡，道：「此人竟敢這等血口噴人，也未免過於仗技欺人了，到時候我倒要領教他那『七星神彈』的絕學。」

胡柏齡急道：「此事雖然難以解釋，但是還是以兵不刃血爲是。」說著又轉臉對姜宏道：「他們以後又說些什麼？」

「出雲龍」姜宏道：「後來又就各地的綠林道上人物，加以推查，還是毫無頭緒，所以對咱們便更多懷疑，那瘦長之人又說了幾句火上添油的話。」

谷寒香生氣地道：「他到底又說什麼了呢？」

姜宏道：「他說江山易改，本性難移，大哥雖然有心整頓綠林，但天生品格，哪能改得了？他嘴裡還不乾不淨地說了一些話，但這些話叫老五聽得忍無可忍，一掄拳，就想打架。」

谷寒香道：「這高賓樓全是他們的勢力天下，老五他太不懂事了，動手有什麼用處呢？」

姜宏道：「我一看老五情形不對，他這時已是火在頭上，馬上就要發作，這一發作，那就不堪收拾，幸好我是背面而坐，一看他那種怒髮衝冠的樣子，也顧不得其他，只有從權處理了，所以就在他將要發作之時，我也只好忍心背負罪名，拾起支筷子，猛點老五麻穴。」

鍾一豪道：「當著他們之面，豈不令他們起疑麼？」

「出雲龍」姜宏道：「這點我也知道，當著這麼多的高手，自己出手不慎，便必被他們看出，那可就麻煩了！所以我當時暗中弄翻一只酒杯，又藉扶杯的機會，一下子便點中了他，當時為了掩飾起見，我嘴裡還特別說：『叫你不要多吃，偏偏又喝醉了？走，咱們回去吧，桂兒還在家等你吃飯呢。』我說著話，就硬把他拖回來，所以我可以負責『七星神彈』絕沒有發現我們的身分。」

胡柏齡點頭喜道：「這事你辦得很好，到底年紀大，閱歷廣……」

「噴火龍」劉震沒有等胡柏齡話完，便嚷著道：「他讓大哥給人家罵，倒反而做得對？我為大哥被人家辱罵，肚子都氣炸了，倒反而不對？」

胡柏齡知他是個渾人，一時與他說不清，張了張嘴，便又把話嚥了回去。

谷寒香走上前一步道：「五弟，你不要怪大哥偏心，其實他對你們全是一樣的，你要知道，你要跟人家打架拚命，是為了你大哥……」

「噴火龍」搶著道：「自然是爲了大哥。」

谷寒香淺淺笑道：「其實你姜大哥的忍辱受氣，也還不是爲了你大哥？你想，如果在那裡一動手，你們表明身分，不用說你們一定吃虧，就是不吃虧，這將使別人真的相信是你大哥劫的鏢了；你說，不然你們會跑到撫州幹什麼？所以我說，你是爲了你大哥，姜老大也是爲了你大哥，既是愛護大哥，就不應當替大哥找麻煩，你說是不是？」

「噴火龍」劉震聽得兩隻眼睛直翻，臉上現出一種羞慚之色，道：「大嫂說的，我老五全懂了，我是個大渾人，險些……」顯得異常懊惱。

胡柏齡笑著上前安慰他道：「五弟爲人最是豪爽，心地最好，大哥知道你，你不要難過，這趟你們二位辛苦不小，晚上我陪你們喝兩盅，替你們洗塵……」

「噴火龍」一聽大哥要陪他喝兩盅，這是沒有過的事，心中一陣高興，早就把適才的懊惱之事，丟開一邊了。

晚上，胡柏齡備了幾色小菜，邀了「出雲龍」姜宏、「入雲龍」錢炳、「多爪龍」李傑、「噴火龍」劉震在內宅把酒閒話。

胡柏齡望了望圍坐四周的江北四龍，道：「幾位兄弟都平安回來，單是老三現遠去三湘，還未見返回，愚兄倒是十分掛念……」

「出雲龍」姜宏道：「這個大哥盡可放心，老三精明能幹，見多識廣，絕不致有什麼事發生，咱們約定的限期已到，今晚不回，明早也必回來。」

「噴火龍」因胡柏齡破例邀他們飲酒，心中極是高興，一咧嘴，說道：「大哥放心，連我『噴火龍』都丟不了，三哥更是丟不掉，我……」

說話間，猛聽得前山窠雀一陣喧鬧，胡柏齡推杯傾聽，道：「有人來了……」

谷寒香抱著孩子，緩緩地道：「恐怕是三弟回來了？」

幾人一陣沉靜，漸漸地傳來一陣疾走的蹄聲，還有在夜風中飄來「嗆鎯嗆鎯」的鸞鈴聲，不一會兒哨崗上掠動著幾盞紅燈，在向山外搜照。

一盞熱茶工夫，蹄聲已到前門，又過了片刻，老三「飛天龍」何宗輝風塵僕僕地來到內宅，先向胡柏齡夫婦請安問好，然後又與姜宏諸人一一招呼，才移椅入座。

「飛天龍」正待開口說話，胡柏齡伸手阻道：「三弟一路風霜辛苦，先吃點酒菜，再說不遲，只要諸位有興，我們可做竟宵之談。」

幾人又吃了幾杯，「噴火龍」忍不住向何宗輝道：「老三，我老五此番出去，差點肚子叫人家氣炸了，你可曾受氣麼？」

「飛天龍」轉臉對胡柏齡道：「大哥，此次小弟奉命去三湘，一路經衡陽，轉湘贛，到長沙，一路還算平安。」

胡柏齡點了點頭，沒有說話。

「飛天龍」又道：「但在我到達長沙之時，卻見許多人圍在那裡看告示……」

谷寒香心裡一驚，道：「難道長沙又出了什麼案子了麼？」

「飛天龍」何宗輝道：「這件事太是蹊蹺，這長沙乃湖南首府，素來極為安定，不知怎的這次竟出了一件大案子？」

「噴火龍」急道：「老三你就喜歡文謅謅的，到底出了什麼事？就快說吧，我老五對你樣樣都好，就可惡你慢吞吞的瘟勁，快說！」

何宗輝對著劉震笑了笑，故意又吃了口酒，這才道：「這事既非江湖恩怨，又非為珍貴珠寶，卻是一幅畫。」

「噴火龍」嚷道：「真沒出息，什麼人偷這勞什子？」

「飛天龍」何宗輝心裡道：「你真是個渾人。」

又吃了一口菜，道：「既然此畫失竊，當然不是普通的畫兒，但是這次發生的事，問題不在畫的珍貴不珍貴，難就難在失主身上……」

「多爪龍」李傑問道：「一幅紙畫，能值多少？難道這失主還會打官司告狀麼？」

「飛天龍」點頭道：「失主縱然不打官司告狀，可是官府卻不敢放鬆……」

谷寒香驚訝地道：「如此說來，此人定是有功名之人了？」

何宗輝道：「正是！此人乃是退休的兵部大人，你想，他家裡失了竊，不用說長沙府擔待不起，就是湖南道也交代不過去，並且聽說這幅畫，是那年這位兵部老爺六十大壽，皇家賜的一幅松芝圖，這官家欽賜的東西，在湖南境內丟了，長沙府哪能不著急呢？」

胡柏齡道：「既是出了這樣一件案子，也只能設法查訪，張貼告示，又有什麼用處？」

何宗輝道：「大哥說得是，張貼告示哪有什麼用？不過那告示上倒還沒有提失畫之事，只規定了幾條進出長沙城的條例，注意盤查之人就是了。」

「出雲龍」姜宏道：「那三弟在長沙，可聽出什麼眉目來沒有呢？」

「飛天龍」搖搖頭，道：「我一看城門盤查得厲害，想必客店、棧房，也有衙門內的人在暗中注意，是以我在長沙五、六天，也沒有活動，免得招惹無謂的麻煩，只是暗中打聽罷了。」

他頓了頓又道：「這個盜畫之人，手腳十分了得，絲毫不留痕跡，所以也無法追查；況且所竊之物，不是金銀珠寶，竟是一幅紙畫，此人到底存的什麼心？也叫人難以臆測。」

谷寒香沉思了一會兒，道：「這畫既是皇上欽賜，此人單盜走此物，恐怕必定與這位退休的兵部大人有什麼宿仇？想藉此陷害於他……」

「出雲龍」姜宏道：「設阱陷害，那只是普通一般人之事，此人既有這等身手，如若與他有仇有恨，他又何必這等做法？還不如白刀進紅刀出，來得爽快，所以依我看，其中不是如此簡單，定會另有作用。」

胡柏齡在一旁皺著眉頭，半晌不語，停了好一會兒，才道：「江湖上連連發生奇突之事，實在令人無從捉摸？而發生之事，並不一定牽涉到江湖恩怨，甚至連與江湖毫無利害的人，都被其騷擾，此事更是可怕。」

「冷面閻羅」說得神色凝重，幾個人都沒有答話。

又過了片刻，何宗輝才道：「方才大哥所說，江湖間連連發生變故，不知是些什麼事……」

「噴火龍」沒等他話完，就指手畫腳地把撫州之事說了一遍。

「多爪龍」李傑也將洛陽鄧老鏢頭之事詳詳細細地說了。

胡柏齡待他們說完，才嘆了口氣，又把天明大師衾夜來此之事，說了一遍，道：「幾位兄弟跟我多年，自不必隱瞞，依愚兄看，這些事必然是江湖的大風浪，說不定有人暗中操縱？所以愚兄想出外走走，暗中訪查一番。」

「出雲龍」姜宏道：「大哥所慮極是，只是『迷蹤谷』創建之初，大哥怎能遠離？況且這些發生的事，散分四地，大哥縱然耐忍辛勞，一時之間怎能處處顧到呢？」胡柏齡喟然道：「我也深知此地依然百廢待舉，不宜遠走，但幾位賢弟不知愚兄苦處，如今不比往常，咱們各行其事，互不相干，不要說只四件案子，就是四百、四千件案子，又與胡某何干？但是今天不同，如今愚兄身爲綠林盟主，小事可以裝聾作啞，像這等震驚武林，動及官府的大事，我怎能置身事外，不聞不問？」

說著轉臉對谷寒香望了一望，道：「還有你大嫂的師父，少林高僧天明大師，也曾來說過，愚兄奪得綠林盟主之後，一切作爲，已被正道人物重視，但是在這四大戒律頒行之初，就發生這等事件，以後咱們這四大戒律，還要不要？」

「噴火龍」劉震嚷道：「這四大戒律，乃是大哥親口所頒，哪個敢說不要？」

胡柏齡又道：「既是要維護這四大戒律，這綠林盟主，自不能坐讓這些事輕易過去，必定要弄個是非明白出來，不然就無以向天下交代，更沒法向自己交代。」

「飛天龍」何宗輝沉思了片刻，道：「大哥出去一趟，對這些事，自然是好，只是大哥分身無術，不知先去何處？」

胡柏齡胸有成竹，當下答道：「洛陽之事離此地較近，只要谷中之人，隨時留意，便不難獲得訊息；至於武進天靈寺之事，天明大師已對愚兄明言，少林寺絕不甘休，掌門人已請出少林最高令符，用綠玉佛杖召請天明大師回寺商量，此事既然有少林寺全力以赴，愚兄也就毋須再參與其事了。」

谷寒香一臉笑意地道：「師父是得道的高僧，有他老人家出面，自是不會有什麼差錯，比大哥自己去還好。」

胡柏齡對她笑道：「香妹說得是，有他老人家自是不會錯的。」

說著又轉對「江北五龍」道：「我最不放心的就是廣晶血禾嶺劫鏢之事，不但為的這鏢銀乃是救濟災民，而且『七星神彈』這個人，風聞剛愎自用，任意孤行，他況且又懷疑到我身上？如若不雙方見見面，就怕此事必被他先尋上門來，那就要把事鬧大了。」

「噴火龍」提起「七星神彈」心裡還有點餘恨未消，一掄鐵拳，道：「鬧大就鬧大，七星、八星我老五可不怕……」

胡柏齡對他一望，道：「五弟，愚兄不在谷中之時，可不准你胡來，凡事必聽你幾位兄長之言，如若有什麼過失，我回來定不輕饒你。」

說著，又和顏安慰他道：「如果你真的敬愛愚兄，就體念愚兄的苦衷，千萬不要替我招惹麻煩，有什麼盡可和你大嫂說，讓你大嫂為你拏主張。」

「噴火龍」咧了咧大嘴，道：「大哥你放心，老五雖渾，這話還懂。」

胡柏齡點點頭：「那就好了。」

接著又道：「所以我要去江西，看看『七星鏢局』的動靜，然後轉湖南，看看這案子發展到什麼情形？依愚兄看，盜畫、劫鏢二事，恐怕多少有點牽連？」

谷寒香道：「那麼大哥幾時啓程呢？」

胡柏齡道：「事不宜遲，我想日內就動身。」

「出雲龍」姜宏道：「大哥此去，前途定然事情不少，以小弟愚見，還是多帶人手。」

胡柏齡道：「此事容我今夜詳爲考慮以後，再做決定；不過卻也不宜人多，人多反而難以兼顧。」

「噴火龍」劉震道：「有咱們『江北五龍』陪大哥去，量來也足夠了。」

胡柏齡笑了笑道：「幾位賢弟，此次出去，不必再隨愚兄前去，況且你們已露過面，二次再去，反招他人猜疑，所以打算另挑別人。」頓了一頓又道：「再說谷中瑣事甚多，你大嫂一人在家，諸事還須幾位賢弟多加操心。」

「江北五龍」都覺胡柏齡此話說得也是實情，都沒有說什麼。幾人又談了一會兒，才各去安睡。

胡柏齡在床上微閉著兩隻眼睛，心中想著此番出去，該如何著手？如何探索？谷中又如何安排？帶哪幾個人同去合適……

次日申刻光景，胡柏齡把一些重要人物，全都請來，連萬映霞、文天生，也被叫來，團團坐滿了一屋。胡柏齡環視了一周，見「羅浮一叟」霍元伽、「嶺南二奇」、「嶗山三雄」、「江南四怪」，以及黑紗蒙臉的鍾一豪、算命先生打扮的中年文士余亦樂都已到齊，當下立身環環一揖，道：「承蒙各位如此抬愛，本應留在谷中，與大家共同開建一條新的路途，不料江湖風險，迭遭驚變，而且外間對兄弟似有不諒解之處，微有責言，為了兄弟的名譽，及天下綠林的成敗，所以兄弟必須親自出外一趟，縱然不能將這些事求個水落石出，也得查探一點眉目出來……」

「羅浮一叟」霍元伽道：「但不知盟主獲得了什麼訊息？江湖上又出了什麼事情？」

胡柏齡道：「說起來，絕非三言兩語能夠說得完，但所發生之事，雖是江湖慣見之事，不過發生的時間，與所找的事主，卻似有所存心而為，總之一句話，這些事對我們甚是不利。」

鍾一豪道：「『迷蹤谷』創建之初，盟主如何能夠輕離？」

胡柏齡接道：「為此事我昨夜考慮通宵未眠，這『迷蹤谷』雖屬初創，但對外尚少接觸，目前只要能在守成中，略添布設，便是進展；我雖外出，但諸位都是獨當一方的幹練雄才，只要大家能一心一德，同舟共濟，經營此『迷蹤谷』絕非難事。」

諸人都欠身謙道：「不敢，不敢。」

胡柏齡鄭重地道：「所以我請諸位來此，不敢勞託太多，只望諸兄能體念我的一點苦心，多體會方才所說之言，那胡某就感激不盡了。」

諸人又都齊聲應道：「盟主要事外出，谷中之事不勞多念，我等自會小心料理。」

胡柏齡抱拳一揖道：「諸位厚誼，胡某敬領了。」

「嶗山三雄」的王大康在旁急得嚷道：「盟主有事，只管分派也就是了，何須這等客氣……」

「噴火龍」一見王大康說了話，當下再也按捺不住，接著：「王老兄說得爽快，既是這等緊急之事，大哥哪裡還要這般客套……」

胡柏齡點點頭，道：「此次連番之事，既是震動整個武林，想必被驚動出頭的人，定是不少，萬一如我出外之際，假如有人前來咱們『迷蹤谷』中探查，還望諸位凡事念在大局之上，忍耐為先，切不可跟來人動手。」

「多爪龍」李傑道：「難道咱們就聽任來人放肆不成？」

胡柏齡道：「縱然是忍無可忍之時，也是不要流血結仇的好，這並非我胡某畏首畏尾地怕事，而是在今天的局面之下，我們應多求同情，少樹仇敵。」

谷寒香含笑道：「大哥這等委屈求全，也真是用心良苦了。」

胡柏齡瞧了嬌妻一眼，又沉思了片刻，向在座諸人環視了一下，道：「此次我去江西，轉湖南，準備勞動幾位兄弟隨同前去。」又把眼睛望著算命先生打扮的余亦樂身上，道：「此去目的並不在爭勝搏鬥，主要是在暗中探查，為了不令人先起疑心，同去之人，以少在贛湘露面的為宜，所以我想請余兄和『嶗山三雄』隨我前往。」

余亦樂一整方巾，道：「使得，使得！跑江湖原是我的本行，願隨盟主前去。」

王大康一聽胡柏齡要自己隨他外出，心中說不出的高興，嘴巴咧得大大的，臉上滿是得意之色，一拍胸脯，道：「要俺老王去，俺老王可高興得了不得，只要盟主你說一句話，要俺老

王去赴湯蹈火，若是俺皺一皺眉頭，俺老王就不算好漢。」他左一句俺老王，右一句俺老王，說得在座之人，全都笑了起來，但他還毫不在乎地道：「你們不要笑，俺老王可是說的真心話。」

胡柏齡原就是喜歡他這份本色，當下正色說道：「王賢弟俠義肝膽，豪氣干雲，愚兄甚是感激，不過路上，尙望賢弟不要過於性急，凡事看愚兄眼色而行，方不致誤事。」

王大康點著頭，道：「俺老王理會得。」

胡柏齡欠了欠身子，道：「谷中之事，我想煩勞霍兄、鍾兄二位代勞。」說著又轉臉對諸人道：「小事各位可斟酌處理，大事一定要與霍、鍾兩位商量……」

霍元伽、鍾一豪欠了欠身，點頭應諾。

胡柏齡又對「江北五龍」道：「你大嫂那邊，雖有霞兒和天生相伴，但孩子身體尙未痊癒，愚兄確有些放心不下，你我兄弟多年，內宅之事，只有偏勞你們幾位，最好每天輪出兩人在後面照應。」

「出雲龍」姜宏起身道：「大哥請放心，一切小弟等自會安排。」

胡柏齡又對「噴火龍」劉震、「多爪龍」李傑叮囑道：「我不在家之時，你們一定要聽從你大嫂的話，切不可任性亂來。」頓了頓，站身立起道：「事不宜遲，我們即刻就走。」幾人收拾了一陣，衆人送到谷口，胡柏齡幾人接過馬匹，翻身上馬，一聲呼喝，五騎飛蹄絕塵馳去。

胡柏齡領著余亦樂、「嶗山三雄」一行五騎，離開「迷蹤谷」，幾人一陣疾馳，走出谷道，約到午時辰光，便上了官道。

胡柏齡放慢絲韁，回頭問道：「依幾位之見，咱們先到南昌？還是先到撫州？」

那算命先生打扮的余亦樂眨了眨眼睛，道：「盟主此行，目的是查訪肇事之人，也不是正式找『七星神彈』，依小弟愚見，南昌、撫州皆是一樣。」

王大康道：「依俺老王看，南昌、撫州也是一樣……」

幾人都轉臉對王大康望了一眼，心裡正覺奇怪，覺得王大康乃是個傻戇的渾人，這時怎地對此事也有這等看法？

正想之間，王大康卻又說道：「俺老王聽劉震大哥說了，那些混賬東西，滿嘴胡說，依俺老王，不管到南昌，還是到撫州去碰碰，只要碰到了，少不得揍他們幾拳，替劉老五出出氣，也教訓這些混賬東西。」

余亦樂在馬上做了個鬼臉，詼諧地道：「阿彌陀佛！你老王可不能亂揍人，你可知道盟主的心意麼？不管怎說，你老王凡事要忍三分……不行，凡事要忍五分，可千萬不能替盟主找麻煩。」他學著王大康的口氣，也是老王、老王的，說得王大康也笑了起來。

胡柏齡道：「我想此事既然人家有膽量鬧事，亦必定有九成九的把握；『七星神彈』彭靖雖然親去撫州，但是也未見就能查得什麼眉目出來？『七星神彈』此時也許已由撫州返回南昌，咱們先到南昌，也許會聽到一點訊息。」

余亦樂接道：「那咱們就先到南昌看看情形再說。」

這一日不到申時，胡柏齡一行五人便已到了南昌，幾人下騎入城，牽著馬匹，在路上打聽了「七星鏢局」的地址，當下循著大路，找到大校場，遙遙便見到「七星鏢局」，幾人裝著沒事一般，信步向前走去。

胡柏齡在前，余亦樂守在王大康左首，幾人似不經意地朝裡偷望，也不見有何異樣？門口坐了兩個勁裝大漢，裡進廳堂上，坐了幾個人，看神情，也甚是安閒。

余亦樂趕前一步，對胡柏齡笑了笑，這時已走了過去，胡柏齡道：「咱們先在附近住下再做道理。」幾人又走過去十七、八家店面，經過一家三泰客棧門前，店裡早迎出小二殷勤接待。

胡柏齡一忖量：「這地方離『七星鏢局』很近，確也方便。」於是點頭把馬匹交了過去。那店內掌櫃先生，一看胡柏齡馬鞍旁斜掛著一支鐵楞，不由得多看了兩眼。

他這情形已被余亦樂看在眼內，他用膀肘輕輕碰了胡柏齡一下，轉臉對著那掌櫃的，自言自語地道：「咱這算命看相、測字打卦的，初到南昌，到底是掛牌做這生意？還是另開別的碼頭？」說著又頓了頓道：「說不定咱的生意運還不壞？看情形，明兒也許有一筆生意上門，咱們先混點開支費用，倒也甚妙。」

胡柏齡江湖經驗是何等豐富？被余亦樂臂肘一觸，再聽他如此一說，哪還有不明白的道理？當下眼光掃視了那掌櫃先生一眼。

那王大康雖然也是江湖間有名的人物，但他也是個渾人，只道余亦樂真的是個算命先生，

哈哈笑道：「那你倒不如乾脆掛塊招牌做生意算了……」

「嶗山三雄」的老大鮑超聽他說些傻話，怕他言多有失，趕忙也用手肘碰了碰他，對他翻了翻眼睛，他才住口不言。

晚上，五人分住兩個房間，胡柏齡、余亦樂住一間，「嶗山三雄」同住一間。

胡柏齡正在與余亦樂閒談，忽聽隔壁王大康嚷道：「好呀，你們可是開的黑店？告訴你吧，俺老王是開黑店的老祖宗……」又聽另一個帶哭的聲音道：「爺台，你快放手，小的是來伺候大爺們的……」

胡柏齡就知道王大康鬧了事，那裡余亦樂已一閃身，到了門外，只見王大康在門口，正抓住一個店小二，那店小二臉色痛得蒼白，汗水直淌。

余亦樂伸手在王大康肩上一搭，笑著勸道：「你老王怎地跟他們胡鬧，犯得著嗎？快些放了他。」

王大康轉臉望著余亦樂，還沒來得及說話，那店小二已求著饒道：「你這位爺，行行好，請這位爺台饒了我吧……」

余亦樂看了店小二一眼，覺得一點也不顯眼，當下道：「好兄弟，瞧著我，你就饒了他吧。」說著話，暗中一用勁，連勸帶拉，已將王大康拉開。

王大康道：「余大哥，你不知，俺老王可知道，這買賣是黑店。」

余亦樂道：「快不要亂嚷，這話怎可亂說呢？」

王大康急著道：「這小子，鬼鬼祟祟地貼在門縫裡看，要不是俺老王來得快，怕這小子準不安什麼好心。」

那店小二道：「小的是來伺侍幾位爺的，剛在門口站了站，就被這位爺給抓住了……」

余亦樂道：「不要說了，快去吧。」那店小二如逢大赦一般，轉頭就跑。

余亦樂把王大康拖到房裡，道：「王兄弟，這家店絕不是黑店，兄弟可不能亂來……」

王大康搶著道：「不是黑店，也準沒存好心。」

余亦樂哄著他道：「你老王說得也有道理，不過這家店與『七星鏢局』咫尺毗鄰，平日自是受『七星鏢局』的照顧，如今『七星鏢局』出了這大的事情，對各方往來之人，哪能不加注意?店家暗中代爲留意，也是常情……」

王大康叫道：「什麼常情、短情?不要說這鳥客店，要是俺老王不高興，連七星、八星都給他砸個稀爛。」

胡柏齡這時走進房道：「王兄弟，愚兄是怎樣交代於你，怎麼你一點也忍不住呢?往後可千萬不要這等莽撞。」

王大康道：「好!明天俺老王準不開口。」

胡柏齡又道：「今晚可早點安息，明天還得辦點正事。」

這一夜三更敲過，四更不到，南昌城一片謐靜，萬籟俱寂。突然間，夜空中響起了一陣急促緊密的碎鑼之聲，隨著呼嘯的夜風，四向播送。這一陣淒厲的風鑼之聲，驚得戶戶家犬，狂吠亂狺，登時婦驚兒啼，人聲鼎沸，亂成一片。

胡柏齡幾人耳目自是聰靈萬分，在第一聲鑼響之時，便已驚起。

這時門外，又響起了一陣驚急的馬蹄疾奔之聲。

胡柏齡對余亦樂望了一眼，正想說話，隔壁房間內的王大康已嚷道：「他媽的，南昌大概是翻了天啦？待俺老王出去看他一看……」

余亦樂搶著道：「不行，可不能讓他出去。」

胡柏齡沒有說話，人已閃身一躍，到了門邊，探手開了房門，足一點，人已到了「嶗山三雄」的房門口。

王大康正朝外走，胡柏齡伸手攔道：「你不可性急，這時外面一片紊亂，還不知是出了何事？你們三人可在屋內，待我與余兄出去探望一下……」

王大康道：「待俺老王陪盟主去。」

胡柏齡道：「南昌乃江西首府，比不得小城山野，造次不得。」說著臉色一整，道：「我們出去之後，可不准亂跑，以免多惹麻煩。」

王大康倒也不敢多說，望了胡柏齡一眼，悶悶坐在一旁。

胡柏齡轉身到門口招呼了余亦樂一聲，二人走到天井，正待躍身上屋，猛抬頭，但見天空一片紅光，外面聲音更吵雜喧囂。二人相對望了一眼，晃肩長身「颼颼」兩聲，人已躍到屋面，見正南方火光沖天，熊熊的火光之中，但見人影奔竄，騎勇往返急馳。

余亦樂對胡柏齡道：「盟主，依在下看，定是出了亂子；如若果單單走了火，官家的馬隊也不致於這等緊張。」

胡柏齡微微點頭，道：「咱們去看看，但要小心形跡，暫時不要現露。」

余亦樂沒有回話，只略一點頭，再看胡柏齡，已展出上乘輕身功夫，向南方躍去，當下也不遲疑，一提勁，便緊隨身後追去。

兩人在屋面上一陣飛躍，不一會兒工夫，已離火場不遠，二人便隱在一座高大的風火牆之後，凝神向前方望去。

這時火勢正烈，火舌四吐，火蛇亂飛，火光裡看出這地方乃是南昌府官署的監獄所在，火場四周，全是執刀持戈的兵勇，大街上騎勇往返奔馳，附近的居民已驚得四下亂竄……

二人看了一陣，余亦樂道：「盟主可否看出一點眉目?依我看，定是監牢裡，走脫了重要的人犯了……」正說間，底下一陣亂，只聽馬隊群中，一人指著二人停身之處，叫道：「人在屋上，人在屋上……」

底下又是一陣混亂，有人大叫：「放箭，放箭。」

胡柏齡、余亦樂都是成名江湖多年的人物，遇事穩練、沉著，絕不忙亂，下面雖然有人大叫放箭，二人還是靜倚磚牆，沒有移動。

余亦樂掃了一眼，見自己停身之處，隱蔽異常，不致爲下面發現，當下對胡柏齡低聲道：「當真會被他們看見了麼？」

胡柏齡道：「我看不至於，不過縱然被他們看到，量這班人也還困不了咱們……」

說話間，下面已響起一片勁絃之聲，「颼颼颼」一陣流矢，齊向屋面射到。二人一看，這一陣疾矢，卻不是朝自己之處發射，竟是向自己隱身之處靠風火牆的另一邊射去，二人心裡自然明白，互相交換了個眼色。

就在這同一時間，風火牆一陣乒乒乓乓，響起了金鐵激撞之聲……

下面兵卒這時又嚷喝道：「別走了要犯，快架雲梯，快架雲梯……」

二人向下張望，果見有許多兵勇一陣忙亂，已由別處抬來幾張雲梯。

胡柏齡道：「這東西就討厭了，讓他們爬上來，見了面倒真的有口難辯了，咱們走吧。」話出口，人已一矮身，朝前一傾，已貼著瓦面，飛開去一丈多遠。

余亦樂自不便延留，也一挫身，緊隨胡柏齡縱去。兩人躍開去三、五丈遠，又聽背面嚷道：「人走了，人走了……」

胡柏齡回頭一望，只見兩條黑影向正前方如飛躍去，下面兵卒又是一陣喧嚷。

二人這一移動，身影已吃火光映照，在地面一閃。這時地面官兵，見另二條人影逸走，便在下面亂嚷亂叫，待看到二人的影子在地面一閃掠，下面又一聲暴喊，道：「這邊還有人，快架雲梯呀！」

余亦樂一聽，忙得向胡柏齡道：「這次真的被他們看到，走吧，咱們免得跟他們淘氣。」

胡柏齡微笑點頭，也不打話，二人同時躍起。就這一陣工夫，下面又開來大批兵卒，一個個手執長杖，長杖頂上，各繫著一盞油紙燈籠，高高地挑舉著，把一條街照得如白晝一般。

余亦樂一拍鐵板，手掄銅鑼，道：「我為盟主開路如何？」

胡柏齡一伸右手，挽住余亦樂，道：「咱們來此，豈是為了爭狠鬥勝？況且這些兵卒也不值得我們對付。」說著鬆手四下一指，笑道：「這等遼闊的天地，哪一處不能走，何苦下去找

那些無辜之人的霉氣呢？」

余亦樂收回銅鑼、鐵板，胡柏齡伸手一帶，兩人凌空拔起，越瓦翻脊而去。

這時府裡幾個身手較高的捕快，已飛躍趕到，但見人影晃動，已有三、五個人上了屋面。

胡柏齡、余亦樂的輕功造詣，都是當代頂尖人物，哪裡會被這幾個吃公門飯的人趕上？幾個躍身，早將這些人拋在身後不知多遠？

地面街上的兵卒騎勇，來往如梭，二人自不願多惹麻煩，是以各自施展出本身修爲的輕功，胡柏齡在前，余亦樂隨後，宛似兩道輕煙，一掠而逝。

片刻工夫，已來到三泰客棧，身子一起一落，便到了小天井中。這裡店裡的旅客，也都被驚醒，四處房間，皆燃點了燈燭，幸而二人身形輕靈，未被發覺。

二人來到「嶗山三雄」房內，胡柏齡未等他們相問，便道：「南昌府的監獄遭人放火，用了調虎離山之計劫走了要犯，此事究竟如何？明、後天定然必有傳說。」

「嶗山三雄」的老大鮑超道：「難道盟主親去過南昌府府衙了麼？」

胡柏齡道：「我二人隱在監獄對面的屋頂之上，是以看來甚是清楚。」

王大康問道：「不知盟主可看出什麼痕跡沒有？」

胡柏齡道：「雖沒有看出什麼痕跡，但以所見那二人的輕功，實非平庸之輩……」

鮑超道：「盟主遇見了什麼樣的人物？」

余亦樂接道：「來人的面目我們也沒有看清，不過身手實在不弱。」

王大康急道：「既然看見，爲何不追上去看看？唉！要是俺老王跟盟主一道去多好？」

余亦樂笑道：「那二人隱身之處，與盟主和我隱身之處，只是一牆之隔，他們被官兵發現，停身不住，才飛身逸去，看他們身法，倒真是江湖高手，不過在這種情況之下，我們既不清楚此中情形，又不受官家俸祿，又何苦追捕他們？」

王大康道：「等天明之後，咱們再出去看看。」

胡柏齡道：「南昌府走脫了要犯，房屋被焚，事態甚爲嚴重，這幾日內，南昌府對外來的人，定然嚴加注意，依我看來，咱們這兩天還是少出去走動的好，免得多找麻煩。」

鮑超道：「那麼咱們明天就離開此地如何？」

胡柏齡道：「今天大家且去歇息，此事明天再另作商量。」

第二天清早，南昌府便派出兵勇，滿街布下崗哨。胡柏齡等起床後，早點之時，向店家探聽昨夜之事。

店家小聲地道：「你們幾位府上是哪裡？」

胡柏齡隨口應道：「咱們河南。」

店家道：「說來你們也許不知道？但也可能知道。」說著略略頓了頓，又道：「咱們江西有一夥出名的強盜，他們頭領，叫什麼鋼鞭？什麼飛鏢？這個人連三尺孩童提起他來，也不敢鬧；也不知做了多少案子？後來由前任大老爺請出好幾位俠客，才把他拏住，關在死牢裡，就要問斬，不知怎麼，昨晚來了一夥人，翻牢劫獄，殺人放火，把他劫走了，聽說還放走了不少死囚，真是不得了，簡直膽大包天。」

幾人在說話間，忽然店小二跑進來，道：「對面『七星鏢局』派人來看幾位爺。」

胡柏齡聞言，抬頭一看，只見走進來四個中年大漢，都是身著長衫，前面一個年紀較長的，雙手捧著一個朱漆拜盒。

余亦樂輕輕扯了胡柏齡一下衣袖。

那手捧拜盒之人，緊步向前搶了兩步，道：「敢問貴客，哪一位是天下綠林盟主，胡盟主？」

余亦樂原座不動地問道：「請問四位是哪一路的朋友？找胡盟主有何見教？」

那人應道：「我們乃是江西『七星鏢局』『七星神彈』彭鏢主的門下，奉了鏢主之命，特來投帖拜候。」

余亦樂笑道：「我們偶經貴地，只因與彭鏢主緣慳一面，是以沒有前往拜會，怎地倒勞他這等客氣了？」頓了頓，道：「好吧，就請將拜帖遞下，待盟主過目。」

那人托盒過頂，躬身向前跑了兩步，把拜盒朝前一送。

余亦樂伸手揭開拜盒，取出一張大紅拜帖，轉遞給胡柏齡手上。

胡柏齡拆開拜帖一看，只見上面寫道：

天下綠林盟主胡勛鑒

欣聞　貴駕蒞臨南昌　頓使小邑添輝　久仰閣下武功蓋代　義氣千秋　武林同欽　茲

敬備菲酌　恭候光臨　藉表地主之誼

江西南昌府　七星鏢局　彭靖百拜

胡柏齡隨手將拜帖交給余亦樂，對來人和藹地道：「請煩四位上陳你家鏢主，就說胡柏齡多蒙抬愛，少頃我必親自趨前候教。」

那人躬身道：「胡盟主，你太客套了，咱們鏢主，還再三交代，他說胡盟主貴人事繁，難得來此，少時敝鏢主，也必親來迎迓。」

胡柏齡道：「這樣胡某人就不敢當了，恭敬不如從命，就說我胡某拜領他這份盛情了。」接著又道：「有勞幾位辛苦，請吃兩杯早酒如何？」

四人連連稱謝，躬身退出。

余亦樂笑著對胡柏齡道：「從古以來，宴無好宴，少時咱們前去，不可不防。」

王大康道：「你們放心，一切傢伙由俺老王準備就是。」

過了一個時辰之久，店家進來報道，說「七星神彈」彭靖親來拜訪。

胡柏齡偕余亦樂肅裝在店門相迎，只見那「七星神彈」人也不過五十左右，生得甚是威猛，身後跟了六個鏢局內的執事人員。

「七星神彈」略一打量，道：「彭某不知尊駕光臨南昌，迎迓來遲……」

胡柏齡未等他話完，搶著道：「不敢，不敢！你我均是武林中人，何須客套？」

彭靖道：「敝局略備水酒，請即移駕如何？」

胡柏齡道：「初次相見，就要打擾……」

彭靖哈哈一笑，打斷話頭，一挽胡柏齡的手臂，道：「尊駕這等客氣，反而見外了？走走走，咱個好好乾三大杯……」

胡柏齡也只好笑道：「既蒙抬愛，只有打擾了。」

「七星神彈」彭靖掃目環視了店內一下，道：「還有尊駕幾位貴友呢？也請同往敝局……」

胡柏齡轉身與店小二招呼了一聲，不一會兒「嶗山三雄」攜了兵刃來到，胡柏齡略一介紹。

「七星神彈」彭靖望了三人呵呵笑道：「原來是鼎鼎大名，威鎮膠魯的『嶗山三雄』，失敬、失敬！」幾人又寒暄了幾句，這時進來兩個鏢局的壯漢，望著彭靖小聲地道：「馬匹已備妥，請鏢主吩附。」

「七星神彈」道：「尊駕如無他務，門外車馬俱妥，請即撥駕敝局如何？」

胡柏齡點頭道：「此地與貴局相距甚近，車馬都用不著，你我步行好了。」

彭靖道：「彭某遵命。」說罷牽了胡柏齡的手，走到門外，餘人也都緊緊相隨，魚貫而出。

到了門口，彭靖向侍候的人一揮手，與胡柏齡並肩，向「七星鏢局」走去。

這「七星鏢局」今天已與昨日初到南昌所見之時，大不相同，這時，重門敞開，門口並排立著六名臂抱青鋼單刀的大漢，顯得氣勢非凡。

彭靖引著胡柏齡等人，來到第四進大廳，大廳上，早已排好四桌酒席。

胡柏齡一見有四桌酒席，心中暗道：「看這裡並無多人，為何要四桌酒菜呢？」但自己是當代綠林盟主，自不便相詢，只是心中甚感奇怪而已？

「七星神彈」肅容入座，大家又謙了一陣，才據坐中間主席。

酒過三巡，「七星神彈」彭靖道：「這幾桌還空著，不妨請他們來吃，也好叫他們一睹綠林盟主的風采。」立在彭靖身後之人，立即應了一聲，轉身走出。

不一刻，那邊一片碎碎的步履之聲，胡柏齡抬頭一看，不由心頭一震！暗道：「這些人是哪兒選來的？這彭靖到底是何用心？」

原來進來之人，全是些龍鍾老人、面帶淚痕的婦女，與黃髮無知的孩童，另外還有八、九名拄柺、吊臂的中年漢子。這些人進來之後，彭靖招呼他們坐入那三桌空席之上，然後與胡柏齡斟了一杯酒，自己也斟滿了，雙手捧著酒杯，立身對胡柏齡道：「在下南昌『七星鏢局』彭靖，有一事想懇託胡盟主，我先乾了這杯，如胡盟主賞臉，也請乾了此酒。」說罷仰脖一飲而盡。

胡柏齡略一遲疑，道：「不知貴鏢主有何見教？只要胡某知道，無不明言……」

彭靖抱拳道：「胡盟主這一句話，使在下十分感激，我彭靖乃是一介武夫，有話喜歡開門見山，說個痛快。」

胡柏齡氣定神閒地道：「有話請當面講。」

「七星神彈」彭靖，用手一指那三桌的老幼婦孺道：「這全是咱們吃鏢行飯朋友的家屬，今天，我彭靖要當著他們之面，請問胡盟主一件事。」

胡柏齡是何等機智之人，目睹這男女混雜，扶老攜幼，斷臂缺腿的情形，心中已有七分了然，不禁一皺眉，端起面前酒杯，一飲而盡，說道：「彭兄有什麼話？深望能暢所欲言，在下這裡洗耳恭聽！」

彭靖似是未想到天下綠林盟主之尊的胡柏齡，言詞這等謙恭客氣？心中有點受寵若驚，一時之間，反而呆在當地，說不出一句話來。

忽聽一個蒼老沉痛的聲音，高聲罵道：「什麼臭盟主，賊盟主的？昔年綠林之中，沒有推舉過什麼盟主，我那兒子還能好好地活在世上，江湖之上，雖然險惡，但也有要命不要錢，要錢不要命的規矩，自從有了你這臭盟主之後，不但未能把江湖上紛亂的情勢澄清，反而更顯得險惡毒辣，我那兒子在『七星鏢局』跟隨彭總鏢頭十又三年，未出過一次岔子，不知和你何冤何仇？被你活活打死在鐵枴之下。」

胡柏齡心中雖感萬分沉痛，但外面卻仍能保持和藹微笑，緩緩說道：「殺人償命，欠債還錢，那人如是無緣無故，傷了你的兒子，老丈倒是應該罵他一頓。」

只聽一個柔婉細細的女子聲音說道：「胡盟主，妾夫既非綠林中人，亦非保鏢為生，只因學了一點武功，但他又從未仗恃著武功傷人，不知哪裡得罪了你胡盟主？被你劈死劍下，棄屍在郊野之中，又把妾夫人頭割下，放在寒舍客廳之中……」

胡柏齡心情激動，全身微微抖顫了一下，但一瞬之間，又恢復了鎮靜，微微一笑，道：「不知尊夫高姓大名？」

那女子大約有三十四、五，長得甚是清秀，輕舉羅袖，掩面啼道：「妾夫姓單，雙名宏有……」

胡柏齡道：「不知單兄幾時被人殺害？距今有多長時間了？」

那中年婦人答道：「妾夫被殺，距今不及半月，現尚停柩寒舍未葬。」

胡柏齡緩緩站起身來，抱拳長揮，嘴角間微帶笑意，目光橫掠過全場之人，朗聲說道：「今日與會之人，恐怕都是有事而來？在下敬望諸位盡情說出心中之事，縱然罵上兄弟幾句，也無妨礙。」

話聲甫落，忽聞一陣急促的步履之聲，直奔過來。

抬頭望去，只見兩個大漢，護擁著一個全身白衣的中年婦人，眨眼之間，已到大廳門口。三人來勢迅快，一望之下，立時可以辦出個個身負著甚高的武功。

「七星神彈」彭靖似是也不認識這三位不速之客，原位起身，抱拳說道：「三位要找哪個？」

那中年白衣婦人艷麗的臉上，如罩寒霜，星波電閃，打量了室中之人一眼，說道：「在座之中可有『冷面閻羅』胡柏齡麼？」

王大康霍然舉手一掌，擊在案上，震得杯盤亂飛，酒珠菜湯四溢，挺身而起，大聲說道：「哪來的野婆娘？說話沒輕沒重，胡柏齡也是你叫的麼？」

那護擁她身側的兩個大漢，雙雙縱躍，擋在那中年婦人身前，左面一個年齡較長的大漢，指著王大康喝道：「你是什麼東西？說話敢這樣沒有規矩？」

王大康喝道：「你可是不服麼？待俺老王來教訓教訓你……」

「七星神彈」彭靖一看情形不妙，忙地躍身離座，擋在王大康與兩個大漢之間，朗聲說道：「諸位既然來到我這『七星鏢局』，那就是承蒙諸位看得起我彭某人，彭某自然一律以朋友相待，有什麼話大家可以明說，是非自有公論。」

說到此處，略頓了頓，道：「要是諸位想在我這『七星鏢局』動手，不是我彭某怕事，但是也必須先把話說明……」

胡柏齡這時也起身走到當中，道：「彭鏢主說得極是，還望三位說明來意。」

那大漢瞧了胡柏齡一眼，道：「你是何人？」

胡柏齡含笑道：「在下正是新膺綠林盟主，江湖朋友呼稱的『冷面閻羅』胡柏齡，不知三位匆匆趕來，有何見教？」

他話音剛完，那中年白衣婦人一咬銀牙，恨聲怒道：「胡柏齡你好狠毒的心腸……」

話還未完，人已嬌軀一閃，但見白光飄拂，人已欺身躍到。

胡柏齡見她是婦道人家，又見她滿身素縞，不願與她有什麼爭執，忙地微一移步，已後退了三尺左右，望著那白衣婦人道：「你這位大嫂，在下與你並不相識，如何便責罵於我……」

那中年婦人冷笑一聲，道：「好狡滑的強盜，我知道你會說不認識於我，我問你，你二十天前，劍劈我夫、楞斃我弟之事難道就這樣不承認了麼？」

胡柏齡聽得一陣驚震，道：「此事從何說起？我幾時……」

那白衣中年婦人，一聲悽悽慘笑，道：「胡柏齡，你身為綠林盟主，就該當有男子氣概，又何必畏首畏尾呢？」

胡柏齡道：「非是胡某畏首畏尾，我對此事實不知情，你怎能一口指定，硬說尊夫和令弟之死是我胡某所為呢？」

那中年婦人，微翻杏眼，道：「難道你隨身使用的傢伙，還錯得了不成。」

頓了頓又忽叱道：「今天非要你還個公道來。」

王大康在一旁看胡柏齡一點也不發怒，在那裡慢條斯理地答覆婦人的話，見她說話態度語氣很是狂傲，心中十分生氣，當下忍不住地急道：「你這臭婆娘，真是胡說八道，你那丈夫和兄弟，也不知是怎麼冤死的？卻反而來誣陷咱們盟主，如若不走，莫怪俺老王可真要生氣打你了。」

胡柏齡一拖王大康，道：「你且不要性急，只要我們於心無愧，自會水落石出。」

說罷轉臉對那中年白衣少婦道：「此事可是你親眼看見？」

那婦人搖搖頭道：「不是。」

胡柏齡道：「既不是親眼所見，為何便硬指此事乃是我胡柏齡所為？此事，在下實在不明，頗難心服。」

那白衣婦人陡然向前搶進一步，目注兩個大漢，問道：「當時你們在場，目睹慘劇，殺我丈夫、兄弟之人，可是這個人麼？」

左首大漢雙目圓睜，瞪在胡柏齡臉上瞧了一陣，道：「是他，一點不錯！」

那白衣婦人臉色一變，嬌艷的粉臉之上，如罩寒霜，冷笑一聲，說道：「眼下現有目睹慘劇的證人，你還有何言狡辯？殺人償命，欠債還錢，男子漢、大丈夫，殺了人不敢承當，算得什麼英雄人物？」

胡柏齡還未來得及答話，那右首大漢突然指著王大康身上背著的劍、楞，大聲說道：「夫人，莊主就死在那飄垂紅穗的長劍之下，那飄垂的紅色劍穗，殷紅耀目，今生今世，我也難忘……」

胡柏齡陡然舌綻春雷，大喝一聲道：「住口！」

他生像本就威武，這聲大喝，震得屋瓦動搖，積塵紛紛下落，虯鬚怒豎，虎目中神光炯炯，更顯得神威凜凜，不可一世，兩個發話的大漢，不禁爲之氣奪，呆在當地。

那白衣艷麗少婦，微微怔了一怔！暗道：「此人無怪能被擁推綠林盟主，果然氣度不凡，神威奪人。」芳心怦然一動。

忽聽一聲「哇」的大哭，緊接著哭聲大作，此起彼落。

原來有幾個孩子，吃胡柏齡大喝之聲，震得耳朵嗡嗡作響，呆在母親身側，雖感滿腹委屈，但卻不敢哭出聲來，直待過了半盞熱茶工夫，才有一個孩子「哇」的哭了出來，這一哭，立時引起一片哭聲，大廳中四、五孩子，齊齊大放悲聲。

「七星神彈」彭靖，微微一皺眉頭，抱拳說道：「諸位夫人，請賞給我彭某人一個面子，哄哄孩子，別讓他們哭了。」

那白衣艷麗少婦，最先恢復了鎮靜，冷冷說道：「胡柏齡，我雖然沒有親眼看到你殺我丈夫、兄弟，但已經查訪明白，除你之外，當今江湖之上，還沒有施用劍中夾枴之人……」

余亦樂忽然插口接道：「江湖之上，雖未聞有第二個施用劍中夾枴之人，難道別人就不會故意扮裝成我們盟主之像，藉鐵枴、長劍，嫁禍於人麼……」

王大康早已覺著情形不對，他心中很明白，眼下這些人的丈夫兄弟之死，絕非盟主所為，但他生性渾直，卻想不出為什麼這些人，都硬指盟主為殺人的凶手？聽得余亦樂一說，心中忽然大悟，高聲接道：「余兄說得不錯，不曉哪個龜兒子、王八蛋，假扮了咱們盟主？到處殺人，替咱們找來這多麻煩，俺老王日後如遇上了他，非得把他腦袋打碎不可。」

此人渾直、純樸、毫無心機，心中想到之事，絕難忍住，他罵得十分粗野，只聽得廳中幾個年輕少婦，趕忙別過頭去，舉手掩住耳朵。

那白衣艷麗少婦，沉吟了片刻，目注胡柏齡，冷然說道：「在未找到那假冒之人以前，此事也不能就此算了……」

胡柏齡突然仰天大笑，道：「綠林盟主之名，有誰不知統率天下黑道盜匪頭子，殺了幾個人算得什麼？」

他微微一頓後，又道：「殺人事小，借我之名行凶事大，夫人縱然不願追究，在下也要查問，事情沒有水落石出之前，我不願和人動手，今日在場之人，大概都是衝著胡某而來，諸位暫請把這般血債，記在我胡柏齡的賬上，三個月後，我胡柏齡如仍查不出假借我的名號行凶之人，自當挺身承擔，任憑諸位用何種手段報復均可。」

話至此處，倏然而住，目光轉投到「七星神彈」臉上，冷冷說道：「一事不煩二主，就請彭兄把眼下受害人姓名住址，抄寫一份，送給兄弟過目，三月後償還血債之日，也好有個依據，恕兄弟不奉陪了。」大步直向大廳外面闖去。

那白衣艷麗少婦突然一橫嬌軀，攔住了去路說道：「你就這樣輕輕鬆鬆的說幾句話，就想走麼？」

胡柏齡怒道：「我已交代清楚，還有走不成的道理？」

白衣艷婦冷冰冰地答道：「如你一走了之，屆時不守信約，天涯海角，我們到哪裡找你？」

胡柏齡雖被她氣得全身發抖，但對方是個婦道人家，只怕發作起來，有失自己身分，想了想，又忍下胸中怨恨之氣，說道：「我胡某素來言出必踐，夫人這般不肯信任在下，實叫我難作區處？」

那白衣艷婦，忽地雙足一點地面，身軀倒退五尺，讓開了去路，說道：「我那丈夫、兄弟，雖不敢說世無敵手，但尋常之人，要想傷他們，也非容易之事……」

說完，轉過身去，素手一招，那兩個隨來大漢，立時奔了過去，護擁那少婦身後兩側而去。

胡柏齡聽她話未說完，忽然轉身而去，一時之間，倒是無法瞭然她話中含意所指，不禁一皺眉頭，抱拳對彭靖說道：「彭兄請代為費神，兄弟在三泰客棧中，敬候回音。」

彭靖說道：「閣下以綠林盟主之尊，待人這等謙恭，實是大出了我彭某人意料之外，吩咐

之事，自當連夜趕辦，次晨一早，定當送請過目。」

胡柏齡道：「我此時心急如焚，恨不得早些離開，如能在今夜之中送到，那是最好不過。」

彭靖略一沉忖，道：「今夜二鼓之前，送請盟主過目。」

胡柏齡一抱拳，道：「勞神之處，容待後報。」直向大廳外面走去。

「嶗山三雄」和余亦樂緊隨身後相護，步出「七星鏢局」，直奔三泰客棧而去。

胡柏齡心情沉重，奔行甚快，片刻之間，已回到客棧。

幾人剛剛坐定，忽見一個店小二手執著一封白簡，走了進來，說道：「這封書信，留給胡大爺，而且那送信之人，指定胡大爺親自拆閱。」雙手奉上書簡。

胡柏齡伸手接了過來，果見那封簡之上寫著，親呈：

胡柏齡拆閱

字跡甚是娟秀，但口氣卻托大得厲害，心中甚是生氣，暗道：「什麼人這等狂傲？」隨手拆開看去，上面寫道：

字奉綠林盟主胡

妾夫含恨慘死劍下，兄弟中枴而亡，雖然未必死於君手，但人證口誦，歷歷如繪，實使人難消疑心。

胡柏齡看得冷笑一聲，繼續展讀下去。

妾夫武功，雖不能列名時下一流高手，但普通綠林中人，實難傷得了他，為此增我疑慮不少，君挾天下綠林盟主名銜，自是身負絕藝，先夫、亡弟，現尚並棺停屍於城南藥王廟中，君如有膽，請攜劍、枴於今夜三更時分，獨赴城南之約，妾當於是時候駕於亡夫棺前。

未亡人敬邀

胡柏齡仔細看那封信上墨跡，尚未全乾，知此簡成書不久，當下投書一嘆道：「那白衣寡婦約今夜三更，會面於城南藥王廟中……」

他語還未說完，王大康已搶先接口便道：「深更半夜，約到那等荒涼陰森之處，絕不會安有好心，俺老王看還是別去的好，如若一定要去，咱們也得早做預防。」

余亦樂微微一笑，道：「王兄近來，不但見識日增，而且心地也特別機敏了……」

王大康被他讚得臉上一熱，接道：「天下武林朋友有誰不知俺老王是個渾人，你這鬼算命先生可是誠心往俺老王臉上貼金嗎？」

胡柏齡微微一笑，道：「她信中約我一人前去，勢難帶你同行！」

余亦樂道：「盟主一人，身繫天下綠林安謐混亂，豈可輕身涉險？她既然邀約你一人前去，又不便失威信於一個婦道人家，在下之見，不如由我替盟主赴約一行？」

胡柏齡哈哈大笑，道：「我乃堂堂天下綠林盟主，豈可示弱於一個婦女，而且函中指明攜帶劍、楞，或是借我兵刃，查看她丈夫、兄弟身上的劍創楞傷。」

余亦樂道：「盟主一點救人救世之心，世間又有幾人能知？不是在下多疑，那白衣婦人或許受人指示而來，如若藥王廟埋伏下他們邀集的高手，暗箭偷襲，或群起圍攻，盟主縱有絕世武功，也是防不勝防，還是由我代去的好？」

胡柏齡霍然起身，仰臉笑道：「我胡柏齡生平之中，不知經歷了多少凶險？難道身膺了綠林盟主，就該養尊處優不成？諸位好意，我這裡心領，我已決定單身應她之約，也許藉機能查出一點假冒我名號的蛛絲馬跡。」

余亦樂默然良久，說道：「盟主既然決定，在下等自是不敢阻擾，為防萬一，最好帶一個相隨之人同行。」

胡柏齡微一沉忖，道：「這麼吧！我如在五更時分，尚未返回三泰客棧，諸位可動身到藥王廟中一查。」

余亦樂道：「三更到五更，中間相距有二個時辰之久，如若那白衣少婦真有什麼陰謀，只怕我們去時已晚。」

胡柏齡道：「諸位儘管放心，他們縱然有什麼對付我的陰謀，我也不放在心上。」

余亦樂不敢再說，躬身退到門口，道：「現在時間尚早，盟主請休息一下，養養精神，待

彭靖送來名單時，我再請盟主。」

胡柏齡微微一笑，道：「咱們行蹤已露，說不定會有什麼麻煩，你們謹慎一些。」

余亦樂、「嶗山三雄」一齊躬身抱拳，領命而退。

胡柏齡待四人離室之後，關上房門，獨自思索月來江湖上迭起變故，暗道：「江湖上各大門派，縱然心中忿我奪得綠林盟主之位，也不致做出假冒我名號之事，可是眼下綠林道上人物，大都集中在『迷蹤谷』中，還有什麼人未參與北嶽英雄大會？」他雖然機智過人，但想來想去，仍是想不出個所以然來，重重疑竇，無法思解得開。

天到二更時分，「七星神彈」彭靖果然依約而來，送上了被害人的一份詳盡名單，余亦樂先自查看了一遍，然後才帶著彭靖，一齊到胡柏齡的房中，呈上名單。

胡柏齡接過名單一看，登時一皺眉頭，只見那名單之上，寫得密密麻麻，列得十分清晰，當場被殺的共有九人之多，身受重傷、落得殘廢的一十六口，輕傷二十一人，傷亡計達四十六人之多，內中包括彭靖的兒子。

看完名單上的記載，天色已快近三更，胡柏齡起身對余亦樂說道：「這些傷亡之人，凡有老母、寡妻、子女者，每人致送黃金百兩；無妻、無子者，減半相贈，重傷三十兩，輕傷二十兩。」

彭靖聽他一開口，就是這等厚禮，心中甚是驚異，起身抱拳說道：「綠林盟主之尊，出手果是驚人，百兩黃金，足夠維持一家小康生活，我這裡代爲拜領厚賜了。」

胡柏齡打開房門，微笑說道：「區區心意，不成敬意，敬望彭兄轉告他們家人，耐心等待，三個月內胡柏齡必將查出那借我名號之人，替他們出口怨氣。」

彭靖躬身說道：「未見盟主之前，風聞傳言，盟主霸橫無比，出手就要殺人，想不出這次一見，竟然是這樣大仁大智之人……」

胡柏齡不讓他再說下去，朗朗一笑，道：「不敢，不敢，彭兄過獎了。」

口中雖然說的得謙遜之詞，人卻已抱拳送客，彭靖久走江湖，哪還有不懂之理？

抱拳退出房門說道：「盟主如有需用在下之處，但一言吩咐，我彭靖萬死不辭！」

胡柏齡道：「將來借重之處正多，屆時兄弟再派人相請就是，余兄請代我陪送彭兄一程。」

余亦樂躬身領命，牽著彭靖的手相偕而去，胡柏齡目睹兩人出去，回房帶上劍、楞，略一結束，吹熄燭火，推窗而出，直奔城南藥王廟去。

七　古剎遭伏

胡柏齡輕身功夫，已到爐火純青之境，翻房越屋，毫無聲息，借半輪明月光華照路，疾奔如箭。不過一盞熱茶工夫，已到達藥王廟邊。這是一座建築宏偉，但卻十分荒涼的古廟，已絕了十幾年的香火，幾株高大的白楊、古柏，托襯得這座荒涼的古廟，越發陰氣森森。

胡柏齡剛剛停下腳步，忽見人影一閃，由一株高大的古柏之後，走出來一個全身勁裝的大漢，直向胡柏齡走了過來，停身在三、四尺外，抱拳說道：「我們夫人已在莊主靈柩之前候駕多時了。」

胡柏齡目光銳利，早已看出來人正是隨護那白衣艷婦的兩個大漢之一，抬頭望望天上星辰，冷笑答道：「現下天色，只不過剛敲三更，你們莊主夫人，也未免來得太早了？」

那大漢不再答話，轉身向廟中走去。

胡柏齡目光轉動，略一打量廟外形勢，一挺胸，緊隨那大漢身後向裡走去。

進了大門，穿過了一座滿生野草的荒涼院落，眼前又是一片石級，登上石級，眼前景物突然一變。但見古木聳立，夜風中颯颯作響，兩座廂房毗連，不下數十百間，直向後殿通去，但卻不見一點燈光。

胡柏齡一皺眉頭，心中暗暗忖道：「這地方縱然埋伏上三、兩百人，也難看出一點跡痕。」

那大漢目睹胡柏齡左右張望，忍不住冷笑一聲，說道：「胡盟主可是覺著這地方太荒涼麼？」

胡柏齡冷哼一聲，陡然一加腳勁，身子疾如脫絃弩箭一般，猛向前面射出兩丈多遠，回頭目注那大漢哈哈說道：「我如不看你是個聽人使喚的奴僕，但憑這一句話，就該當場處死。」他相貌威武，說起話來，神威凜凜，自有一種懾人的氣度，那大漢只覺心頭一寒，不敢再接口多說，低頭直向前面走去。

又穿過兩重院落，忽見前面一座高聳的大殿中，隱隱透出燈光。

那大漢早已被胡柏齡威武氣勢所奪，竟然不敢再說冷諷之言，回過身來，抱拳說道：「敝莊主夫人，就在這座大殿之中候駕，胡盟主請！」

胡柏齡仰臉望著夜空，冷笑道：「去通報你們夫人，就說我胡某依約而來，叫她出來見我。」

那大漢怔了一怔，道：「這個……」話剛出口，遙聞那大殿之中，飄傳出來一個嬌若銀鈴的聲音，說道：「胡盟主請恕我重孝在身，亡夫棺側紙錢正燃，不便抽身相迎，請入大殿之後，再容我當面謝罪。」詞意婉和，毫無驕矜之氣。

胡柏齡暗暗忖道：「她出言相求，我一個堂堂七尺男子，豈可和她這婦道人家一般見識？」當下轉身，大步直向殿中走去。

只見一盞瑩瑩孤燈，照著兩具並列的黑漆棺木，棺前果然猶燃著尚未熄去的紙錢，左手棺側，站著那全身白衣的艷麗少婦，她胸前戴著一朵茶杯大小的素花，一條黑巾，緊裹秀髮，傍倚桐棺，圓睜著一雙星目，在那黝黑的棺蓋之上，放著一柄寒光森森的寶劍。

陰森大殿，雙棺並陳，一燈如豆，光焰閃爍不定，那素縞麗婦，雖然美艷如花，也無法使這陰氣森森的大殿，減去半點恐怖之感。

胡柏齡雖是久經大敵之人，但處此情景，也不覺有種陰風森森的感覺。

略一停頓，大步直對那兩具棺木走去，相距那棺木三步左右，停了下來，抱拳對那兩具棺木一禮，才徐徐抬起頭來，望著那白衣艷婦說道：「不知夫人邀約在下到此，有何見教？」

那白衣少婦緩緩伸出右手，取下放在棺木蓋上的寶劍，說道：「亡夫身中三劍而亡，但面目之上，卻是毫無傷痕……」

話至此處，突然一振玉腕，寒光閃動，左首棺蓋應手而起。

胡柏齡微微一笑，緩步走了過去，探頭向下一看，只見一個年約四旬左右，身覆錦緞之人，仰臥在棺木之中。但見一隻白嫩的玉腕，慢慢地伸了過來，纖指輕輕一提那錦緞一角，揭了起來。

胡柏齡凝神瞧去，只見那人方面大耳，面目如生，不覺心頭一動，問道：「請問夫人，尊夫死有多少時日了？」

那白衣麗婦答道：「妾夫死去已二十多天了！」一面將那錦緞，完全揭去。

胡柏齡暗暗忖道：「一個人死去了二十多天，仍然面目如生，實在是一件可疑難解之事？」

他還未來得及開口答覆那白衣艷麗少婦之言，她已搶先說道：「請看亡夫身上劍創。」

胡柏齡道：「三劍均刺人身要害穴道之中，劍創都在致命之處。」

白衣麗婦道：「一劍已可置人死地，不知為什麼要刺三劍？」

胡柏齡冷然一笑，道：「夫人問話，最好別帶語病，這個我怎能知道呢？」

白衣麗婦突然伸出雪白的玉腕，說道：「妾夫既非死於君手，不知可把你長劍借我一用？」

胡柏齡冷冷說道：「這有什麼不可？不過那人既然仿造了我的兵刃，假冒我的名號，也許兵刃尺寸一般模樣。」

右手一翻，抽出背上長劍，遞了過去。

那白衣美婦接過寶劍，在手中掂了兩掂，緩緩向那仰臥在棺材中大漢的傷口之上量試。

胡柏齡雙眼凝注，看那白衣艷婦用自己的寶劍在傷口之上，量試了半晌，又把寶劍還了過來，說道：「三劍傷痕，都和你寶劍一般大小。」

胡柏齡道：「這麼說將起來，夫人已認定在下是兇手了？」

白衣艷婦淡然一笑，道：「那也不是……」

陡然向後退了兩步，舉劍一挑棺蓋，但聞「呼」的一聲，棺蓋合好。

胡柏齡看她兩次劍挑棺蓋，只不過舉手輕輕一揮，行若無事一般，心中暗道：「這女人的腕力倒是不弱。」

正忖思間，忽聽身後響起了一陣步履之聲，直入大殿而來。

胡柏齡豪氣干雲，對身後那步履之聲，充耳不聞，頭也不回地冷冷問道：「夫人具函邀約在下深夜到此，可只是爲了借我寶劍，試量尊夫身上的劍傷麼？」

白衣艷婦不答胡柏齡的問話，嬌軀一轉，姍姍蓮步，走到另一具棺木旁邊。說道：「胡盟主可要看看我兄弟的悽慘死狀？」

胡柏齡道：「不必啦！夫人如果認定你那丈夫、兄弟，都是我胡某所殺，那也無可奈何，此等之事，百口難辯。」

那白衣艷婦，緩緩伸出手中寶劍，慢慢地挑開了另一具棺蓋，道：「胡盟主請看我兄弟的悽慘死狀。」

胡柏齡大步向前走了過去，在棺木之前停下腳步，正待低頭向那棺木之中探視，心中突然一動，暗道：「這婦人在挑起第一具棺蓋之時，手法異常迅快，合蓋之時，又故意使棺蓋猛力相撞，發出巨大的響聲，適才身後又聽步履聲響，這大殿中分明已有人走了進來，他們卻故意叫步履聲音驚動於我，不知是何用心？她這次挑起棺蓋的手法，卻是異常緩慢，難道這棺材之中，還暗藏什麼鬼謀不成？」心念一動，凝立不動，環目圓睜，投注在那白衣少婦身上。

那白衣少婦只覺那炯炯目光，有如冷電中夾著霜刃一般，直刺入芳心深處，素腕微微一抖，幾乎把那挑起的棺蓋滑落下去。

胡柏齡暗中一提真氣，右手寶劍搖揮之間，幻化出一片劍幕，護住身子，身子突然打了一

個旋身。

就藉那迅快的一轉之勢，已看清身後景物，只見兩個大漢，分站在大殿兩側入口門內，正是那日護送這白衣少婦到「七星鏢局」之人。

那白衣少婦就在胡柏齡這轉身一旋之間，人已恢復了鎮靜，綻唇一笑，道：「胡盟主可發現了什麼可疑之處麼？」

胡柏齡心思何等機敏，略一沉忖，已然想出原委，冷笑一聲，道：「這兩人進入大殿之時，故意放重腳步，引去我注意之力，好掩遮其他人的行動，是也不是？」

那白衣少婦臉色微微一變，道：「你這等多疑之人，竟被推選爲天下綠林盟主？既怕這棺木之中，暗藏埋伏，不看也罷。」

胡柏齡縱聲長笑，道：「如是那棺木中放著一具屍體，不看也還罷了，既是藏有埋伏，我如不看，豈不有負夫人一番心血麼？」

那白衣少婦突然一顰黛眉，道：「既知棺木中暗藏算計，又何必捨身冒險？」

說著話，素腕緩緩下沉，準備把棺蓋合上。

胡柏齡突然一舉手中鐵枴，抵住棺蓋，冷笑道：「我既然來了，豈可不見識一下夫人的伎倆。」

暗中提氣護身，探頭向棺木之中望去。

但見一人仰面臥在棺中，頭骨已經碎裂，一片模糊血肉，不覺怔了一怔，暗道：「這棺木之中，既放有一具屍體，難道埋伏就藏在這屍體之中不成？」

心還未轉，突見那仰臥的屍體微微抖動起來，正覺奇怪，忽見白光電閃，一道冷鋒直向咽喉襲來。

胡柏齡早已有備，抵住棺蓋的鐵楞一加力，棺蓋突然向後飛去，人如飄風，疾向後退出五尺，讓開那白衣艷婦一劍突襲。

凝目望去，只見那白衣艷婦嬌軀一挺，橫向一側躍開。

就在一剎那間，棺中突然噴出一股毒水，夾雜縷縷銀芒。

胡柏齡吃了一驚！暗道：「我還道這棺木之中，暗藏著強弩、鐵鏢，哪知竟是這等歹毒的埋伏？看來她一劍突襲，倒是有意救我了！」心中念頭轉動，人又向後躍退。

只見那噴出的毒水、毒針，噴射出之後，立即四散開來，籠罩一丈方圓大小。

胡柏齡環目轉動，掃掠了那白衣艷婦一眼，大喝一聲，直向那棺木欺了過去，掄動手中鐵楞，橫掃過去。

但聞一聲砰然大震，那棺木吃他一楞橫掃，擊得直飛起來，片片碎裂，棺中一具屍體，也被攔腰打成兩段。

震聲繚繞耳際之時，大殿中的燈光也突然一閃而熄。

胡柏齡久經大敵，愈是險惡環境，愈能沉得住氣，當下劍、楞一合，護佐身子，靜站在原地不動。

他內功精深，目力本有過人之能，略一停息，已可在暗中辨物。

緩緩轉動目光望去，那白衣少婦已不知何時離去？守在兩側門內的大漢，也同時失了蹤

跡，兩座側門，也不知何時被人閉上，大殿中黝暗如漆。

在這等鬼氣森森的環境之中，任是何等膽大之人，也不禁生出恐懼之感，胡柏齡雖然身負絕世武功，也不覺有點陰森森的感覺，暗道：「他們把兩側的木門關閉，不讓一絲天光透入，定要施展什麼歹毒的陰謀？可惜我進這大殿之時，未能留神四周景物，如若有人隱在四周暗影之中，施展那些無聲無息的歹毒暗器，那可是防不勝防的事；我如破門衝出，只怕要被他們恥笑，眼下之策，只有先把那熄去的燈火點燃再說。」心念一轉，探手入懷，摸出火摺子來，隨手晃燃，暗運內勁，抖手投到另一具棺木之上，凝神靜站了片刻，仍然不見一點動靜。

但見那投在棺材上的火摺子，熊熊燃燒起來，火焰漸大，胡柏齡緩緩舉步走了過去，每一舉步落腳，所踏之處的磚地，深陷下半寸多深的腳印，直待走到那棺材旁邊，才慢慢舉起右手長劍，挑起棺材上面的火摺子，燃起旁側熄去的燈火。

目注棺木，舉起手中鐵枴，在棺蓋之上敲了幾下，冷冷說道：「你如再躺在裡面裝死，還不趕快出來，要不然我這一枴劈下，你連還手的機會也沒有了。」

聲音甫落，果聞「嚓」的一聲，那棺蓋突然飛了起來，首先飛出一塊錦緞，緊接著躍出一條黑影，飛離那棺木七、八尺處，才落在實地之上。

胡柏齡凝神看去，只見那人方面大耳，正是躺在棺材中裝死之人，再瞧他身上傷痕，宛然尤在，不覺一皺眉說道：「你裝死裝得一點不像，但不知身上那劍創，怎麼做成，幾乎瞞過了我。」

那人躍出棺木之後，雙目一直呆呆地瞪著，身子僵直而立，對胡柏齡相問之言，似是沒有

聽到一般。

胡柏齡見他久久不應自己問話，不禁大怒，雙肩一晃，直欺過去，大聲喝道：「你聽到我的問話沒有？」

只見那人口齒微動，鮮血順口淌了出來，還未說出一句話，人已倒了下去。

胡柏齡機警無比，一見情形不對，立時疾向旁側閃去，果然那人倒向地下之時，身後暗影中，突然飛過來四把四寸長短的柳葉飛刀，刀身藍芒閃閃，一望即知是經過毒藥淬煉的絕毒暗器。

四面柳葉刀，劃起了幾縷尖風而過，但聞「啪啪」幾聲，釘在對面壁間。

胡柏齡正待凝目，向那發刀暗影中探看，耳邊又響起暗器嘯風之聲，轉頭看去，只見六道白光，疾射而到，來勢勁急，一閃而至。

在這等陰風森森，險象環生的境遇之中，胡柏齡早已暗中運氣戒備，那手中長劍一揮，立時幻化出一片劍幕，一陣叮咚之聲響過，飛來暗器全被劍光擊落。

就在他揮劍掃打暗器的同時，另一處殿角暗影中，疾射來兩支標槍，一陣勁風過處，燈火應聲熄去。

胡柏齡武功雖高，也無法兼顧到七、八尺外的燈火，大殿上，驟然又恢復一片漆黑。

但聞一聲尖銳刺耳，聲若狼嗥的怪笑聲，起自胡柏齡身後殿角，足足有一盞熱茶工夫，才停了下來，笑聲過後，一片寂然，卻不聞說話喝問之聲。

胡柏齡一面留神戒備，一面忖思對敵之策，他膽氣過人，任何驚怖的環境，均無法擾亂他

的心神，那怪笑聲雖然來得驚心動魄，但他仍然凝立不動。

峙立了良久時光，大殿中仍然是毫無動靜，沉寂形成了一種恐怖的緊張。

胡柏齡終於忍不住這使人窒息的沉悶，放聲大笑一陣，說道：「隱起身形，暗施算計，豈是大丈夫的行徑？如再不肯現出身來，可莫怪我胡某人要走了。」

他聲如洪鐘，這時大喝起來，震得全殿都是回鳴之聲。

只聽那狼嗥之聲的怪笑，重又響起，道：「胡柏齡，你已陷身絕境，這大殿四周，早已埋伏下數十個高手，識時務者，趕快放下手中兵刃，尚可保全一命，如敢妄圖逞強突圍，只要我一聲令下，立時有數十種絕毒的暗器，同時打出，任你武功絕世，也難在夜暗中逃過這密如驟雨的暗器襲擊，只要你中了一針、一箭，立時將橫屍大殿。」

胡柏齡聽那聲音，起自大殿後壁之處，似是那發話之人，隱藏在神像後面，心中暗暗忖道：「他這話雖是嚇唬之言，但如細想起來，也是實情；這大殿中黑暗如漆，目難視物，如果他施用的都是梅花針之類的歹毒暗器，閃避確也不易，敵暗我明，先自吃了大虧，如逞一時豪勇之氣，正中他人激將之法，實非上策。」心念一轉，暗中移動身軀，到了那棺木之前，提足真氣，陡然大喝一聲，一腳向棺木踢去。

這一腳乃是他生平功力所聚，威勢非同小可，那整個的棺材，應腿而起，直向那大殿後壁之處飛撞過去。

胡柏齡在踢飛棺木的同時，右手長劍一揮，幻化出一片劍影，護住側翼，左手鐵枴一掄，疾向大殿門口衝去。

但聞一聲轟然大震，那飛起的棺木，正撞在後壁之上，立時震得屋動瓦滾，積塵紛紛如雨。

他早已暗中相度好停身之處，和那殿門之間的距離，這時，就藉鐵枴一掄之勢，雙足點地，一式「春燕穿雲」疾如飛丸，直向門外飛去。

他這一式的身法，快迅無比，身子剛出了殿門不到二丈的地方，飛躍的身勢，仍然如離絃之箭一般，陡然間，一陣腥風，夾著「嗤沙」之聲，迎風撲罩而來。

這時胡柏齡身勢仍在飛躍之際，一聽對面風聲有異，心中暗道：「不好！」但這等變生突然，要想應變，實非易事。

但事實已不允許他有所考慮，就在驚覺有異之時，一吸丹田之氣，身子猛地往下一墜，在身子將要觸及地面之際，上身往後一倒，懸空的挫腰長身，硬把一個疾飛向前的身子，平貼著地面，重又躍飛大殿之內。

他這墜身倒躍，少說也有四、五丈開外，待他落地之後，才知迎面噴罩來的，竟是腥風刺鼻的毒雨，胡柏齡一見這等布置，不由打了兩個寒顫。

那狼嗥之聲，又在另一殿角之處響起，胡柏齡略一喘息，暗暗忖道：「眼下環境，已非單憑武功能夠應付得了，強敵隱身暗處，施用各種毒水、毒針之物，合力施襲，我武功縱然再強一些，也難保萬無一失，必得想個出敵不意的脫身之法，才可衝出重圍，或是設法先斃幾人，以寒敵膽。」

只聽那狼嗥般的怪笑之聲，繚繞耳際，不絕如縷，全殿回音震耳，盡都是尖銳刺耳的怪笑

之聲，有如冰窖地獄中吹出來陣陣陰風，使人如置身鬼域之中。

胡柏齡內功精湛，定力甚強，初聞那怪笑之聲，並未放在心上，聽了一陣，漸覺不對，因那笑聲一氣而出，間無停息，如非有絕佳內功之人，絕難辦到，這使他意念到除了四周毒水、毒針埋伏之外，又有一個武功精深的強敵，不禁凜然心驚，暗中提聚真氣，仰臉長嘯。

嘯聲若鶴鳴九泉，怪笑似荒夜鬼哭，兩種尖厲的嘯笑之聲，交混一起，彼起此落，忽而嘯聲高拔，怪笑聲低沉不聞，忽而怪笑突起，嘯聲又被壓了下去，交織成一片驚魂奪魄的樂章。

突然間響起兩聲悶哼！緊接著「噗通」一聲，似是有物摔倒地上。

胡柏齡運內功，發出長嘯，和那怪笑之聲互較高低，只覺那怪笑聲，有如瀉地水銀一般，無孔不入，雙方鬥了一陣，仍是難分高下，可是胡柏齡已累得滿頭大汗，因爲彼此互不相見，既不知那口發怪笑之聲的是何等之人？亦不知他是否和自己一般的疲累不堪？

忽地怪笑大振，長嘯聲登時被壓了下來，胡柏齡正待拚盡餘力反擊，那怪笑聲倏然而住，顯然那人是害怕再和胡柏齡這般相鬥下去，因爲那埋伏在大殿四周的相隨之人，已忍受不住了。

這時，胡柏齡也已甚覺疲累，怪笑聲一住，立時停下長嘯，略一調息，高聲說道：「閣下既然身具這等武功，自非無名之輩，何不堂堂正正，這等藏頭露尾，不覺著有辱閣下盛名麼？」

只聽一角暗影之中，傳來一個冷冰冰的聲音說道：「老夫已二十年未和生人見面了，平常之人，老夫也不屑和他相見……」

胡柏齡暗暗忖道：「好大的口氣！」口中卻冷笑道：「胡某既然不配和閣下相見，不知邀我到此何意？」

只聽那冰冷的聲音，重又響起，道：「老夫重履江湖，即聞大名，原想傳言未必如真，哪知今宵一會，竟是不凡，敬請稍候片刻，老夫立刻晤見。」

胡柏齡暗暗忖道：「這人鬼鬼崇崇，不知弄的什麼玄虛？難道現身之前，還有什麼花樣不成？」

心中念頭未息，忽見眼前綠光閃動，眨眼間亮起了四盞光燄碧綠，有似鬼火一般的燈籠，四個身著綠衣的美婢，各提一燈，緩緩自神像後面走了出來。

這燈光雖然碧綠黯深，但在胡柏齡這等內外兼修的高手看來，已如旭日高照，皓月當空，大殿景物，清晰可見。

只見那四個綠衣美婢，都在十六、七歲左右，個個黛眉櫻唇，粉臉艷紅，雖是蓮步細碎，姍姍而來，但步履之間，卻十分輕靈穩健。

胡柏齡見識廣博，一望之下，立時辨出這四個年輕的綠衣美婢，都有著一身極佳的武功，當下提聚真氣，暗中戒備，反手把長劍插入後背劍鞘之中，一手扶柺而立。

四個綠衣美婢，直步入大殿正中，才一起停下身來，然後緩緩散開，各把手中燈籠，高高舉起。

胡柏齡正想藉機看看四周情勢，忽聞沉重的步履之聲傳入耳際，趕忙凝神望去，只見一個胸垂白髯，身披黑袍，髮挽道髻，手執拂塵，臉長如馬，雙顴高突，面如死灰的高大之人，慢步由神像後面走了出來，舉步落足，著地有聲。

此人生相已帶著三分森森鬼氣，加上那四盞碧綠燈光一照，和他那一身陰氣沉沉的裝著，看將起來，直似鬼域中走出來的生死判官一般。

胡柏齡膽子雖大，但一睹此人形貌裝束，也不禁心頭凜然微震。

只見他走到四個綠衣婢女中間一站，輕輕地咳了一聲，四個綠衣婢女同時把手中高舉的燈籠放了下來。

胡柏齡正待開口，那黑袍怪人已搶先說道：「你就是去年北嶽，綠林大會之上，獨敗群雄，奪得盟主的『冷面閻羅』胡柏齡麼？」

胡柏齡聽他言詞托大，老氣橫秋，不覺心中有氣，冷冷答道：「不錯，胡某人正是在下。」

那怪人一雙白多黑少的眼睛一翻，打量了胡柏齡兩下說道：「果是英雄氣度，一表人材。」

胡柏齡道：「好說！好說！老英雄過獎了。」

那怪人微一咧嘴，無聲無息的一笑，道：「當今武林之中，那些自我標榜正大門派中人，自天下綠林推舉出盟主之後，都已大生恐慌，準備聯手合力，對此事大張撻伐，你身為綠林盟主，不知對此事有何應付之策？」

胡柏齡看他說話神態，儼然以長輩自居，哪裡像是對待一個初度相晤之人在說話？心中大感不悅，冷然答道：「此事在下還未曾聽人談過，故而仍無應付之策。」

那怪人舉起手來，一拂胸前長垂白髯，說道：「身爲綠林盟主，竟然慮不及此，一旦事情發生，人家出手攻你們個出其不意，難道屆時束手就範，任人擺布不成？」

胡柏齡暗道：「此人不知是何許人？應該先把他底細摸清再說。」當下答非所問地道：「不知老英雄上姓高名？」

那怪人淡然一笑，道：「老夫已數十年不在江湖上露面，說出姓名，只怕你也不知。」他微微一頓後，又道：「不過昔年老夫在江湖上行道之時，曾有一個渾號，說將出來，也許還有人知道？」

胡柏齡暗暗忖道：「不管你渾號也罷，姓名也好，先說出來聽聽再說。」當下微微一笑道：「老英雄既不願以真實姓名告人，在下自是不便相強，承以昔年稱號相告，在下亦願洗耳恭聽。」

那怪人臉色一沉，冷冷說道：「老夫昔年行道江湖之時，承得武林同道抬舉，送了個『陰手一魔』稱號，不過老夫幾十年未在江湖上行走，知這稱號之人，只怕已所餘無幾了。」

胡柏齡雖是當代綠林盟主之尊，但他出沒之區，只在江北一帶，除了當代中幾個盛名卓著的高手之外，對江湖上老一代的高手，知之不多，心中暗自忖思道：「『陰手一魔』之名，確未聽人說過，但這稱號之中，既陰又魔，想必是十分凶殘之人。」

立時抱拳笑道：「久仰，久仰！」

那怪人原想胡柏齡這等年齡，絕不會知道數十年前之事，是以說出綽號之後，重又加上一句，已便留個下台之階，哪知胡柏齡竟然抱拳作禮，連道久仰、久仰，心中甚覺意外？暗道：

「昔年我被少林高僧大舉圍殲，身負重傷，突圍而走，世人大都認爲我已死去，難道我的名號，當真還在江湖之上傳誦不成？」

他生性陰沉殘酷，一向多疑，喜怒之情，從不形露於神色之間，儘管心中沾沾自喜，但面色仍是一片冷漠地說道：「你縱然知道老夫這綽號，但以你那點年齡對昔年江湖上事，也難了然許多，何況無知世人，大都以爲老夫早已死去。」

胡柏齡暗暗忖道：「他既然重出江湖，必預備有一番作爲，自不應等閒視之，倒不如藉機和他攀談，恭維他幾句，探聽他的意欲如何？」

他乃絕頂聰明之人，昔年凶名卓著，殺人無數，自和谷寒香邂逅之後，突然大覺大悟，回首前塵，惡跡如山，天香國色的谷寒香一縷綿綿柔情，軟化了他一顆鐵心石膽，純潔善良，改變了他先天凶性，一念向善，前惡盡成無比的愧疚痛苦，每思替人間做幾件有益之事，以便稍贖前咎，此刻遇上了這等人物，正是他藉以贖罪之機，當下拱手說道：「老英雄這次重履江湖，想來必預備做番驚天動地的大事業了？」

「陰手一魔」冷冷笑道：「老夫這番重出江湖，本想就我綠林道上，聯絡幾位高手，合力同心，和那些自認正大門戶中人，做一次生死之搏，哪知竟被你搶了先著，奪得天下綠林盟主之位。」

胡柏齡道：「老英雄說得不錯，近數年來咱們綠林中人實在受他們的惡氣不少……」

「陰手一魔」聽他所說之話，和自己心想說的話一樣，不禁心頭大悅，陰沉冷漠的臉上，忽然間流現出一抹笑容，說道：「想不到老夫隱居之後，咱們綠林道上，竟然出了這樣一位人

才……」

他微微頓了一頓，道：「老夫生平之中，從未對人生有過如許好感，但對你，卻甚例外，老夫原意要把你引來此地，下手除去，然後再上北嶽，重取綠林盟主之位，以振我綠林雄風，和江湖上各大門派，一爭長短，但你既和老夫氣味相投，這綠林盟主之位不取也罷。」

胡柏齡心中暗道：「這中間還有這大曲折……」

「陰手一魔」又接著說道：「老夫雖可容你坐綠林盟主之位，但卻必須依老夫三個條件！」

胡柏齡暗暗罵道：「好大的口氣？」口中卻微笑道：「不知三個什麼條件？」

「陰手一魔」道：「第一件，要把綠林盟主的實權，交於老夫，一切盡依老夫暗中調度；第二件，你要拜在老夫門下，由我再傳你幾種絕技；那第三件……」

胡柏齡道：「第三件怎麼樣？」

「陰手一魔」突然舉手一揮，四個綠衣小婢各自向後退了三步，舉起手中燈籠，齊聲說道：「上酒。」

胡柏齡暗罵道：「哪來的這許多臭排場？」

抬頭看去，只見那神像之後，緩步走出一綠、一白的兩個中年艷婦，每人手中托著一只小巧的玉盤，姍姍而來，到了胡柏齡身前停下。

「陰手一魔」冷冷說道：「第三件，最是簡單，只要你把玉盤中兩杯藥酒飲下。」

胡柏齡低頭望去，只見兩只玉盤中酒色各異，那白衣艷婦手托玉盤中的酒色一片血紅，綠衣艷婦玉盤中的酒色，卻是濃黑如墨，不覺一皺眉頭，問道：「不知老英雄可否先把這兩杯藥酒的用處，相告於我，容我想想看吃是不吃？」

「陰手一魔」冷笑一聲，道：「那紅色藥酒，乃老夫費盡了心機，尋得天下三十二種奇藥製成，飲下之後，精力大增，夜夜春宵，無女相伴，即難成眠。」

胡柏齡「哦」了一聲，道：「那濃墨色的藥酒，不知又有何妙用？」

「陰手一魔」哈哈大笑道：「老夫和你一見投緣，索性破例告訴你吧！那墨色濃酒，名叫『向心露』，飲下此酒，終生一世，都將對老夫不生二心，凡入我門，必飲此酒。」

胡柏齡道：「一杯藥酒，能有多大毒力，我就不信，使人終生一世向心於你。」伸出手去，取過那墨色藥酒。

忽見那白衣艷婦臉上閃過一抹愁慮，素腕一伸送來玉盤，說道：「凡入我師之門，大都先飲此酒，對你豈可破例？」

「陰手一魔」突然放聲大笑，目注胡柏齡道：「老夫索性讓你佔個便宜，只要飲下她杯中之酒，老夫連人一併相贈。」

此等之言，如在胡柏齡未改過向善之前，聽來不過付之一笑，但此刻聽來，卻甚感逆耳難進，不禁臉色一變，冷然說道：「這等淫媚之酒，豈是大丈夫應飲之物，雖然區區一杯藥酒之力，未必能使在下亂性……」

那白衣艷婦星目中閃動著奇異的神光，盯注在胡柏齡臉上說道：「先飲此酒，是我師門中

嚴厲之規，你既答應入我師門，拒飲此酒，那是不敬師長……」

胡柏齡縱聲笑道：「我幾時答應了拜在你師父門下？」

「陰手一魔」臉色一沉，冷冷說道：「多口的賤婢……」忽地向前欺了兩步，左掌一伸，掌勢已按在那白衣艷婦背心「命門穴」上，只要他一吐掌中蘊蓄內力，這少婦，勢非被震死掌下不可。

胡柏齡忽然大喝一聲：「住手！對付一個婦人女子，突然下手，豈是大丈夫的行徑？」

「陰手一魔」怒道：「她是我門下弟子，殺留任我之意，如何算得突然下手？」

胡柏齡朗朗大笑，道：「她縱然是你門下弟子，你也不能這般對待於她……」

「陰手一魔」緩緩收回放在那白衣艷婦「命門穴」上的左掌，笑道：「你是替她求情麼？」

胡柏齡道：「那倒不是！一門之中，應有門規戒律，她縱然犯了門規，也該按律規治罪，這等出手就要殺人的行徑，哼哼！哪裡像一派宗師的身分？」

「陰手一魔」被他幾句反問之言，說得張口結舌，答不出話，呆了一陣，道：「你說的倒是不錯。」

胡柏齡突然一聳濃眉，環目中神光閃閃地說道：「舉凡比試，首應求得公允，老英雄命我飲下這兩杯藥酒，想來定然自信這藥酒下腹之後，在下有生之年，都將對你不生二心；不過在下飲下這兩杯藥酒之後，要是果如所言，那也罷了，萬一這兩杯藥酒難以迷失我的本性，不知老英雄何以自處？」

「陰手一魔」冷冷說道：「你欲讓老夫如何？」

胡柏齡微微一笑，道：「如若我飲下這兩杯藥酒，仍是依然故我，那就請老英雄想個自絕之法，離開人間，也免得丟醜現眼，有傷身分。」

「陰手一魔」看他不慌不忙地侃侃而談，似是根本未把兩杯毒酒放在心上，不禁心中動了懷疑，暗道：「我這毒酒百試不爽，此人竟然敢這等和我相賭，難道他身懷解毒的靈藥不成？」

一時之間，沉吟難答。

胡柏齡看他久久不語，立時又冷冷說道：「老英雄如果沒有膽氣相賭，在下也不相強，大丈夫一言九鼎，我胡某既然答應飲下你的藥酒，縱然是入口斷腸，明知無辜，但絕不推辭。」

「陰手一魔」見胡柏齡這等催促自己與他相賭，豪氣干雲，心中不由疑慮不定，這時又見胡柏齡以言相激，只得說道：「果然是不失英雄本色，你既敢飲老夫之酒，只是……」

話到此處，倏然住口，他本想直指胡柏齡懷有解藥，但話到嘴邊，又覺著不對，所以倏然住口，只把一雙眼睛，瞪在胡柏齡身上。

胡柏齡看他神色，滿是遲疑之態，便知他是懷疑自己手持有解藥，當下也對「陰手一魔」瞧了一眼笑道：「看著英雄神色，難道疑心在下話中有詐？或是認定在下身有解化你藥酒之藥不成？」

「陰手一魔」被他一問，暗道了一聲：「慚愧！」臉色微變，呵呵一笑，卻未言語。

那白衣艷婦聽得二人言語，緊張惶急的臉色，略略一鬆，星目中閃現出一種驚訝、關切，和期待的光輝，款款地向胡柏齡望了一眼。

胡柏齡見「陰手一魔」聽了自己言語，只呵呵一笑，未曾說話，心中微感不快，冷冷笑道：「明人不做暗事，在下既答應飲此藥酒，只是不信你這藥酒真有什麼怪異力量！同時在下也還自信，就憑一己的定力，或將不會被這一、兩杯藥酒，迷亂了我的本性。」

那白衣艷婦雙手微微一陣顫抖，輕蹙黛眉，極哀怨地偷偷斜睨了胡柏齡一眼。

「陰手一魔」那白多黑少的怪眼翻轉了一陣，對胡柏齡望了一望，似是不甚相信胡柏齡之言。

胡柏齡偷眼看了看天色，心中暗中盤算，當下接道：「在下雖存心一試老英雄的藥酒，但是老英雄卻疑我藏有解藥，而且看老英雄神色，不但不信在下之言，彷彿還想搜查於我？看將起來，老英雄也太不信人了，這真使在下不敢恭維。」

這幾句話說得不但理直氣壯，而且十分鋒利，只說得「陰手一魔」臉色驟變。

那白衣艷婦聽胡柏齡言詞這等鋒利，斜目看了他一眼，但見他依然毫無顧忌地侃侃而言，不禁暗中嘆了口氣，櫻口張動了一下，卻沒有說出話來，星目流轉，又向「陰手一魔」看去。

「陰手一魔」被胡柏齡說得惱羞成怒，臉色一變，暴喝道：「難道老夫就當真不能搜查於你麼？」

胡柏齡冷笑一聲，沒有說話。

「陰手一魔」喝道：「你不要在老夫面前賣狂……」

說話間右掌疾揚，激起一股強猛的勁風，直向胡柏齡撞去。

胡柏齡不閃不避，左掌在胸前劃了一圈，便把「陰手一魔」擊來的勁道，逼擋開去。

「陰手一魔」一陣怪笑，道：「老夫幾十年未在江湖走動，也二十年未和他人動手，想不到江湖上倒真的出了不少人物！看你這一掌，確很有一點功力，難怪你能爭得綠林盟主之位了。」

說罷又是一聲怪笑，道：「今天老夫倒要見識見識呢？」

胡柏齡硬擋了「陰手一魔」一掌，知他功力實是沉厚，這時心裡暗自忖道：「眼下不用說他們人多勢眾，就單是這『陰手一魔』一人，也就不易對付了，現下只有與他拖延時間，待余亦樂幾人到來，再作道理。」

心念轉動，人卻微向一側略讓一步，道：「在下尊敬你是前輩英雄……」

那靜站一旁的白衣艷婦，適才見他二人言詞犀利，已是十分不安，及見「陰手一魔」向胡柏齡發擊一掌，只驚得花容失色，嘴唇發白，如若不是心懼「陰手一魔」真想向前阻勸。

這時她見胡柏齡讓向一側，再也無法按捺得住，當即啓口向著胡柏齡道：「你既答應入我師門，如何能這等無禮……」

胡柏齡道：「在下何時曾答允入你師門了？」

那白衣艷婦道：「你允飲此酒，就算答應，難道還不承認麼？」

胡柏齡道：「我答應飲此藥酒，乃是不信這藥酒有什麼怪異的藥力……」

白衣艷婦咬唇微笑，道：「這就是啦，只要你答應飲酒，便是答應入我師門，這是我師門規矩。」

胡柏齡一聲冷笑，道：「拜師習藝，乃是兩廂情願之事，天下哪裡有強迫的道理？你們的怪異規矩，又如何能管壓得了在下？」說罷又是「嘿嘿」一笑。

他乃是極具豪氣之人，要在平日，他絕不會和這白衣艷婦這般說話，此時為了拖延時光，才這樣和她說了幾句。

「陰手一魔」在旁連聲怪笑，道：「你身為綠林盟主，如何出爾反爾？」

胡柏齡正色道：「老英雄乃是有身分之人，可不能任意編排他人，在下素重信諾，從不食言，老英雄怎說在下出爾反爾了呢？」

「陰手一魔」道：「方才你答應飲我藥酒，這時又怎地強辯起來呢？」

胡柏齡一抬濃眉道：「一言既出，駟馬難追，在下答應飲你的藥酒，絕不抵賴。」

「陰手一魔」道：「既是如此，又何必狡辯？」

胡柏齡「哈哈」笑道：「在下這等解說，乃是把事情分明，這飲酒是一事，拜師又是一事，如何能混為一談？你們這種規矩，實使在下好笑。」

「陰手一魔」看胡柏齡神色，心裡不由得一動，暗道：「只要你飲了此酒，只要你真的沒有解藥，老夫還怕你逃出我的手掌麼？」

但他繼而一想，看胡柏齡那種對藥酒有恃無恐的神態，心裡又狐疑不定起來？

這「陰手一魔」乃是心多疑忌、喜怒不形於色之人，心裡一陣盤算，愈想愈疑？暗中一下決心，轉臉對伺立身側的綠衣少女道：「你們上去搜搜他身上，可有什麼私藏的解藥沒有？」

兩個綠衣少女，一移蓮步，便直向胡柏齡欺去。

胡柏齡冷哼一聲，沉聲喝道：「你們是當真要搜麼？」

那兩個綠衣少女望了「陰手一魔」一眼，也不答話，直欺而來。

胡柏齡見二女直欺過來，不禁心頭微怒，大喝一聲，道：「站住！」

他外貌原就偉岸莊穆，這一聲又宛似半空春雷。

二女被他一喝，不由蓮步一緩，雙雙對他望去，只見他目光如電，臉色肅穆，一種懾人的神威，使人不敢仰視，二女心裡同時一寒，正待轉臉向「陰手一魔」看去，那邊「陰手一魔」已冷冷喝道：「速去搜來！」

「陰手一魔」爲人極爲冷酷凶狠，二女心中雖怯於胡柏齡那股凜凜神威，但對「陰手一魔」的命令，更是不敢有違，二人互望了一眼，只得向前走去。

胡柏齡急道：「好男不跟女鬥，胡柏齡堂堂大丈夫，怎肯與你弱女子動手？快退回去。」

二個綠衣少女對他的話，竟如未聞一般。胡柏齡見二女不理自己的呼喝，心中一急，又後移一步，道：「老英雄，在下敬你是位前輩人物，你怎麼叫這兩個綠衣少女前來糾纏？快叫她們回去，在下願和老英雄兩下解決。」

「陰手一魔」別過頭去，連瞧也不瞧他一眼。

兩個綠衣少女來到胡柏齡面前，相距還有三、四尺近之處，忽地探臂抖腕，已各取出一柄軟劍，這兩柄軟劍，迎風一抖，一柄是金光耀眼生花，一柄是銀光閃閃，如流星劃空。

胡柏齡一見二女兵刃，心中暗道：「這軟劍乃兵器中最深奧的兵刃，沒有深厚的修養，不敢使用；看她二人，竟是使用軟劍，功夫定然不弱。」心念轉動，當即提高警覺，口中說道：

「你們不聽在下之言，可休怪胡某……」

他話尚未完，二女已各虛晃一劍，守住兩方，迎面站的綠衣少女道：「你如藏有解藥，快拏出來。」

胡柏齡口露微微冷笑，卻未答話！另一個站在胡柏齡身側的綠衣少女說道：「問你的話，你可聽到沒？」胡柏齡還是冷冷一笑！

二女互望了一眼，再不答話，但聽一聲清吟，金光一閃，銀花點點，二女已揮劍分向胡柏齡刺去。

胡柏齡左手夾枴，右掌一招「經天緯地」拍出一股罡風，分向刺來的雙劍迎去。這招「經天緯地」直劃東西，威力非同小可，掌風過處，激變一股厲嘯之聲，待與那襲來的劍勢一接觸，但見那劍身被震得在半空盪盪地一陣晃動。兩個綠衣少女，陡覺手中劍身一晃，幾乎把握不牢，不由悚然一驚，趕忙又一提內力，功貫劍身。

「陰手一魔」在旁看得也不禁脫口讚道：「果然好功力。」

二女一劍未中，二次聯劍再攻，這一次兩柄劍分上、下二路，直向要穴點刺。

胡柏齡見二劍來得厲害，冷笑一聲，道：「你可不要怪我胡某欺侮女流了……」說著依然單運右掌，一招「流星墜地」，這一招暗含兩式，上拒下砸，快如電奔，力如山嶽，硬將兩劍拒擋回去。

兩個綠衣少女，方才已與胡柏齡接觸一招，自己軟劍，竟被他掌風一震之力，震得盪盪直晃，知他功力深厚，心裡早存戒意，這時見他一招「流星墜地」，上拒下砸，直向自己劍勢上

迎拒而來，便覺一股極強猛的力道，封住劍勢。二女哪敢大意，倏的收招，玉腕一抖，綠光閃動，二人散而復聚，一前一後，分別襲到。她二人這一聯劍相攻，配合得嚴密異常，前面金光一點，直向「肩井穴」刺來。

胡柏齡耳目聰明，大異常人，正得出手封架前面金劍，陡覺後面金風微動，那綠衣少女已揮劍向「尾龍穴」點到。這前後夾攻，而且又是劍攻要穴，情勢真是緊張之至。

那怔怔立在一旁的白衣艷婦，只覺得心頭一寒，用力咬住下唇，香頰上已見汗珠隱隱，睜著一雙星目，無比關切地向胡柏齡款款凝視。

陡聞胡柏齡一聲虎吼，左手一翻，鐵枴筆直豎起，腳下用力，身子藉力一旋，枴演「困龍升天」，但聽兩聲清脆的金玉大振，二女已驚叫一聲，綠衣飄拂，珮環叮咚，二人已退出五、六尺之外。

白衣艷婦轉頭向二女望去，但見二女花容失色，手顫唇白，在那裡喘息不止，再看胡柏齡，已收枴卓立當地。她心裡不由激起一種敬慕之情，口角微綻笑意，星目含情，低頭斜望了他一眼，這一眼之中，包含了深深情意。

綠衣少女略一喘息，驚恐地向「陰手一魔」瞧去。

「陰手一魔」「嘿嘿」笑道：「如此功力，自是難與，此番縱然是敗，也怪不得你們二人。」說著，向前移了兩步，冷冷地道：「能破老夫雙姝聯劍的，恐怕在今日江湖上，沒有幾人，你竟然在過手之間，就把她二人震退，足見你的武功修為，火候不弱了。」

白衣艷婦一見「陰手一魔」向前移動，一顆芳心不知為何竟放在胡柏齡的安危之上，不自覺地也向前移了兩步。

「陰手一魔」冷笑道：「老夫見獵心喜，多年未曾動過手了，今天難得有此機緣，倒要看看天下綠林盟主這副身手，到底有多大的功力？」說到此處「哈哈」一笑，道：「老夫也不強求，只要你接老夫三招試試……」

胡柏齡英雄蓋世，豪氣干雲，哪裡甘心雌伏，當下也朗朗大笑，道：「老英雄如若有興，在下自當奉陪，不要說只賜教三招，就是三十招、三百招又待如何？」

「陰手一魔」仰首一聲怪嘯道：「好，你小心接招吧……」一語未畢，突然前面傳過來一陣爭吵之聲，接著又是一陣金鐵交鳴。二人聽得俱都微微一震。

正在這時，又傳來一聲粗暴的喝聲，道：「你少說廢話，俺老王就不吃這一套，要不是俺老王心裡著急，少不得把你們這群王八蛋的腦袋瓜子，砸個稀爛……」

「陰手一魔」聽到那粗喝之聲，宛如洪鐘一般，心裡不由一怔！忖道：「此人是什麼樣的人物？怎地這等莽撞？」他心念未歇，外面一陣乒乓、噗通之聲，接著又響起呼喝，與急奔的步履聲，眨眼間，一陣錯亂的腳步之聲，已到了門外。

「陰手一魔」聞聽這陣喧囂之聲，已知有變，但他乃經驗豐富，個性深沉之人，臉上表情，一絲未變，倏的收回正待擊出的掌勢，掉臉向門外一瞧。

但見四條人影，橫衝直撞而來，前面一人身高八尺，虎背熊腰，臉色赤紅，短鬚如戟，背上斜插著一柄金背開山刀，圓睜虎目，氣沖沖地直朝前闖；後面跟定了兩個勁裝大漢，這三人正是「嶗山三雄」。

王大康一眼瞧見胡柏齡，遠遠地高聲嚷道：「呔！盟主在這裡了。」他說著話，便向「陰手一魔」奔去。

胡柏齡知他爲人魯莽，怕他有失，正待開口相阻，那王大康已伸手一指，對著「陰手一魔」喝道：「你這老鬼是什麼人？這是咱們天下綠林盟主，你沒有見過，也該聽過，怎的敢對盟主這等吹鬍瞪眼的？少不得俺老王要教訓教訓你才好……」

胡柏齡疾出左手阻道：「王賢弟不可造次，這位乃是前輩英雄，你焉可自不量力？快些退下……」

王大康哈哈大笑，道：「盟主放心，俺老王縱然打不過他，卻自信還挨得起打，俺老王怕他何來？」說著便欺身而上。

「陰手一魔」見王大康生性粗率，不願理他，只是冷然一笑。

就在王大康欺身上前，胡柏齡正待出手相阻，「陰手一魔」冷笑之際，突然間門外「噹噹」鑼響，又是呵呵一笑。

「陰手一魔」回眼望去，只見一個文士打扮之人，手持銅鑼、鐵板，踱著八字步，笑著緩步而來，他肩上還掛著一個長長的白布袋子。

王大康趁「陰手一魔」轉臉瞧望余亦樂之際，高聲喝道：「你可不要東張西望，俺老王可要動手了。」

「陰手一魔」聽他說來甚是有趣，不覺轉頭望了他一眼。

王大康不服氣似地說道：「你笑什麼？俺老王素來正大光明，從不打人家冷拳。」

頓了頓，接道：「你準備好，俺老王要動手了……」一語未畢，身軀閃躍，已「呼」地擊出一拳，這一拳是他氣極而發，一股強勁的拳風，如同山崩海嘯一般，直向「陰手一魔」擊去。

「陰手一魔」見他拳來，不但不避，嘴角間泛起一絲冷冷笑意，說了聲：「來得好，不懂事的蠢物。」說話間，臂腕微微向上一翻，只聽一聲輕微風響，衣袖向上一拂，拂提之間，袖角已拂掠到王大康的手腕之上。

但聽「哇呀」一聲大喝，王大康陡然向外一跳，左手托著右拳，翻著一雙虎目，恨恨地瞪注在「陰手一魔」臉上，道：「你打不過人，卻施用什麼妖法作弄俺老王……」

胡柏齡細看王大康右手已然紅腫起來，不禁心頭大駭，暗道：「一個人縱然功力深厚，內勁強猛，也不能在指掃袖拂之下，能把一個身具橫練功夫的人傷得這等厲害，只怕此人練有什麼陰歹的功夫？」心念一轉，疑慮大生，當下低聲喝道：「王兄弟，快把指臂伸屈幾下，看看筋骨是否受傷？」

王大康道：「盟主放心，俺老王打人之技雖不高明，但挨起打來，卻是有著過人之能。」他口中雖然說得輕描淡寫，但卻也感到有點不對，依言把指臂伸屈了幾下。但覺指臂運用自如，筋骨毫未受損，大聲笑道：「承蒙盟主垂顧，俺老王生得皮肉堅厚，指臂俱未受傷。」

胡柏齡輕輕地「哼」了一聲，臉色越發凝重起來，雙肩微一晃動，人已欺到了王大康的身側，沉聲說道：「快把右手伸出來給我瞧瞧。」

王大康緩緩伸開五指，平把右手背送出，果在手背之上，有一道極細的血痕，只是這血痕

細如游絲，不留心極不易看得出來。

胡柏齡緩緩轉過臉去，目注「陰手一魔」冷冷說道：「對一個心地渾厚之人，暗下這毒手，你也不覺著慚愧麼？」

「陰手一魔」聽得怔了一怔！思索一陣，才冷然答道：「難道我這『陰手一魔』綽號，是人白叫的麼？」原來他生平之中，很少有人以善良人性之言，責問過他，是以聽來甚感意外，沉吟了良久，才答出話來。

胡柏齡緩緩走了過去，右手緩緩舉起，拔出背上長劍，虎目神光如電，投注在「陰手一魔」臉上，緩緩走了過去，神威凜凜，氣度懾人。

「陰手一魔」那等陰冷之人，也不覺為他威武的氣度所懾，神色驟然緊張起來，圓睜著一雙白多黑少的怪目，暗中提氣戒備。

胡柏齡輕輕一揮手，寶劍劃起一圈銀虹，血紅的劍穗，在碧綠的燈光之下閃動，紅綠相映，幻起一圈暗紫，隨著劍光幻起銀虹搖動。

那緊隨「陰手一魔」身側的白衣艷婦，突然彎下柳腰，把手中一杯藥酒，放在地上，探手入懷，從腰間解下一條紅絲結成的索繩，一端結著一個光芒耀目的鳩頭鎚，一端繫著一個雪白的銀珠，握在右手，左手卻一翻腕從背上拔出一柄長劍，低聲對「陰手一魔」道：「師父，我先出手擋他一陣，好麼？」

「陰手一魔」還未開口說話，忽聽三聲噹噹鑼響，余亦樂拔出腰間鐵板，縱身躍落胡柏齡身側說道：「盟主乃我天下綠林龍頭，豈可隨便出手？這一陣讓給在下吧！」

那白衣艷婦突然一瞪雙目，望著余亦樂冷然說道：「我不要和你動手，快些退下去，免得自討苦吃！」

余亦樂微微一笑，道：「買賣不成仁義在，咱們這筆交易縱然不成，也該留點見面之情……」

白衣艷婦嬌聲叱道：「你胡說什麼？」舉手一劍「毒蟒出穴」當心刺去。

余亦樂揮筆一封，但聞「噹」的一聲，筆、劍相觸，寶劍被鐵筆架開。

胡柏齡突然低聲喝道：「住手！」

那白衣艷婦一劍未中，右手紅索鳩頭鎚抖腕直擊過來，余亦樂橫掄左手銅鑼，幻起一片金光護住身子，耳際間鑼聲大震，鳩頭鎚又被銅鑼架開，余亦樂藉勢躍到一側，躬身說道：「盟主有何吩咐？」

胡柏齡雙目瞪在那白衣艷婦手中的紅索鳩頭鎚上，滿臉疑慮地問道：「你手中用的兵刃叫什麼名字？」

白衣艷婦側臉向「陰手一魔」望去，只見他微閉雙目，背手而立，不覺臉色微變，一揮手中寶劍，高聲答道：「用的什麼兵刃，你能管得著麼？」

胡柏齡正容說道：「你用這紅索鳩頭鎚，江湖上甚是少見，可是令師相授的麼？」

他剛才追問兵刃名字，此刻卻自行叫了出來，而且神情莊莊重重，好像對這種奇形的兵刃，十分尊重一般。

余亦樂機智過人，看到盟主神情，心中忽然大悟，暗道：「是了，這等紅索鳩頭鎚的兵

刃，江湖上施用之人不多，此人所用和他夫人所用兵刃一樣，自是難怪追根尋柢了。」

那白衣艷婦凝目沉吟了一陣，陡然欺身而上，劍、鎚齊施，著著攻向胡柏齡要害大穴之處。

胡柏齡卻是隨手揮動著鐵柺、寶劍，化解那凌厲的攻勢，出手不輕不重，只把她兵刃封架開去。他對嬌妻敬愛無此，因這白衣艷婦手中兵刃和谷寒香所用的一樣，心中不忍傷敗於她，要她知難自退。

那白衣艷婦連攻幾招，看去雖然凌厲，但那劍、鎚之中，並未含蘊勁力，但見胡柏齡隨手揮舞劍柺，打來輕描淡寫，不自覺激起了好勝之心，攻出劍鎚，勁道漸增，二十回合後，鎚影已帶起嘯風之聲，劍光電奔，幻起一片森森劍幕。

胡柏齡微微一聳肩頭，暗道：「她這般不知進退，不知要打到何時為止？如若不給她一點顏色瞧瞧，只怕她永無知難自退之心。」念頭一轉，暗運功力，手中鐵柺突出一招「驚鴻離葦」，鐵柺橫向白衣艷婦劍、鎚上掃去。

只聽一聲金鐵相擊的大震，那幻起的劍影，突然被直蕩開去，那白衣艷婦也同時被震得向後退了兩步。

胡柏齡微微一笑，道：「你不是我的敵手。」轉臉望著那負手閉目，站在一側的「陰手一魔」豪壯地說道：「幾位高足的武功，在下已經領教，現在該領教一下老英雄的武功了，快請亮出兵刃吧！」

「陰手一魔」一直閉著雙目靜靜地站在一側，聽得胡柏齡挑戰之言，才緩緩睜開雙目，冷

然笑道：「老夫就憑一雙肉掌，接你的寶劍、鐵枴。」

胡柏齡朗朗大笑，道：「老英雄好大的口氣，既然不願亮出兵刃動手，在下只好空手奉陪了。」

正待出手，忽聽一聲悶哼！轉頭望去，只見王大康左手抱著右手，滿臉痛苦之色，頭上汗珠如雨，紛紛滾了下來，那受傷的右手，已然腫大了一倍。

胡柏齡心中暗吃一驚！忖道：「此人不知用的什麼武功，竟是這般歹毒！」

心中雖然甚感驚震，但外貌仍然保持著鎮靜，淡淡一笑，說道：「咱們這場比試，多少賭點東西，不知尊意如何？」

「陰手一魔」突然仰臉一聲尖厲的長笑，道：「如果你輸在老夫手中，就把那綠林盟主之位讓與老夫。」

胡柏齡道：「如是在下勝了呢？」

「陰手一魔」突然回頭望了那白衣艷婦一眼，道：「勝了我就把她送給你終身爲婢。」

胡柏齡暗暗罵道：「可惡的老鬼。」口中卻微笑說道：「老英雄盛情可感，但恐在下沒有這等艷福了……」他微微一頓，又道：「如若在下僥倖勝得，只望老英雄把我那受傷兄弟的傷勢療好，也就是了。」

「陰手一魔」似是大感意外，冷冷地說道：「江湖之上，最重信諾，你身爲綠林盟主，如若口不應心，可要被天下武林朋友恥笑了。」

胡柏齡道：「丈夫一言，駟馬九鼎，老英雄但請放心。」

「陰手一魔」那素無表情的臉上，微微泛現出一層愧疚之色，目光環掃了殿中群豪一眼，說道：「這乃你自己立下之約，敗在老夫手下，可莫說賭得有所不公？」

「嶗山三雄」中的鮑超，突然向前走了兩步，大聲說道：「大丈夫生死有命，盟主豈可爲一個人的生死之事，賭那綠林盟主的崇高之位？」

胡柏齡淡淡一笑道：「我已久經思慮而決，諸位不必再多進言。」抱拳大步而出，直對「陰手一魔」走去。

那手執燈籠的四個綠衣小婢突然散布開來，各自把手中燈籠高高舉起，四燈光燄隨著大張。濃重的夜色，吃那四盞綠燄火光一照，大殿中一片深碧，所有人的臉色都變得青光慘慘，直似置身鬼域一般。

胡柏齡機智過人，目睹眼下情景，心中忽有所悟，暗道：「他這綠燄燈光，忽強忽弱，隨意調整，只怕有什麼作用？」一面暗中運氣戒備，一面留神觀察四婢的舉動。

但見四婢各自高舉手中燈籠，凝神而立，個個臉上一片莊嚴。

「陰手一魔」微微一笑，說道：「老夫生平和人動招，從未對人禮讓，今日破例讓你三招，三招之內，老夫只避不還，你有什麼絕技，儘管施展出手，三招一過，你獲勝的希望，即將消失。」

胡柏齡笑道：「老英雄，還未答應在下相賭之約。」

「陰手一魔」道：「如若你勝得老夫，不但療好你受傷兄弟，而且還放走你們今宵所有之人。」

余亦樂冷笑一聲，接道：「這位老掌櫃打得一手好算盤，做生意雖講求將本求利，不過，君子愛財取之有道，這等賭約，未免有失公允，難道你不放，我們就當真走不了麼？」

「陰手一魔」冷然一笑，還未來得及開口，胡柏齡已搶先說道：「就此一言爲定，在下要出手了。」縱身一躍，直欺過去，右手左揮右掃，連續拍出三掌，說道：「三招已過，老英雄請出手吧！」舉手一拳當胸直擊過去。這一拳勁道強猛，和前三掌大不相同，拳勢未到，拳風已近前胸。

「陰手一魔」右手平胸而出，迎著胡柏齡擊來的拳勢一推，冷冷地說道：「恭敬不如從命。」一股暗勁，應手而出。兩股潛力一按，陡然湧起一陣旋風，吹得那四個高舉燈籠的綠衣美婢衣袂亂飄。

胡柏齡朗朗笑道：「老英雄好內力。」左掌突然一伸，疾向「陰手一魔」推出的右腕之上抓去，出手迅如雷奔，話出口，手指已近「陰手一魔」手腕。

「陰手一魔」不閃不避，右手突然一翻，反向胡柏齡左腕之上扣去。

應變反擊，易守爲攻，快速如電光一閃，只看得余亦樂暗生驚駭，忖道：「此人無怪口氣狂妄，果是身負絕技，單看這一招應變手法，已知武功不凡。」

胡柏齡手臂微微一縮，避開了「陰手一魔」反手擒拏之勢，在微縮手臂的同時，五指同時一屈，立時彈出，直向「陰手一魔」右臂彈去。

「陰手一魔」心頭一震，暗道：「此人武功果有過人之處。」一收丹田之氣，身子倏然向後縮退半尺。

兩人交手一接之間，連續幾招詭奇的攻守變化，彼此心中都有了數，誰也不敢有輕敵之心，各自收回掌勢，相對而立，四目交投，靜站不動。但兩人心中都明白這是大風暴前的暫時沉寂，雙方都在運集真氣，只要一出手，攻勢定然更爲凌厲。

雙力相峙約一盞熱茶工夫之久，胡柏齡突然向前欺進一步，左掌運指如風，疾點「陰手一魔」前胸「玄機」要穴，右手一招「橫打金鐘」側擊過去。

一攻之中，勢道不同，而且各極其銳。

「陰手一魔」不退反進，突然向前一傾身子，雙手齊出，左手「傍花拂柳」橫掃右臂，右手「拒虎門外」硬接左掌。

胡柏齡掌指將要和「陰手一魔」掌勢相觸之際，突然向後躍退五尺。

「陰手一魔」似是未料到胡柏齡有此一著，不自主地身子向前一傾，雙掌一起落空。就這一瞬之間，胡柏齡已抽招換式，繞到「陰手一魔」身後，飛起一腳直向背心踢去。

「陰手一魔」雙掌落空，人已戒備，知胡柏齡必有殺手，藉著身子向前傾倒之勢，突然向前移動三步，剛好把胡柏齡踢向背心的一腳讓開。

胡柏齡朗朗大笑，一提丹田真氣，身子凌空而起，踢出的右腳向下一踏，左腳緊接踢了出去。

「陰手一魔」避開胡柏齡一擊之後，身子一翻，疾轉過來，卻未料胡柏齡左腳竟連著踢來，一著失神，立陷危境，身子還未轉過，胡柏齡左腳已到前胸。但他乃久經大敵之人，臨危不亂，猛一吸氣，全身忽然向後收縮了一尺五寸，胡柏齡踢來左腳，掠過前胸而過。「陰手一

魔」還未來得及還手，胡柏齡懸空的身子一振，右腳又隨著攻了上來。這一招兼具了迅快、辛辣，腳尖指襲之處，又是「將台」要穴，迫得「陰手一魔」又向後躍退了五尺。

胡柏齡大展神威，雙臂平伸，兩掌向下一拍，穩住了懸空的身子，左右腳連環向外踢出，剎那間連續踢出八腳。這八腳猛攻，招招間不容髮，「陰手一魔」毫無喘息還手的機會，被迫得連跳帶躲，才算把八腳讓開。

胡柏齡身子落著實地，微微一笑，道：「老英雄武功果是不凡，天下武林同道，能躲過我這『飛鳳十二連環腳』的，想來恐怕沒有幾人！」

「陰手一魔」冷哼一聲，欺身直攻上去，雙掌連環地劈出，一掌快似一掌，瞬息之間，還攻了一十八掌。

胡柏齡也被迫得向後退了七尺，才把一十八掌讓開。

雙方交手一瞬，各以絕技，搶得一輪先機快攻，迫得對方無力還手，彼此之間，仍是半斤八兩，難分勝敗。互以一輪快攻過後，大殿上立時又沉靜下來，雙方又成了相峙之局，四目交投，一語不發。

但兩人心中都極明白，今宵之戰，遇上了生平未遇之強敵，功力不相上下，招數各擅奇絕，這一戰鹿死誰手，誰也難以預料，彼此都沒有了勝人的信心。

相峙了一盞熱茶工夫之久，胡柏齡突然向右側橫跨兩步，說道：「老英雄留神了！」猛然一矮身子，疾如流矢，直射過去。

「陰手一魔」知他這一衝之勢中，定然暗含著什麼辣手，不敢再硬接他這強猛絕倫的衝擊

之力，身子疾向旁側一閃，左袖拂出一股暗勁，護住身子，右手卻暗中運集了全身功力，蓄勢待敵。

胡柏齡衝近「陰手一魔」時，突然一提丹田之氣，那向前衝如箭的身子，猛地向上一挺，打了一個轉身，剛好把「陰手一魔」左袖拂出的一股暗勁避開。

「陰手一魔」這左袖拂出之勢，原本只是護身，胡柏齡轉身讓避，正好給他以可乘之機。但聞「陰手一魔」一聲冷笑，蓄勢右手「呼」的一掌劈了出來。這一掌乃是他全身功力所聚，威勢非同小可，一股強猛絕倫的暗勁，排山倒海般直撞過來。

一側觀戰的余亦樂和「嶗山三雄」眼看盟主陷身危境，個個心頭一震，鮑超最是沉不住氣，縱身向前面衝去。

余亦樂左手向外一伸，抓住鮑超左臂，低聲說道：「鮑兄且莫出手，盟主武功高深莫測，絕不會傷在那老魔頭的手中。」就在兩人講話的工夫，胡柏齡已疾躍而起，施展出「金鯉倒穿波」的身法，向後躍退了八、九尺遠。

「陰手一魔」擊出的掌勢，並未立即收回，左袖疾向後面一拂，身子忽地凌空而起，直向胡柏齡迫了過去。

胡柏齡剛剛挺起身子，尚未站穩腳步，「陰手一魔」追擊之勢已到。他這一退，已然快近牆壁，退無可退，只得雙掌平胸推出，硬接一擊。一個蓄勢挾銳而來，一個腳步還未站穩，全身力道，用出不及十之三、四，雙掌一接之下，胡柏齡登時感到心頭大震，氣血浮動，一連向後退出五步。

「陰手一魔」一擊得手，藉勢欺身攻上，掌劈指掃，搶盡先機。

胡柏齡雖負絕世武功，但對手太強，一時間要想敗中求穩，扳回劣勢，實非容易之事。但他機智過人，愈處危境，心地愈是明朗，一面接架對方攻勢，一面相度形勢，緩緩把後退的方向轉了過去。

直待「陰手一魔」一揄急攻過後，胡柏齡才得到還手的機會，大喝一聲，揮拳反擊，一招「乘風破浪」當胸擊去。

「陰手一魔」揮手架開，胡柏齡藉勢側身而進，運指如風，疾點過去。

這時，雙方已成了近身相搏之局，拳掌的變化，迅快無比，當真是招招間不容髮，著著疾如電火，剎那之間，兩人已交換了四、五十招。

大殿中四個高舉碧談燈籠的綠衣小婢，不自覺地圍了上來，分站四個方向，把兩人圍在中間。但見兩人搏鬥愈來愈是激烈，掌指上的變化，也愈來愈快，兩條人影，在五尺方圓以內交錯旋走，疾轉如輪，難分敵我，看得人眼花撩亂，目不暇接。

激鬥中忽聽一聲冷哼、暴喝，那交錯的人影倏然分開。在場之人，都爲之心頭一震，只見兩人對面而立，中間相距約四、五步，各自微閉雙目而立。此等情景，一望即知，雙方都受了傷，但兩人臉色平和，似是受傷不重。

那白衣艷婦緩步向「陰手一魔」身側走去，櫻唇輕啓，似像說話，但聲音還未出口，忽然神情大變，縱身躍退了七尺。

她這驚駭異常的舉動，使「嶗山三雄」和余亦樂同時動了疑心，鮑超大喝一聲，直向那白

衣艷婦衝去。

余亦樂爲人謹慎，看那白衣艷婦，不似藉機暗向胡柏齡下手的模樣，趕忙高聲叫道：「鮑兄弟，不可魯莽。」縱身一躍，直飛過去。

他雖然發動較慢，但因輕功過人，去勢異常快速，反而搶到了鮑超的前面，回身攔住，接道：「盟主和人相約比武，還未分出勝敗，咱們豈可擅自出手？」

鮑超仍然氣虎虎地瞪了那白衣艷婦一眼，罵道：「這不要臉的賤貨，爲了引誘咱們盟主上當，不惜披麻戴孝，假裝著死了男人，我一看到她心裡就有氣。」

那白衣艷婦輕合著雙目，一任鮑超大聲責罵，不但沒有還口，連眼睛也不睜動一下，靜靜站在當地，有如一座石像。

余亦樂心細縝密，一面阻止鮑超，不讓他出手，一面仔細地向那白衣少婦的臉上望去。

碧綠的燈光，使她原本十分嬌艷的臉上，籠罩了一層淡青之色，凝神細看，十分可怖。她臉上的喜怒之色，雖然無法辨看，但神情卻可辨出，只見她柳眉愁鎖，滿臉憂苦之容，微閉雙目，似是受了重傷，亦似有著重重心事，如癡如呆地站著不動，鮑超對她那詆毀辱罵之言，她竟似渾然不聞一般，不禁心中暗感奇怪，忖道：「此女怎地忽然變成這等神情？似是受了內傷一般，但她從未接近盟主，難道是她師父傷了她不成？」

忽然心中一動，暗道：「是啦！定然是那老魔頭在暗運什麼內功，周身數尺之內，別人不能接近。」

正在忖思之間，忽聽那白衣艷婦輕輕嘆息一聲，睜開眼睛，先望了胡柏齡一眼，又把目光轉投到余亦樂身上，微微搖頭，輕啓櫻唇說道：「完啦！」

這兩個字，說的聲音十分低弱，余亦樂雖然在她對面而立，也無法聽得清楚，還得看口齒啓動的情形，加以思索，才追聽出來她說的什麼。

余亦樂皺皺眉頭，忖道：「這是怎麼？難道受傷之後，發了瘋癲之症不成？」

他一向自負機靈，江湖上諸般詭計陰謀，都不易瞞得過他的雙目，但此刻卻有難於一目了然之感。

這時，王大康的右手，已然比平時粗腫了一倍，傷口之處，亦變成紫黑之色，但他怕影響胡柏齡的精神不敢呻吟出聲，強忍著痛苦，一語不發。

那白衣艷婦經過了一陣驚駭之後，精神逐漸地平復下來，又緩緩舉步向「陰手一魔」走去。

余亦樂暗暗忖道：「這女人行動鬼鬼祟祟，不知是安的什麼心？別讓她抽冷子暗下毒手。」當下暗中取出鐵板，運功戒備，目光盯住那白衣艷婦，一瞬不瞬，只要一發現她有什麼舉動，立時將以迅快的行動截擊。

但見那白衣艷婦緩緩向前移動的身子，微微在顫抖，似是心中十分害怕。

「陰手一魔」慢慢睜開微閉的雙目，望了那白衣艷婦一眼，冷冷地說道：「你要找死麼？」

白衣艷婦急道：「師父，我……」聲音顫抖，顯然她心中還有無比的驚懼。

「陰手一魔」冷冷接道：「退開！」右手遙遙對那白衣艷婦拂出一掌。

這一掌擊來勢道，十分緩慢，毫無破空的風聲，但那白衣艷婦，卻似大難臨頭一般，尖叫一聲，向後退了三步。

此等變化，大出了余亦樂意料之外，不禁瞧得一呆。

「陰手一魔」對那少婦拂出一掌之後，立時舉步一躍，直向胡柏齡衝奔過去，雙掌齊齊推出。

胡柏齡突然大喝一聲，鬚髮怒張，右手食、中二指，併在一起，疾點過來，身隨指進，疾向「陰手一魔」迎了過去。

雙方舉動，均極快速，一進一迎，疾如雷奔電閃，兩條人影，一錯而過。

「陰手一魔」似受重創，身子搖顫不穩，停息了片刻工夫，才冷然說道：「今宵之戰，就此罷手，三月之內，老夫當找上北嶽求教。」

胡柏齡滿臉莊嚴，但聲音仍然十分緩和地說道：「在下隨時候教，但老英雄，請留下解藥再走。」

「陰手一魔」陰沉的臉上，突然泛起怒意，似想發作，但一和胡柏齡那炯炯的眼神相觸，竟然忍了下去，緩緩從身上取出一個羊脂玉瓶，倒出兩粒黑色丹丸。

另一個身著綠衣女子，緩步走了過來，接過丹丸，急步送到胡柏齡身旁，交過丹丸之後，又返到「陰手一魔」身側。

「陰手一魔」目光環掃了大殿中群豪一眼，舉步向殿外走去。

他經過那白衣艷婦身側之時，冷笑了一聲，那白衣艷婦應聲倒了下去。

胡柏齡大聲喝道：「老英雄先請傳諭撤去殿中埋伏，再走不遲。」

「陰手一魔」回過頭，望了胡柏齡一眼、舉手在頭上，繞了一個圓周。

只聽大殿外四周暗影之中，一陣急促的步履之聲，奔出來十八、九個身著黑色勁裝，臉上蒙著黑布的大漢，紛紛向大殿外面奔去。

鮑超眼瞧這大殿暗影之中，奔出了這麼多人，心頭甚火，回頭叫道：「老王動手吧！咱們先宰他幾個出出氣。」

一個枯瘦如柴中年漢子應聲而出，橫身擋住去路。

胡柏齡大聲喝道：「站開去。」

鮑超和那枯瘦中年漢子，聽得胡柏齡喝聲，果然讓到一邊。

「陰手一魔」眼看奔出來的大漢走完之後，陰冷的臉上，突然泛現一股憐惜之情，望了那白衣艷婦一眼，才緩緩轉了過去，那綠衣女子和四個執燈籠的小婢，亦步亦趨地隨在身後。

胡柏齡在「陰手一魔」轉過身子時，突然一皺眉頭，長長吸一口氣，一挺胸，登時又精神大振，虎目中精光如電，大聲說道：「老英雄慢走一步，恕在下不遠送了。」

「陰手一魔」頭也不轉地冷冷答道：「三月限期之約，就此一言爲定。」

胡柏齡突提高了聲音道：「但三月限期未滿之前，老英雄應守信諾，不許再假冒我胡某之名，惹事生非，傷人劫財。」

「陰手一魔」突然回過身來，說道：「老夫是何等之人，豈肯假冒你的姓名？」

胡柏齡看他眉宇間滿是怨毒忿怒之氣，心中暗暗想道：「此人行動之間，這樣大的排場，

而且是早已在江湖上獲得盛譽之人，想來不致冒充我的名號，如若是他手下之人所為，只怕難以找出那樣好的武功，『七星神彈』彭靖之名，在江南一帶盛譽甚著，武功亦非小可，局中鏢頭，個個都有幾手，那假冒我名號和他隨行之人中，能在幾招之中，傷了強敵，武功自是不弱……」

「陰手一魔」目睹胡柏齡只管低頭沉忖，不答自己問話，不覺大怒，冷笑一聲，說道：「老夫生平之中從未受過今日之……」

話未說完，身子忽然向前一栽，又左右搖了幾搖，幾乎摔在地上。

胡柏齡拱手說道：「老英雄一言九鼎，在下怎敢不信？老英雄請吧！」

「陰手一魔」冷笑一聲，轉過身子，緩步向外走去，行至大殿門口，步履已是不穩，左搖右晃，勉勉強強走出了殿門。

那綠衣女子和四個執燈小婢，緊隨他身後出了大殿，一出殿門，立時把四盞綠燈熄去，隱入夜暗之中不見。

請續看《天香飆》（二）

臥龍生武俠經典珍藏版 13

天香飆（一）

作者：臥龍生
發行人：陳曉林
出版所：風雲時代出版股份有限公司
地址：10576台北市民生東路五段178號7樓之3
電話：(02) 2756-0949　　傳真：(02) 2765-3799
執行主編：劉宇青
美術設計：許惠芳
行銷企劃：林安莉
業務總監：張瑋鳳
出版日期：臥龍生60週年珍藏版 2022年5月
ISBN ：978-986-5589-66-0
風雲書網：http://www.eastbooks.com.tw
官方部落格：http://eastbooks.pixnet.net/blog
Facebook：http://www.facebook.com/h7560949
E-mail：h7560949@ms15.hinet.net
劃撥帳號：12043291
戶名：風雲時代出版股份有限公司

風雲發行所：33373桃園市龜山區公西村2鄰復興街304巷96號
電話：(03) 318-1378　　傳真：(03) 318-1378
法律顧問：永然法律事務所 李永然律師
北辰著作權事務所 蕭雄淋律師

行政院新聞局局版台業字第3595號 營利事業統一編號22759935

定價：320元　

國家圖書館出版品預行編目資料

天香飆／臥龍生 著. -- 臺北市：風雲時代出版股份有限公司，2021.06- 冊；公分（臥龍生武俠經典珍藏版）

ISBN：978-986-5589-66-0（第1冊：平裝）
ISBN：978-986-5589-67-7（第2冊：平裝）
ISBN：978-986-5589-68-4（第3冊：平裝）
ISBN：978-986-5589-69-1（第4冊：平裝）

863.57　　110007328